Hobbit Presse/Klett-Cotta

978312901880 9

W0019214

Lord Dunsany
Die Königstochter aus Elfenland

Aus dem Englischen übersetzt von
Hans Wollschläger

Die Originalausgabe
erschien 1924 unter dem Titel
„The King of Elfland's Daughter"
© The Executors of the
Dunsany Estate

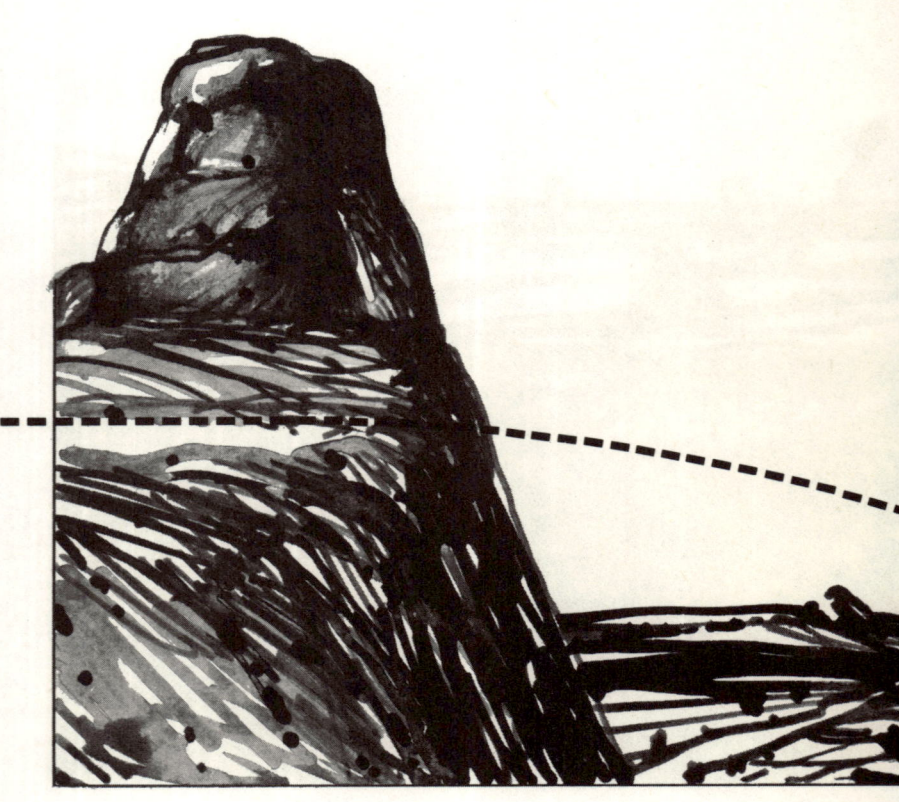

Über alle Rechte der deutschen Ausgabe
verfügt die Verlagsgemeinschaft
Ernst Klett-J. G. Cotta'sche
Buchhandlung Nachfolger GmbH, Stuttgart.

Fotomechanische
Wiedergabe nur mit Genehmigung
des Verlages
Printed in Germany
11.–20. Tausend, 1979
Gesamtherstellung: Wilhelm Röck, Weinsberg

ISBN 3-12-901880-8

Vorwort

Ich hoffe, daß der Leser, dem der Titel
dieses Buches vielleicht die Vermutung eingibt,
er werde da in ein wunderliches, ihm ganz fremdes
Land geführt, sich davon nicht abschrecken läßt;
denn wenn auch einige Kapitel wirklich von
Elfenland erzählen, so zeigt sich im
größeren Teil doch nur das Antlitz
der Gefilde, die wir kennen:
ein ganz gewöhnlicher englischer Wald,
ein Tal, ein ganz alltägliches Dorf,
gut zwanzig oder fünfundzwanzig Meilen entfernt
von der Grenze von Elfenland.
Dunsany

DER PLAN DES PARLAMENTS VON ERL (ERSTES KAPITEL). In ihren rötlichen Lederjacken, die ihnen bis zu den Knien reichten, erschienen die Männer von Erl vor ihrem Herrn, dem würdig weißhaarigen Manne, in seinem langen roten Gemach. Er beugte sich vor in seinem geschnitzten Stuhl und lauschte ihrem Sprecher.

Und dies waren die Worte ihres Sprechers:

»Wohl siebenhundert Jahre sind es, daß die Häupter unseres Stammes uns wohl geleitet haben; und ihre Taten sind im Gedächtnis der Dichter und Sänger und leben fort noch in ihren kleinen klingenden Liedern. Und doch gehen die Menschenalter dahin, und ist nichts Neues, das uns geschähe.«

»Was dünkt euch?« fragte der Herr.

»Wir wollen einen Zauberer«, sagten sie, »daß er über uns herrsche.«

»So sei es«, sagte der Herr. »Es ist fünfhundert Jahre her, daß meine Männer so gesprochen im Parlament, und es soll allerwegen so sein, wie euer Parlament spricht. Ihr habt gesprochen. So sei es denn.«

Und er hob die Hand und segnete sie, und sie gingen.

Sie gingen zurück an ihr althergebrachtes Tagewerk, mit Eisen zu beschlagen die Pferdehufe, das Leder zu gerben, die Blumen zu pflegen, für die harte Notdurft der Erde zu sorgen; sie folgten den alten Wegen und harrten, daß ihnen ein Neues geschehe. Der Herr aber sandte Botschaft zu seinem ältesten Sohn und hieß ihn zu sich kommen.

Und alsbald stand der junge Mann vor ihm, vor dem

nämlichen geschnitzten Stuhl, aus dem er sich nicht gerührt hatte, und Licht aus hohen Fenstern, das schon spät ward, zeigte die betagten Augen, wie sie fern in die Zukunft schauten, weit hinaus über dieses alten Herrschers Zeit. Und da er so saß, kündete er seinem Sohne sein Gebot.

»Mach dich auf«, sagte er, »ehe diese meine Tage dahin sind, und um deß willen mache dich eilig auf, und gehe gen Osten von hier und laß hinter dir die Gefilde, die wir kennen, bis du die Lande schaust, die zu Feenland gehören; und ihre Grenze überschreite, die da gemacht ist aus Dämmerung und aus Zwielicht, und wende dich zu jenem Schloß, davon nur im Lied noch erzählt wird.«

»Es ist weit von hier«, sagte der junge Alveric.

»Ja«, antwortete er, »es ist weit.«

»Und weiter noch«, sagte der junge Mann, »ist die Wiederkehr. Denn Nah und Fern sind anders in jenen Gefilden als hier.«

»So ist es«, sagte sein Vater.

»Was heißest du mich tun«, sagte der Sohn, »wenn ich zu jenem Schlosse komme?«

Und sein Vater sprach: »Du sollst des Königs von Elfenland Tochter heiraten.«

Der junge Mann dachte an ihre Schönheit und ihre Krone aus Eis und an die Lieblichkeit, die ihr die alten Runensagen zugeschrieben hatten. Lieder wurden gesungen von ihr auf wilden Bergen, wo winzige Erdbeeren wuchsen, zur Dämmerzeit und beim frühen Sternenlicht, und wenn man den Sänger suchte, war keine Seele da. Manchmal ward nur ihr Name gesungen, leise und immer wieder. Sie hieß Lirazel.

Sie war eine Prinzessin aus zauberischem Geblüt. Die Götter hatten ihre Schatten gesandt zu ihrer Taufe, und auch die Feen wären wohl gekommen, doch es schreckte

16

sie, die langen dunklen Schatten der Götter wandeln zu
sehen in ihrem tauigen Revier, und so blieben sie in Massen von blaßrosa Anemonen verborgen und segneten Lirazel von dort.

»Mein Volk verlangt nach einem Zauberer, daß er über
sie herrsche«, sagte der alte König. »Sie haben übel ge-
wählt, und nur die Finsteren, die nimmer ihr Angesicht
zeigen, wissen, was alles daraus erwachsen wird: doch
wir, die nicht sehen, folgen dem alten Brauch und tun,
was unser Volk spricht, in seinem Parlament. Vielleicht
mag ein Geist der Weisheit, den sie noch nicht gekannt,
ihnen selbst jetzt noch Rettung bringen. Geh denn und
wende dein Gesicht nach dem Lichte, das von Feenland
strahlt und leise die Dämmerung erleuchtet zwischen
Sonnuntergang und frühem Sternenschein, und es wird
dich führen, bis du an die Grenze kommst und hinter dir
läßt die Gefilde, die wir kennen.

Dann löste er die Schnalle eines Riemens und eines
Gürtels von Leder und gab seinem Sohn sein riesiges
Schwert und sprach: »Dies, welches unsere Familie durch
die Zeiten gebracht hat bis auf den heutigen Tag, wird
dich allerwegen auf deiner Reise sicher beschützen, selbst
wenn du weit hinaus bist über die Gefilde, die wir kennen.«

Und der junge Mann nahm es an, obwohl er wußte, daß
kein solches Schwert ihm von Nutzen sein konnte.

Nahe dem Schlosse von Erl lebte eine einsame alte
Hexe, auf hohem Land nahe dem Donner, der im Sommer an den Bergen hinrollte. Sie hauste dort ganz allein in
einer engen Hütte aus Stroh und streifte umher in den
hohen Gefilden, um die Donnerkeile zu sammeln. Aus
diesen Donnerkeilen, an denen nichts Irdisches geschmiedet, wurden, mit passenden Runen, Waffen gemacht, mit denen unirdischen Gefahren zu begegnen war.

Und zu gewissen Zeiten im Frühling, da streifte diese Hexe allein umher und nahm die Gestalt eines jungen Mädchens an in seiner Schönheit und Blüte und sang zwischen hohen Blumen in Gärten von Erl. Sie ging zu der Stunde, da die Dämmerungsfalter zum ersten Mal von Kelch zu Kelch fliegen. Und einer von den wenigen, die sie gesehen hatten, war dieser Sohn des Herrschers von Erl. Und obschon es verhängnisvoll war, sie zu lieben, da es den Männern die Gedanken benahm, also daß sie entrückt waren allem Wahren und Wirklichen, hatte die Schönheit der Gestalt, die nicht die ihre war, ihn doch verführt, sie mit tiefen jungen Augen anzuschauen, bis sie – ob nun geschmeichelt oder von Mitleid bewegt, wer kann, der sterblich ist, es wissen? – ihn denn verschonte, den ihre Künste wohl hätten verderben können, und, indem sie sich im Augenblick verwandelte in jenem Garten dort, sich ihm in ihrer rechtmäßigen Gestalt als schreckliche alte Hexe zeigte. Und selbst da entsagten ihr seine Augen nicht sogleich, und in der kleinen Zeit, in der sein Blick noch ruhte auf der welken Gestalt, die da die Stockrosen heimsuchte, gewann er ihre Dankbarkeit, die nicht erkauft werden kann noch erworben durch irgend einen Zauber, von dem Christen wissen. Und sie hatte ihm gewinkt, und er war ihr gefolgt und hatte von ihr erfahren auf ihrem donnerumtosten Berg, daß am Tage der Not ein Schwert sich möchte erschaffen lassen von Metallen, die nicht der Erde entsprungen, mit Runen darauf, an denen gewißlich ein jeder irdische Schwertstreich zuschanden ward und die, mit der Ausnahme nur dreier Meister-Runen, gar den Waffen von Elfenland trotzen konnten.

Da er nun seines Vaters Schwert entgegennahm, dachte der junge Mann an die Hexe.

Es war noch kaum dunkel im Tale, als er das Schloß von Erl verließ und so geschwinden Schritts den Hexenberg hinaufstieg, daß noch ein matter Schimmer auf den höchsten Heidesträuchern lag, als er der Hütte nah kam derer, die er suchte, und sie beim Knochenbrennen fand an einem Feuer im Freien. Da sagte er ihr, daß der Tag der Not sei gekommen. Und sie hieß ihn Donnerkeile sammeln in ihrem Garten, in der weichen Erde unter den Kohlköpfen.

Und mit Augen, die jede Minute trüber schauten, und Fingern, die sich langsam an das wunderliche Äußere der Donnerkeile gewöhnten, fand er daselbst, noch ehe die Dunkelheit niederkam über ihm, ihrer siebzehn: und diese häufte er in ein seidenes Halstuch und trug sie zurück zu der Hexe.

Auf das Gras hin neben ihr legte er, die Fremdlinge sind auf Erden. Aus wunderherrlichen Räumen waren sie in ihren Zaubergarten gekommen, Pfaden entrissen vom Donner, die unser Fuß nie betritt; und bargen sie in sich selbst auch keinen Zauber, so waren sie doch recht wohl geeignet, allen Zauber zu tragen, den ihre Runen geben konnten. Sie legte den Schenkelknochen eines Materialisten nieder und wandte sich den Sturmeswanderern zu. Sie ordnete sie zu einer geraden Reihe neben ihrem Feuer. Und dann ließ sie die brennenden Scheite und Glutkohlen darüber purzeln und stieß sie hinein mit dem Ebenholzstock, der das Szepter der Hexen ist, bis sie die siebzehn Vettern der Erde alle bedeckt hatte, die uns aus ihrer ätherischen Heimat besucht. Dann trat sie zurück von ihrem Feuer und streckte die Hände aus, und plötzlich blies sie es mit einem furchtbaren Runenspruch an. Die Flammen sprangen empor in hellem Staunen. Und was nur ein einsames Feuer gewesen war in der Nacht, mit nicht mehr Geheimnis, als allen solchen Feuern eigen, das loderte jäh nun auf zu einem Ding, das Wanderer fürchten mochten.

Als die grünen Flammen, von ihren Runen gestachelt, emporsprangen und die Hitze des Feuers immer stärker ward, trat sie zurück, weiter und weiter, und murmelte nur etwas lauter ihre Runen, je weiter sie vom Feuer war. Sie hieß Alveric Scheite häufen, dunkle Scheite von Eichenholz, die dort lagen, der Heide zur Last; und sobald er sie hineinfallen ließ, zehrte die Hitze sie auf; und die Hexe fuhr fort, ihre lauteren Runen zu sprechen, und die Flammen tanzten wild und grün; und die siebzehn in der Kohlenglut unten, deren Pfad den der Erde gekreuzt hatte einst, da sie noch frei gewandert, erfuhren die Hitze wieder, so groß, als sie ihnen bekannt gewesen war, selbst auf jenem verzweifelten Flug, der sie hergetragen. Und als Alveric sich dem Feuer nicht mehr länger nähern konnte und die Hexe schon Ellen entfernt davon war und ihre Runen brüllte, da brannten die Zauberflammen alle Asche hinweg, und das schlimme Zeichen, das auf dem Berg glühte, erlosch mit einem Mal, und nur ein Kreis aus trüber Glut blieb auf dem Grund, wie der üble Pfuhl, der leuchtet, wo Thermit geborsten ist. Und flach in der Glut, ganz flüssig noch, lag das Schwert.

Die Hexe näherte sich ihm und schälte seine Schärfen mit einem Schwert, das sie von ihrer Seite gezogen. Dann ließ sie sich neben ihm auf der Erde nieder und sang ihm zu, während es abkühlte. Nicht wie die Runen, mit denen sie die Flammen zur Wut gestachelt, war das Lied, das sie dem Schwerte zusang: sie, deren Flüche das Feuer angeblasen hatten, bis es die starken Eichenscheite zu Nichts geschrumpft, sie summte jetzt eine Melodie, so lind und leise, wie im Sommer ein Wind aus wilden Holzgärten, die kein Mensch gehegt, durch Täler streicht, die einst von Kindern geliebt wurden, doch ihnen verloren sind nun, es sei denn in tiefen Träumen, ein Lied voll jener Erinnerungen, wie sie verborgen lauern an den Rändern des Vergessens, nur aufblitzend einmal in einem goldenen Augenblick aus schönen Jahren, dann schnell vergehend wieder im Gedächtnis, um zurückzukehren zu den Schatten der Vergessenheit und nichts im Geiste zu hinterlassen als jene schwächsten Spuren kleiner schimmernder Füße, die, wenn wir sie trüb erspüren, uns Kümmernisse heißen.

Sie sang von alten Sommermittagen zur Zeit der Glockenblumen: sie sang ein Lied auf jener hohen dunklen Heide, das so voller Morgen und Abende schien, bewahrt mit all ihrem Tau durch ihre Zauberkunst aus Tagen, die sonst verloren gegangen waren, daß Alveric sich bei jeder kleinen wandernden Schwinge, die ihr Feuer aus der Dämmerung gelockt hatte, fragte, ob dies wohl der Geist eines Tages sei, verloren dem Menschen, doch nun heraufgerufen von der Gewalt ihres Lieds, aus Zeiten, die schöner gewesen. Und all die Weil ward härter das unirdische Metall. Der weiße Schmelzfluß steifte sich und ward rot. Die Glut der Röte blaßte. Und da es kühlte, minderte es sich: kleine Teilchen kamen zusammen, kleine Risse schlossen sich: und da sie sich schlossen, ergriffen sie die Luft um sich herum, und mit der Luft ergriffen sie den Runenspruch der Hexe und hielten ihn auf immer fest. Und so geschah es, daß ein Zauberschwert daraus ward. Und wenig Zauber gibt es wohl in englischen Wäldern, von der Zeit der Anemonen bis zum Blätterfall, der nicht in dem Schwert gewesen wäre. Und wenig Zauber wohl ist in südlichen Hügellanden, wo nur die Schafe streifen und die stillen Hirten, den nicht das Schwert in sich geborgen hätte. Und es war Thymiansduft darin und Fliederleuchten, und der Vogelchor, der vor Morgengrauen singt im April, und die tiefe stolze Pracht von Rhododendren, und die Geschmeidigkeit lachender Ströme, und meilen- und meilenweit Mai. Und als das Schwert schwarz geworden, da war es des Zaubers voll.

Niemand kann alles erzählen von dem Schwert, was zu erzählen wäre; denn jene, die wissen von den Pfaden des Raums, auf denen seine Metalle einst dahintrieben, bis die Erde sie einfing, eines nach dem andern, da sie vorüberzog auf ihrer Bahn, sie haben kaum Zeit zu vergeuden an Dinge wie den Zauber; und die da wissen, von wannen die Dichtung ist, und das Verlangen des Menschen nach dem Lied, oder kennen einen der fünfzig Zweige der Magie, sie wenden kaum Zeit an Dinge wie Wissenschaft und können denn auch nicht sagen, woher seine Bestandteile kamen. Sei es genug daran, daß einst es jenseits unserer Erde war und nunmehr hier lag, unter unseren irdischen Steinen; daß einst es selber Stein wie sie gewesen und nun etwas in sich hatte, wie sanfte Musik es hat; mag das erklären, wer da immer kann.

Und nun zog die Hexe das schwarze Blatt heraus an seinem Griff, der stark war und an einer Seite gerundet, denn sie hatte zu diesem Zweck eine schmale Rinne gegraben in den Boden, und begann die beiden Seiten des Schwerts zu schärfen, indem sie mit einem seltsam grünlichen Stein darüber rieb, und dabei sang sie still ein unheimliches Lied über dem Schwert.

Alveric sah ihr schweigend zu, voller Verwundern, nicht achtend der Zeit; es mag nur Augenblicke gedauert haben, es mag aber auch gewesen sein, während die Sterne fern hinliefen auf ihren Bahnen. Dann plötzlich war sie zu Ende gekommen. Sie stand auf, und das Schwert lag auf ihren beiden Händen. Fast schroff hielt sie Alveric es hin; er nahm es, sie wandte sich ab; und es war ein Blick in ihren Augen, als hätte sie das Schwert behalten wollen oder behalten wollen Alveric. Er wandte

sich ihr nach, um seinen Dank zu ergießen, doch sie war
verschwunden.

Er pochte an die Tür des dunklen Hauses; er rief »He,
Hexe, Hexe!« über die einsame Heide, bis Kinder auf
fernen Gehöften es hörten und bange wurden. Dann
wandte er sich heimwärts, und das war das Beste für ihn.

ALVERIC ERBLICKT DIE ELFENBERGE (ZWEITES KAPITEL). In das lange, spärlich ausgestattete Gemach hoch in einem Turm, in dem Alveric schlief, drang ein Strahl der aufgehenden Sonne. Er erwachte und entsann sich alsbald des Zauberschwerts, das sein ganzes Erwachen fröhlich machte. Es ist nur natürlich, Freude zu fühlen beim Gedanken an eine kürzliche Gabe, doch eine gewisse Freude lag auch in dem Schwerte selbst, und vielleicht konnte sie sich Alverics Gedanken um so leichter mitteilen, als diese aus Traumland kamen, welches des Schwerts ureigenste Heimat war; aber wie dem auch sei, es haben stets alle, die je einem Zauberschwert begegnet sind, ganz klar und unmißverständlich diese Freude gespürt, solange es noch neu war.

Er hatte nicht Abschied zu nehmen, sondern hielt es für besser, ohne Verzug seines Vaters Gebot zu gehorchen, als noch zu bleiben und zu erklären, warum er auf seine Abenteuerreise ein Schwert mitnahm, das ihn trefflicher dünkte denn das, welches sein Vater liebte. So blieb er nicht einmal, um zu essen, sondern tat Wegzehrung in einen Ranzen und schlang sich an einem Riemen eine Flasche um aus gutem neuem Leder und nahm sich nicht einmal die Zeit, sie zu füllen, denn er wußte, er würde an Ströme kommen bald; und während er seines Vaters Schwert trug, wie Schwerter gewöhnlich getragen werden, hängte er sich das andere über den Rücken, den rohen Griff an der Schulter befestigt, und schritt davon aus Schloß und Tal von Erl. An Geldeswert nahm er nur wenig mit, kaum eine halbe Handvoll Kupfer, zum Gebrauch in den Gefilden, die wir kennen; denn er wußte nicht, welche Münze oder welche Tauschmittel im Schwange waren auf der anderen Seite der Zwielichtsgrenze.

Nun liegt das Tal von Erl sehr nahe an der Grenze, hinter der keines mehr ist von den Gefilden, die wir kennen. Er klomm den Berg hinan und schritt hin über die Felder und durch den Haselwald; und der blaue Himmel leuchtete fröhlich auf ihn nieder, da er seine Straße zog, und das Blau war gleichso hell zu seinen Füßen, als er an die Wälder kam, denn es war die Zeit der Glockenblumen. Er aß und füllte seine Wasserflasche und wanderte den ganzen Tag gen Osten, und da es Abend ward, traten die Berge von Feenland vor sein Gesicht, in Farben wie blasses Vergißmeinnicht.

Als die Sonne zur Rüste ging hinter Alveric, schaute er zu den blaßblauen Bergen auf, um zu sehen, mit welcher Farbe ihre Gipfel den Abend verwundern würden; doch keinerlei Tönung kam ihnen zu von der sinkenden Sonne, deren Glanz doch alle Gefilde vergoldete, die wir kennen; kein Runzelriß blaßte an ihren schroffen Hängen, kein Schatten ward tief daran, und Alveric lernte, daß nichts, was hier bei uns geschieht, je Wechsel wirkt in den verwunschenen Landen.

Er wandte die Augen ab von ihrer heiter bleichen Schöne und blickte zurück zu den Gefilden, die wir kennen. Und da sah er, die Giebel ins Sonnenlicht erhoben über tiefen Hecken, voll Frühlings Anmut, die Hütten irdischer Menschen. An ihnen vorüber wanderte er nun, während die Schönheit des Abends wuchs, mit Vogelsang und schwebenden Blumendüften und immer tiefern und tiefern Wohlgerüchen, und der Abend sich schmückte, den Abendstern zu empfangen. Doch noch ehe der Stern erschien, hatte der junge Abenteurer die Hütte gefunden, die er suchte; denn, flatternd über der Türe, erblickte er das riesige Schild aus braungegerbter Fellhaut, welches mit ausländischen Lettern in Gold anzeigte, daß der Bewohner drunten Lederwerker war.

Ein alter Mann kam an die Tür, da Alveric klopfte, klein und von Alter gebeugt, und er beugte sich mehr noch, als Alveric seinen Namen nannte. Und der junge Mann fragte nach einer Scheide für sein Schwert, doch sagte nicht, was für ein Schwert daß es wäre. Und die beiden gingen hinein in die Hütte, wo das alte Weib saß an ihrem großen Feuer, und das Paar erwies Alveric die Ehre. Dann setzte der alte Mann sich nieder neben seinem mächtigen Tisch, dessen Platte glänzend glatt war, wo sie nicht die Spuren der kleinen Werkzeuge trug, die Lederstücke durchbohrt hatten all sein Lebtag lang und in den Tagen seiner Väter. Und dann legte er das Schwert auf seine Knie und verwunderte sich über den rauhen Griff und das Schlagblatt, denn sie waren beide aus rohem, unbearbeitetem Erz, und über die unmäßige Breite des Schwertes; und dann stärkte er seine Augen und begann nachzudenken über sein Geschäft. Und nach einem Weilchen hatte er bedacht, was zu tun war; und sein Weib brachte ihm eine feine Haut; und er zeichnete darauf zwei Stücke ab, so breit wie das Schwert und noch ein weniges breiter.

Doch allen Fragen, die er stellte nach dem breiten gleißenden Schwert, wich Alveric aus, denn er wünschte nicht, ihm die Gedanken zu wirren, indem er ihm erzählte, welche Bewandtnis es damit hatte: ward doch des alten Paares Sinn ein wenig später schon genugsam verwirrt, als er darum bat, ihm Herberge zu geben für die Nacht. Und es ward ihm diese mit so vielen Entschuldigungen gewährt, als wären jene es, die um einen Gefallen gebeten, und sie gaben ihm ein großes Abendessen aus ihrem Kessel, in welchem etwas kochte, was der alte Mann mit der Schlinge gefangen; doch nichts, was Alveric vorbringen konnte, ließ sie abstehen davon, ihm ihr eigen Bett zuzuteilen und sich selber neben dem Feuer einen Haufen Felle herzurichten für die Ruhe der Nacht.

Und nach dem Abendessen schnitt der alte Mann die beiden breiten Lederstücke aus, ein jedes mit einer Spitze am Ende, und begann sie zusammenzunähen an beiden Seiten. Dann fing Alveric an und fragte ihn nach dem Weg, und der alte Lederwerker sprach von Nord und Süd und West und sogar von Nordost, doch von Ost oder Südost sprach er kein einziges Wort. Er hauste ganz nahe am Rand der Gefilde, die wir kennen, doch von dem, was dahinter lag, wollte weder von ihm noch von seinem Weibe kein noch so leises Wort sich gewinnen lassen. Wo Alverics Reise am Morgen weiterführen sollte, war offenbar für sie die Welt zu Ende.

Und da er späterhin, in dem Bette, das sie ihm gegeben, noch nachsann über alles, was der alte Mann gesagt, da verwunderte sich Alveric wohl zuweilen seiner Unwissenheit, doch fragte sich manchmal auch, ob es nicht sinnreiche List könnte gewesen sein, daß die beiden den ganzen Abend ein jegliches Wort gemieden hatten von dem, was im Osten oder Südosten ihrer Heimat lag. Er fragte sich, ob in seinen jungen Tagen der alte Mann dort wohl mochte hingegangen sein, doch nicht einmal fragen konnte er sich, was er denn wohl gefunden hatte dort, wenn er gegangen war. Dann sank Alveric in Schlaf, und Träume brachten ihm Winke und Mutmaßungen über des alten Mannes Wanderungen in Feenland, doch brachten ihm keine besseren Führer, als er bereits besaß, und dieses waren die blaßblauen Gipfel der Elfenberge.

Der alte Mann weckte ihn, nachdem er lange geschlafen. Als er in den Tagesraum kam, brannte dort ein helles

Feuer, und das Frühstück stand fertig für ihn, und fertig auch wartete seiner die Scheide, welche dem Schwert genau paßte. Die alten Leute bedienten ihn schweigend und nahmen Bezahlung für die Scheide, doch wollten nichts nehmen für ihre Gastlichkeit. Schweigend sahen sie ihn sich erheben, um aufzubrechen, und folgten ihm ohne ein Wort zur Tür, und draußen sahen sie ihm weiter zu und hofften ersichtlich, er werde sich nach Norden wenden oder nach Westen; doch als er sich wandte und auf die Elfenberge zuschritt, da sahen sie ihm nicht mehr zu, denn ihre Gesichter folgten ihm nicht in diese Richtung. Und obwohl sie ihm nicht mehr zusahen, winkte seine Hand ihnen doch Lebewohl; denn er hatte ein Gefühl für die Hütten und Felder dieser einfachen Leute, ein Gefühl, wie sie es nicht hatten für die verwunschenen Lande. Er ging durch den funkelnden Morgen, durch Szenen, die ihm von Kindheit an vertraut; er sah das frühe Blühen der rötlichen Orchidee, welches die Glockenblume gemahnte, daß ihre Blützeit um war; die kleinen jungen Blätter der Eiche waren noch bräunlich gelb; die frischen Buchenblätter glänzten wie Bronze, wo der Kuckuck schallend rief; und ein Birkenbaum sah aus wie ein wildes wäldliches Geschöpf, das sich mit grünem Flor umhüllt hatte; an begünstigten Büschen sprossen die Knospen des Mai. All diesen Dingen sagte Alveric insgeheim Lebewohl, aber- und abermals: der Kuckuck fuhr fort zu rufen, doch nicht nach ihm. Und dann, als er sich durch eine Hecke schob auf ein ungepflegtes Feld, lag plötzlich vor ihm, wie sein Vater ihm erzählt, die Zwielichtsgrenze. Sie erstreckte sich über das ganze Feld vor ihm, so blau und dicht wie Wasser; und was man durch sie hindurch sah, schien mißgestalt und glänzend. Er blickte noch einmal zurück auf die Gefilde, die wir kennen; der Kuckuck fuhr unbekümmert fort zu rufen; ein kleiner Vogel sang von seinen eigenen Angelegenheiten; und da denn nichts seinem Abschied Antwort oder Beachtung zu schenken schien, schritt Alveric kühn hinein in die langen Massen von Zwielicht.

Ein Mann auf einem Feld nicht weit davon rief Pferden etwas zu, und Leute redeten auf einem angrenzenden Weg, als Alveric in die Umwallung aus Zwielicht trat; doch alsbald wurden all diese Laute undeutlich, ein schwaches Summen nur, als wie aus großen Fernen: mit ein paar kräftigen Schritten war er hindurch, und nicht ein Murmeln drang herüber mehr von den Gefilden, die wir kennen. Die Felder, durch die er gekommen war, hatten plötzlich ein Ende gefunden; keine Spur mehr mahnte an die Hecken mit ihrem frischen hellen Grün; er blickte zurück, und die Grenze wirkte düster, dunstig und umwölkt; er sah in die Runde und sah nichts mehr, was ihm vertraut gewesen wäre; an die Stelle der Maienschönheit waren die Wunder und Herrlichkeiten von Elfenland getreten.

Die blaßblauen Berge standen majestätisch da in ihrer Glorie, schimmernd und wogend in einem goldenen Licht, das aussah, als ergösse es sich in rhythmischen Wellen von den Gipfeln und überflutete alle Hänge mit Brisen aus Gold. Und unterhalb ihrer, weit weg bis jetzt, sah er, wie Silber hell in die Luft sich hebend, die Zinnen des Schlosses, davon nur im Lied noch erzählt wird. Er stand auf einer Ebene, auf welcher die Blumen seltsam waren und die Bäume von ungeheurer Gestalt. Alsbald nun lenkte er seine Schritte den Silberzinnen zu.

Denjenigen, die nur zu weise ihre Phantasie in den Grenzen der Gefilde, die wir kennen, gehalten haben, kann ich nur schwer erzählen von dem Land, in welches Alveric gekommen war, also daß sie im Geiste jene Ebene erblicken mit ihren verstreuten Bäumen und fern

29

dem dunklen Wald, aus welchem das Schloß von Elfenland jene glitzernden Zinnen hob, und über diesen und
jenseits die heitere Bergeskette, deren Spitzen keinerlei
Färbung nahmen von irgendeinem Licht, wie wir es sehen. Doch eben um dies alles zu schauen, streift unsere
Phantasie in die Ferne, und wenn es meinen Lesern miß-
länge durch meine Schuld, sich die Gipfel von Elfenland
zu malen, so wäre meine Phantasie besser daheimgeblie-
ben in den Gefilden, die wir kennen. Wisset denn, daß in
Elfenland die Farben tiefer sind denn in unseren Landen
und schon die Luft dort in einem so leuchtenden Glanze
erglüht, daß alles Sichtbare fast sich ausnimmt wie unsere
Bäume und Blumen, wenn sie sich im Juni in Wasser spie-
geln. Und die Farbe von Elfenland selbst, die zu schildern
ich eigentlich verzweifeln müßte, soll doch bei Namen
genannt sein, denn wir haben ein wenig von ihrem Abglanz auch bei uns; die tiefe Bläue der Nacht im Sommer,
wenn grad die Dämmerung versunken ist, das blasse Blau
der Venus, die den Abend mit Licht durchflutet, die Tie-
fentönung der Seen im Zwielicht, all das ist Abglanz dieser Farbe. Und während unsere Sonnenblumen sich sorgsam der Sonne zuwandten, muß irgendein Vorfahr der
Rhododendren sich ein wenig gen Elfenland gewandt haben, also daß etwas von jenem Glanz in ihnen geblieben
ist bis auf den heutigen Tag. Und vor allem haben unsere
Maler so manchen Blick getan in jenes Land, so daß wir
bisweilen auf Bildern ein Farbenleuchten sehen, zu wun-
derherrlich schier für unsre Lande; es ist eine Erinnerung
von ihnen, die sich eingedrängt hatte aus irgendeinem alten Blick auf die blaßblauen Berge, während sie an ihrer
Staffelei saßen und die Gefilde malten, die wir kennen.
    So schritt denn Alveric weiter durch die leuchtende
Luft jenes Landes, dessen undeutlich erinnerte Ahnun-
gen Eingebungen sind bei uns. Und alsbald fühlte er sich

weniger allein. Denn es ist eine scharfe Schranke gezogen in den Gefilden, die wir kennen, zwischen den Menschen und allem anderen Leben, so daß uns, sind wir auch nur einen Tag lang fern von unserer Art, Einsamkeit überkommt; doch einmal über die Zwielichtsgrenze hinaus, sah Alveric, daß diese Schranke gefallen war. Krähen, welche über das Heidemoor hüpften, schauten ihn wunderlich an; alle möglichen kleinen Geschöpfte spähten neugierig, wer denn da gekommen war aus einer Gegend, aus der so wenige nur je gekommen, und wer sich da auf eine Reise begeben hatte, von der so wenige nur je zurückgekehrt; denn der König von Elfenland hütete seine Tochter wohl, wie Alveric bekannt war, obschon er nicht wußte, wie. Es lag ein fröhliches Funkeln von Wißbegier in all den kleinen Augen, und dazu ein Blick, der eine Warnung bedeuten mochte.

Es gab vielleicht weniger Geheimnis hier als auf unserer Seite der Zwielichtsgrenze; denn nichts lauerte oder schien zu lauern hinter den mächtigen Eichenstämmen, wie zu gewisser Licht- und Jahreszeit Dinge wohl lauern in den Gefilden, die wir kennen; nichts Fremdes barg sich hinter den Graten der Bergeskette; nichts ging in den tiefen Wäldern um; was immer lauern mochte, war dort klar zu sehen, was fremd sein mochte, lag voll sichtbar vor des Reisenden Auge gebreitet, und was im tiefen Walde umgehn mochte, das lebte dort im hellerlichten Tag.

Und so alldurchdringend lag die Verzauberung über dem ganzen Land, daß nicht nur Tiere und Menschen einander in ihrer Meinung errieten, sondern gar ein Verständnis zu walten schien, das von Menschen zu Bäumen reichte und von Bäumen zu Menschen. Einsame Fichten, an denen Alveric hin und wieder vorüberkam auf dem Heidemoor und deren Stämme in jenem rötlichen Lichte glühten und glommen, das ihnen durch Zauber aus irgendeinem alten Sonnenuntergang zugekommen war, schienen mit in die Seiten gestemmten Zweigen dazustehen und sich ein wenig vorzubeugen, um einen Blick auf ihn zu tun. Fast schien es, als wären sie nicht immer Bäume gewesen, bevor die Verzauberung sie dort überrascht hatte; es schien, als wollten sie etwas erzählen.

Doch Alveric achtete keiner Warnung, weder von Tieren noch von Bäumen, und schritt weiter aus, dem verwunschenen Wald entgegen.

DAS ZAUBERSCHWERT BEGEGNET EINIGEN DER SCHWERTER VON ELFENLAND (DRITTES KAPITEL). Als Alveric an den verwunschenen Wald kam, war das Licht, in welchem Elfenland erglühte, weder gewachsen, noch hatte es abgenommen, und er sah, daß es aus keiner Strahlenquelle stammte, wie sie die Gefilde bescheint, die wir kennen, es sei denn, die wandernden Lichter wundervoller Augenblicke, die manchmal unsere Lande erstaunen lassen, verirrten sich durch eine vorübergehende Störung des Zaubers über die Grenze von Elfenland. Weder Sonne noch Mond schufen das Licht an diesem verzauberten Tag.

Eine Reihe von Fichten, an denen Efeu emporkletterte, hinauf bis an das finster schwarze Zweigwerk, stand wie eine Wache am Rande des Walds. Die Silberzinnen leuchteten, als wären sie es, die all den azurenen Glanz schufen, in welchem Elfenland schwamm. Und da denn Alveric schon weit vorgedrungen war in Elfenland und vor sich dessen Hauptschloß sah und wußte, daß Elfenland in guter Hut hielt seine Geheimnisse, zog er seines Vaters Schwert, ehe er den Wald betrat. Das andere hing ihm immer noch auf dem Rücken, über die linke Schulter geschlungen in seiner neuen Scheide.

Und in dem Augenblick, da er an einer jener Wächterfichten vorüberging, löste der Efeu, der daran lebte, seine Ranken, und indem er sich in Schnelle herniederließ, drang er direkt auf Alveric ein und faßte ihm nach der Kehle.

Das lange dünne Schwert seines Vaters kam gerade

noch rechtzeitig; wäre es nicht gezogen gewesen, er hätte es kaum noch herausgebracht, so blitzschnell drang der Efeu auf ihn ein. Er durchhieb Ranke um Ranke, die sich an seine Glieder klammerte, wie Efeu alte Türme umklammert, und immer noch mehr Ranken drangen auf ihn ein, bis er den Hauptstamm durchtrennte zwischen ihnen und dem Baum. Und da er dies getan, hörte er ein jähes Zischen hinter sich, und eine weitere Ranke war niedergefahren von einem anderen Baum und stürmte auf ihn ein, die Blätter alle gesträubt. Das grüne Ding sah wild und wütend aus, als es seine linke Schulter packte, als wollte es sie auf immer festhalten. Doch Alveric trennte auch diese Ranken mit einem Schwertstreich ab und focht dann mit dem Rest, während das erste Geschlinge immer noch lebendig war, doch nun zu kurz, um ihn zu erreichen, und mit den Zweigen wütend den Boden peitschte. Und nun, da die Überraschung des Angriffs vorüber war und er sich befreit hatte von den Ranken, die ihn gepackt, trat Alveric zurück, bis der Efeu ihn nicht mehr erreichen konnte und er doch weiterkämpfen konnte gegen ihn mit seinem langen Schwert. Der Efeu kroch nun zurück, um Alveric zu verlocken, und sprang ihn an, da er ihm folgte. Aber so schrecklich die Umklammerung des Efeus auch ist, das Schwert war ein gutes und scharfes Schwert; und bald schon hatte Alveric, so viele Schrammen er auch davongetragen, seinen Angreifer derart zugerichtet, daß dieser zurückfloh auf seinen Baum. Dann trat er zurück und betrachtete den Wald im Lichte seiner neuen Erfahrung und sann über einen Weg hindurch. Da sah er alsbald, daß in der Fichtenschranke vor ihm die beiden Bäume soviel von ihrem Efeu verloren hatten in dem Kampf, daß, wenn er mitten hindurchging zwischen ihnen, der Efeu weder des einen noch des andern ihn würde erreichen können. So trat er denn vor, doch im nämlichen

34

Augenblick noch, da er dies tat, bemerkte er, daß die eine der Fichten näher an die andre heranrückte. Da wußte er, daß die Zeit gekommen war, sein Zauberschwert zu ziehen.

So steckte er seines Vaters Schwert in die Scheide zurück an seiner Seite und zog das andere an seiner Schulter heraus, und indem er geradenwegs zuging auf den Baum, der sich bewegt hatte, führte er einen Streich gegen den Efeu, da dieser ihn ansprang; und alsbald sank der Efeu zu Boden, nicht leblos, doch ein Haufe gewöhnlichen Grüns. Und dann versetzte er dem Stamm des Baumes einen Schlag, und ein Span flog davon ab, nicht größer als ein gewöhnliches Schwert ihn ausgehauen hätte, doch der ganze Baum erschauderte; und mit diesem Schauder verschwand mit einem Male auch ein gewisses unheilvolles Aussehen, das die Fichte gehabt hatte, und es stand da ein ganz gewöhnlicher, unverwunschener Baum. Und Alveric schritt fort durch den Wald mit seinem gezogenen Schwert.

Er hatte noch nicht viele Schritte getan, als er hinter sich einen Laut hörte, gleich wie ein schwaches Lüftchen in den Wipfeln, doch wehte gar kein Wind in diesem Wald. Er blickte um sich denn und sah, daß die Fichten ihm folgten. Sie kamen ihm langsam nach und hielten sich dabei recht wohl aus dem Weg seines Schwertes, doch zur Linken und Rechten holten sie ihn ein, und so sah er, daß sich langsam ein Halbkreis um ihn schloß, der dichter und immer dichter wurde, je mehr Bäume dazukamen unterwegs, und der ihn bald würde zu Tode erdrücken. Alveric erkannte alsbald, daß jede Rückkehr ihm verderblich werden mußte, und beschloß, nur immer auszuschreiten und sich in der Hauptsache auf seine Geschwindigkeit zu verlassen; denn seiner raschen Auffassung war nicht entgangen, daß etwas Langsames an dem Zauber war, welcher den Wald dahinschwanken ließ; so als wäre, wer immer ihn bewirkte, schon alt und müde des Zaubers und abgelenkt von anderen Dingen. Also schritt er rüstig geradeaus und führte Streiche nach einem jeglichen Baum in seinem Wege, ob nun verwunschen oder nicht, mit seinem Zauberschwert; und die Runen, die das Metall aufgenommen von der anderen Seite der Sonne, waren stärker als aller Bann, den der Wald barg. Große Eichen mit böse drohenden Stämmen wurden schlaff und verloren alle ihre Verzauberung, als Alveric an ihnen vorüberblitzte mit einem leichten Schlag seines Zauberschwerts. Er schritt rascher aus als die plumpen Fichten. Und bald ließ er hinter sich in jenem geisterhaften und unheimlichen Wald eine Wache, die gänzlich entzaubert war und die dastand jetzt ohne auch nur den leisesten Anflug von etwas Märchenhaftem oder Geheimnisvollem.

Und ganz plötzlich trat er aus der Düsternis des Walds und stand vor den smaragdenen Rasengründen des Elfenkönigs. Und wieder haben wir hier bei uns eine Ahnung von diesen Dingen. Vergegenwärtigt euch nur unsere grünen Auen, wie sie auftauchen grad aus tiefer Nacht, blitzend von frühem Licht auf ihren Tautropfen, wenn alle Sterne verschwunden sind; umsäumt von Blumen, die eben erst zu erblühen beginnen und denen die zarten Farben zurückkehren nach der Nacht; von keinem Fuß betreten außer nur dem winzigsten und wildesten; geschirmt vorm Wind und vor der Welt von Bäumen, in deren Laub noch immer das Dunkel herrscht: malt euch dies Warten auf der Vögel Sang; fast ist's ein Abglanz manchmal dort des Glanzes, der auf den Rasengründen von Elfenland liegt; doch dann vergeht's uns wieder wie in einem Nu, daß wir nie sicher sein können. Schöner als alle unsere Wunderahnungen, mehr noch als alles, was unsere Herzen je erhofft, waren die Lichter und Zwielichter auf den Tautropfen, die auf diesem Rasen funkelten und glühten. Und noch ein Anderes haben wir, das ihn uns ahnen läßt: das Seegras oder Seemoos, das mittelmeerische Felsen bekleidet und dem Beschauer, der auf schwindelnder Klippe steht, aus blaugrünem Wasser entgegenleuchtet: eher wie Meeresgründe waren diese Rasen als wie festes Land bei uns, denn gleichso tief und blau war Elfenlands Luft.

Vor der Schönheit dieser Rasengründe stand Alveric schauend, da sie entgegenleuchteten ihm durch Zwielicht und Tau, umgeben von der malvenbläulichen und rötlichen Herrlichkeit der Blumenmassen, davor unsere Sonnenuntergänge blaß werden und unsere Orchideen welken; und jenseits ihrer lag wie Nacht der Zauberwald. Und vorspringend aus diesem Wald, mit glitzernden Portalen, die alle weit geöffnet auf den Rasengrund, mit Fenstern, blauer denn unser Himmel in Sommernächten, gleichwie aus Sternenschein gebildet, lag leuchtend jenes Schloß, davon nur im Lied noch erzählt wird.

Da Alveric noch stand dort, das Schwert in der Hand, am Saum des Waldes, kaum zu Atem gekommen, und seine Augen hinschweifen ließ über die Rasengründe zu Elfenlands herrlichster Pracht, da kam, allein, durch eines der Portale, des Königs von Elfenland Tochter. Sie schritt, schier blendend, über die Rasenfläche, ohne Alveric zu sehen. Ihre Füße glitten durch den Tau und die schwere Luft und drückten sanfte Augenblicke lang das smaragdene Gras, das sich beugte und wieder erhob, wie unsere Glockenblumen, wenn blaue Schmetterlinge sich auf ihnen niederlassen und wieder entschweben, sorglos hinstreifend an den Kreidebergen.

Und da sie an ihm vorüberkam, stand er atemlos und rührte sich nicht, und nimmer auch hätte er sich rühren können, wären jene Fichten ihm noch auf den Fersen gewesen; doch sie blieben zurück im hohen Wald und wagten nicht, die Rasengründe zu betreten.

Sie trug eine Krone, die aus großen blassen Saphiren geschnitten schien; sie schimmerte auf dem Rasen und in den Gärten wie die Morgendämmerung, die unverhofft emporsteigt aus langer Nacht, auf einem Planeten, näher der Sonne denn wir. Und als sie nah an Alveric vorüberschritt, wandte sie plötzlich den Kopf; und ihre Augen weiteten sich in kleinem Verwundern. Noch niemals hatte sie einen Mann erblickt auf den Gefilden, die wir kennen.

Und Alveric schaute in ihre Augen, ganz sprachlos und kraftlos immer noch: es war tatsächlich die Prinzessin Lirazel in ihrer Schönheit. Und dann sah er, daß ihre Krone nicht aus Saphiren war, sondern aus Eis.

»Wer bist du?« fragte sie. Und die Musik ihrer Stimme klang, nach irdischen Begriffen, wie wenn Tausende von Eisstücken vom Frühlingswind bewegt werden, auf einem See in nördlich kalten Landen.

Und er sagte: »Ich komme aus den Gefilden, die auf Landkarten stehen und bekannt sind.«

Da seufzte sie einen Augenblick tief auf ob dieser Gefilde, denn sie hatte vernommen, wie das Leben dort herrlich dahingeht und wie dort immer neue junge Geschlechter entstehen in jenen Gefilden, und sie gedachte der wechselnden Jahreszeiten und der Kinder und des Alters, davon die fahrenden Sänger Elfenlands gesungen, wenn sie von der Erde erzählten.

Und da er sah, wie sie seufzte um der Gefilde willen, die wir kennen, erzählte er ihr ein weniges von dem Land, von dannen er kam. Und sie fragte ihn weiter, und bald erzählte er ihr Geschichten von seiner Heimat und von dem Tal von Erl. Und sie verwunderte sich, da sie davon hörte, und stellte ihm noch weit mehr Fragen; und da erzählte er ihr alles, was er wußte von der Erde, doch erdreistete sich nicht, der Erde Geschichte nur nach dem zu berichten, was seine eigenen Augen erblickt in der kargen Zahl seiner Jahre, sondern erzählte ihr jene Sagen und Fabeln von der Weise der Tiere und Menschen, welche das Volk von Erl aus den Menschenaltern gezogen und die ihre Älteren beim Feuer erzählten des Abends, wenn Kinder zu wissen begehrten, was einst vor Zeiten geschehen. So sprachen sie denn, am Rande jener Rasengründe, deren wundersame Herrlichkeit von Blumen gesäumt war, die wir nie gekannt, den Zauberwald hinter sich und jenes Schloß, davon nur im Lied noch erzählt wird, schimmernd vor Augen, von der schlichten Weisheit alter Männer und Frauen, von Erntezeit und Mai und Rosenblühen, vom Säen und Pflanzen in Gärten und auch von dem, was wilde Tiere wußten; wie man Krankheiten heilte, Dächer deckte mit Stroh, und welche Winde zu welchen Jahreszeiten hinwehten über die Gefilde, die wir kennen.

Und dann erschienen jene Ritter, welche das Schloß bewachen, falls denn einer durchdringen sollte den verwunschenen Wald. Sie waren ihrer vier und kamen in schimmernder Wehr über den Rasengrund, und ihre Gesichter waren nicht zu sehen. In all den verwunschenen Jahrhunderten ihres Lebens hatten sie niemals gewagt, von der Prinzessin zu träumen: nie hatten sie das Angesicht entblößt, wenn sie gewappnet vor ihr niederknieten. Doch hatten sie einen Eid geschworen aus furchtbaren Worten, daß nie ein anderer Mann sollte je mit ihr sprechen, wenn einer kommen sollte durch den verwunschenen Wald. Mit diesem Eid auf den Lippen nun schritten sie Alveric entgegen.

Lirazel sah sie bekümmert an, doch konnte nicht Einhalt tun ihnen, denn sie kamen auf Befehl ihres Vaters, und diesen Befehl vermochte sie nicht aufzuheben, obschon sie wußte, daß ihr Vater sich vielleicht gar nicht mehr erinnerte daran, denn vor Äonen schon hatte er ihn ausgesprochen, auf Schicksals Geheiß. Alveric sah ihre Rüstung, die ihn lichter und gleißender dünkte, als ein jeglich Metall ist bei uns, gleich als stammte sie aus einer jener Schmieden, davon nur im Lied noch erzählt wird; dann ging er ihnen entgegen und zog seines Vaters Schwert, denn er gedachte dessen schmale Spitze durch ein Gelenk zu treiben ihrer Rüstung. Das andere nahm er in die linke Hand.

Als der erste Ritter zuschlug, parierte Alveric und wehrte den Streich ab, doch es durchfuhr seinen Arm wie ein Blitz, und das Schwert flog ihm aus der Hand, und da wußte er, daß kein irdisches Schwert konnte standhalten den Waffen von Elfenland, und nahm das Zauberschwert in die Rechte. Mit diesem parierte er die Streiche, die Prinzessin Lirazels Wache gegen ihn führte, denn das waren diese vier Ritter, und sie hatten auf diese Gelegenheit gewartet hin durch alle Zeitalter Elfenlands. Und kein Blitz mehr erreichte ihn aus ihren Schwertern, sondern nurmehr ein leises Vibrieren in seines eigenen Schwerts Metall, das dadurch hinlief wie ein Lied, und eine Art von Glut, die sich darin erhob und zu Alverics Herzen floß und Freude darin weckte.

Doch als Alveric fortfuhr, den raschen Streichen der Wache zu wehren, ward das Schwert, das verwandt war den Blitzen selbst, müde solcher Wehr, denn es hatte Schnelle in seinem Wesen und verzweifelt weite Wege; und indem es denn Alverics Hand mit sich hob, führte es scharfe Schläge gegen die elfischen Ritter, und die Rüstungen Elfenlands konnten ihnen nicht standhalten. Dickes und sonderbares Blut begann sich aus klaffenden Spalten in den Rüstungen zu ergießen, und bald waren zweie der schimmernden Ritter gefallen; und Alveric, ermutigt vom Eifer seines Schwerts, kämpfte beherzt und überwand bald den dritten, so daß nur noch er und einer der Wache übrig war, der einen stärkeren Zauber um sich zu haben schien, als seinen gefallenen Kameraden gegeben gewesen. Und so auch war es, denn als der Elfenkönig einst die Wache mit seinem Zauber belehnte, hatte er diesen elfischen Soldaten als ersten begabt, als das ganze Wunder seiner Runen noch neu war; und der Soldat und seine Rüstung und sein Schwert hatten immer noch etwas von diesem frühen Zauber an sich, stärker als alle Eingebungen der Hexerei, die später aus seines Meisters Geiste gekommen. Doch dieser Ritter, das konnte Alveric alsbald spüren in Arm und Schwert, besaß keine jener drei Meisterrunen, von denen die alte Hexe gesprochen hatte, da sie das Schwert auf dem Berge schuf; denn diese waren unausgesprochen dem König von Elfenland selber vorbehalten, die eigene Erscheinung damit zu schützen. Da sie von ihrer Existenz gewußt hatte, mußte sie wohl auf dem Besenstiel nach Elfenland geritten sein und heimlich allein mit dem König gesprochen haben.

Und das Schwert, das die Erde besucht hatte aus so weiten Fernen, fuhr nieder wie ein Regen von Donnerkeilen selbst; und grüne Funken sprangen aus der Rüstung und leuchtend rote, wenn Schwert mit Schwert sich traf; und dickes Elfenblut floß langsam, aus klaffenden Rissen, den Harnisch nieder; und Lirazel starrte voll Grauen und voll Verwundern und Liebe; und die Kämpfer drängten einander ab in den Wald; und ihre Streiche hieben Äste von den Bäumen, daß sie auf sie fielen; und die Runen in Alverics weitgereistem Schwert jauchzten und brüllten wider den Elfenritter; bis tief im Dunkel des Walds, umgeben von Gezweig, das sein Schwert von entzauberten Bäumen getrennt, mit einem Schlag wie dem eines Donnerkeils, der eine Eiche spaltet, Alveric ihn erschlug.

Bei diesem furchtbaren Krach, und durch die folgende Stille, lief Lirazel an seine Seite.

»Rasch!« sagte sie. »Denn mein Vater besitzt drei Runen ...« Sie wagte nicht, von ihnen zu sprechen.

»Wohin?« fragte Alveric.

Und sie antwortete: »Zu den Gefilden, die du kennst.«

ALVERIC KOMMT NACH VIELEN JAHREN ZUR ERDE ZURÜCK (VIERTES KAPITEL). Zurück durch den Wächterwald gingen Alveric und Lirazel; sie warf nur einen Blick noch auf jene Blumen und Rasengründe, die nur die weitestgereisten Phantasien der Dichter im tiefsten Schlaf je gesehen, und drängte dann Alveric zur Eile; er wählte den Weg an jenen Bäumen vorüber, die er entzaubert hatte.

Und sie wollte ihm nicht einmal Zeit lassen, mit Bedacht seinen Pfad zu suchen, sondern drängte ihn unablässig weiter, fort von dem Schloß, davon nur im Lied noch erzählt wird. Und die anderen Bäume setzten sich torkelnd in Bewegung und kamen auf sie zu, von jenseits der glanzlosen, unromantischen Schneise, die Alverics Schwert geschlagen hatte in den Wald, und da sie näherkamen, schauten sie mit einem seltsamen Ausdruck auf ihre verwundeten Kameraden, deren schlaffe Zweige ganz ohne Zauber oder Geheimnis herniederhingen. Und als die torkelnden Bäume nahe heran waren, hob Lirazel die Hand, und da blieben sie alle wie angewurzelt stehen und kamen nicht näher mehr; und dennoch trieb sie Alveric weiter zur Eile.

Sie wußte, daß ihr Vater die ehernen Stufen hinaufsteigen würde zu einer der Silberzinnen, sie wußte, daß er bald hinaustreten würde auf einen hochgelegenen Söller, sie wußte, welche Rune sein Mund dann sprechen würde. Sie hörte den Klang seiner steigenden Schritte herüberschallen durch den Wald. Und sie flohen weiter über die Ebene jenseits des Waldes, hin durch den blauen, immerwährenden Elfentag, und wieder und immer wieder blickte sie über die Schulter zurück und drängte Alveric voran. Des Elfenkönigs Schritte dröhnten langsam die tausend ehernen Stufen hinauf, und sie hoffte, noch rechtzeitig die Zwielichtsgrenze zu erreichen, welche auf dieser Seite dunstig war und trübe dunkel; da sah sie plötzlich, als sie zum wohl hundertsten Male nach den fernen Söllern der glitzernden Türme zurückspähte, wie eine Tür sich langsam öffnete, hoch oben über dem Schloß, davon nur im Lied noch erzählt wird. »Ach!« rief sie Alveric zu; doch im nämlichen Augenblick wehte der Duft wilder Rosen zu ihnen herüber von den Gefilden, die wir kennen.

Alveric kannte keine Müdigkeit, denn er war jung, noch kannte Lirazel sie, denn sie war ohne Alter. Sie hasteten vorwärts, einander an den Händen haltend; der Elfenkönig hob seinen Bart, und eben da er ansetzte, eine Rune erschallen zu lassen, die nur ein einziges Mal erschallen darf und wider die nichts aufkommen kann aus unseren Landen, da hatten sie die Zwielichtsgrenze überschritten, und die Rune erschütterte und verstörte jenes Gebiet, darin Lirazel nicht länger weilte.

Als Lirazel nun hinblickte über die Gefilde, die wir kennen, so fremd ihr, wie sie uns einst fremd gewesen, erfüllte ihre Schönheit sie mit Entzücken. Sie lachte beim Anblick der Heuschober und freute sich ihrer malerischen Gestalt. Eine Lerche sang in den Lüften, und Lirazel sprach sie an, und die Lerche schien nicht zu verstehen, doch sie wandte sich anderen Herrlichkeiten unserer Lande zu, denn alles war neu für sie, und vergaß die Lerche. Es war, sehr wunderlich, nicht mehr die Jahreszeit der Glockenblumen, denn überall blühte der Fingerhut, und der Mai war vorüber und die wilde Rose gekommen. Alveric konnte das nun und nimmer begreifen.

Es war früher Morgen, und die Sonne schien und tauchte unsere Felder in sanfte Farben, und Lirazel fand Entzücken an so vielen gewöhnlichen Dingen auf diesen Feldern, wie man's nicht hätte glauben mögen, daß es sie gäbe im so vertrauten Anblick des irdischen Alltags. So froh war sie, so fröhlich, mit ihren kleinen Verwunderungsschreien und ihrem Lachen, daß Alveric von Stund an in bloßen Butterblumen eine Schönheit gewahrte, die er sich nie erträumt, und eine Komik in alten Bauernkarren, die ihm noch niemals aufgegangen war. Jeden Augenblick fand sie mit einem Schrei der Entdeckerfreude einen neuen Schatz auf unserer Erde, von dessen Pracht er nichts bisher geahnt. Und da er ihr noch zusah, wie sie eine Schönheit in unsere Gefilde brachte, zarter und feiner selbst als jene, welche die wilden Rosen gebracht, da sah er auf einmal, daß ihre Eiskrone dahingeschmolzen war.

Und so kam sie aus dem Schloß, davon nur im Lied noch erzählt werden mag, über die Gefilde, von denen ich nicht erzählen muß, denn es waren die vertrauten Gefilde der Erde, die nur wenig sich ändern im Wechsel der Zeiten und für ein Weilchen nur, und kam, da es Abend ward, mit Alveric in sein heimatliches Haus.

Alles war anders geworden im Schlosse von Erl. Im Torweg begegneten sie einem Wächter, den Alveric kannte: der Mann verwunderte sich, die beiden zu erblicken. In der Halle und auf der Treppe trafen sie Bedienstete des Schlosses, die voller Überraschung die Köpfe wandten. Alveric kannte auch sie, doch waren sie alle älter; und er sah, daß ganze zehn Jahre mußten vorübergegangen sein während des einen blauen Tags, den er in Elfenland verbracht.

Wer wüßte nicht, daß dies so ist in Elfenland? Und doch, wer wäre nicht zutiefst erstaunt, wenn er's geschehen sähe, so wie Alveric es jetzt sah? Er wandte sich Lirazel zu und erzählte ihr, wie ganze zehn oder zwölf Jahre inzwischen wären vergangen. Aber es war, wie wenn ein einfacher Mann, der eine irdische Prinzessin geheiratet hat, ihr erzählte, er habe einen Taler verloren; Zeit hatte nie Wert gehabt noch Bedeutung für Lirazel, und es bekümmerte sie nicht, von den zehn verlorenen Jahren zu hören. Sie ahnte nicht, was Zeit für uns hier heißt.

Man erzählte Alveric, daß sein Vater lange schon tot war. Und man erzählte ihm auch, wie er glücklich gestorben sei, ganz ohne Ungeduld, voller Vertrauen, daß Alveric sein Geheiß erfüllen würde; denn er hatte schon ein wenig davon gewußt, wie es in Elfenland geht, und wußte, daß jene, die verkehren zwischen hier und dort, auch etwas von der Ruhe haben mußten, in welcher Elfenland auf ewig träumt.

Aus dem Tal herauf hörten sie die späte Arbeit des Grobschmieds klingen. Dieser Schmied war der Sprecher jener gewesen, die einst in dem langen roten Gemach hingetreten vor den Herrscher von Erl. Und alle diese Männer lebten noch; denn wenn auch die Zeit dahinging über dem Tal von Erl, wie über allen Gefilden, die wir kennen, so ging sie doch sacht dahin, nicht wie in unseren Städten.

Da machten sich Alveric und Lirazel auf und gingen zum Heiligtum des Befreiers. Und als sie ihn gefunden, bat Alveric den Befreier, sie zusammenzutun als Mann und Frau nach der Übung des Rechtglaubens. Und als der Befreier die Schönheit Lirazels sah, wie sie aufstrahlte inmitten der gewöhnlichen Dinge in seinem kleinen Heiligtum, denn er hatte die Wände seines Hauses mit allerlei Tand geschmückt, den er hin und wieder auf den Jahrmärkten gekauft, da befiel ihn Furcht alsbald, sie stamme aus keinem sterblichen Geschlecht. Und als er sie fragte, von wannen sie sei, und sie glücklich antwortete »Von Elfenland«, da schlug der heilige Mann die Hände zusammen und kündete ihr ernstlich, daß keiner in jenem Lande könne zum Heil gelangen. Doch sie lächelte nur, denn sie hatte in Elfenland stets eitel Glück erlebt, und jetzt kümmerte sie nichts denn Alveric. Da ging der Befreier zu seinen Büchern, um nachzusehen, was zu tun war.

Eine lange Weile las er schweigend, und nur sein Atem war zu hören, während Alveric und Lirazel vor ihm standen. Und schließlich fand er denn in seinem Buch die Vorschrift über die Trauung einer Meerjungfrau, die den Wellen entsagt hatte, ob schon nichts darin stand von Elfenland. Doch dieses mochte genügen, sagte er, um deswillen, daß die Meerjungfrauen mit dem Elfenvolk gemein hätten, daß sie nicht könnten zum Heil gelangen. So sandte er denn nach seiner Glocke und nach Wachskerzen, wie sie nötig sind zu solchem Geschäft. Dann wandte er sich Lirazel zu und hieß sie absagen und feierlich abschwören allen Dingen, welche mit Elfenland zu schaffen hatten, und las ihr langsam aus einem Buch die Worte vor, die bei diesem heilsamen Anlaß Verwendung finden sollten.

»Aber guter Befreier«, antwortete Lirazel, »nichts, was in diesen Gefilden gesprochen, kann je hinausdringen über die Grenze von Elfenland. Und wohl, daß dem so ist, denn mein Vater besitzt drei Runen, die könnten gar leicht dieses Buch zerscheitern, wenn er Antwort gäbe einem seiner Zaubersprüche, wäre auch nur eine Silbe imstand, durch die Zwielichtsgrenze zu schlüpfen. Nein, ich will nimmer Zauber wenden wider meinen Vater.«

»Aber ich kann nicht zusammentun einen Mann des Rechtglaubens«, erwiderte der Befreier, »mit einer von den Verstockten, die nicht können zum Heil gelangen.«

Da bat Alveric sie gar flehentlich, und so sprach sie den Spruch aus dem Buch, »obschon mein Vater diesen Spruch gar leicht könnte zerscheitern«, fügte sie hinzu, »wenn er je einer seiner Runen in den Weg käme.« Und da man die Glocke nun gebracht hatte und auch die Kerzen, tat sie der heilige Mann zusammen in seinem kleinen Haus nach der Vorschrift, wie sie geschaffen ist für die Trauung einer Meerjungfrau, welche den Wellen entsagt hat.

IE WEISHEIT DES PARLAMENTS VON ERL (FÜNFTES KAPITEL). In jenen Hochzeitstagen kamen die Männer von Erl oft zum Schloß, um Gaben zu bringen und Glückwünsche; und an den Abenden redeten sie in ihren Häusern von den schönen Dingen, die sie sich für das Tal von Erl erhofften ob der Weisheit, die sie bewogen, mit dem alten Herrscher zu sprechen in seinem langen roten Gemach. Da war Narl, der Grobschmied, der ihr Führer gewesen; da war Guhic, der den ersten Gedanken gehabt, nachdem er mit seinem Weibe gesprochen, ein Hochlandbauer, der Kleeweiden besaß nahe Erl; da war Nehic, ein Pferdefuhrmann; da waren vier Viehhändler; und Oth, ein Hochwildjäger; und Vlel, der Meisterpflüger: sie alle, und noch drei Männer mehr, waren vor den Herrscher von Erl getreten, um jene Bitte vorzutragen, in deren Folge Alveric sich auf die Wanderschaft begeben hatte. Und nun sprachen sie von all dem Guten, das daraus erwachsen würde.

Sie alle hatten den sehnlichen Wunsch gehabt, daß ihr Tal möchte bekannt sein unter den Menschen, wie es, so spürten sie, seine Öde war. Sie hatten in den Geschichtsbüchern nachgeschlagen, sie hatten Bücher gelesen, die von Ackerbau handelten und Weideland, doch selten auch nur erwähnt gefunden das Tal, das sie liebten. Und eines Tages denn hatte Guhic gesagt: »Laßt einen Zauberer über uns alle herrschen in der Zukunft, und er wird berühmt machen den Namen des Tals, und wird keiner mehr sein, der nicht vernommen hätte von unserm Erl.«

Und alle hatten gejauchzt und hatten ein Parlament gegründet; und es war gegangen, zwölf Mann, zum Herrscher von Erl. Und es war alles gekommen, wie ich erzählt habe.

So sprachen sie denn nun über ihrem Met von der Zukunft ihres Tals und seinem Platz unter anderen Tälern und von dem Ruf, den es haben sollte in der Welt. Sie trafen sich und redeten in der großen Schmiede Narls, und Narl brachte ihnen Met aus seinem Hinterzimmer, und dann kam Threl herein, verspätet wie so oft, von seinem Tagewerk in den Wäldern. Der Met war aus Kleehonig, schwer und süß; und wenn sie ein Weilchen gesessen und hatten geredet von den alltäglichen Dingen des Tals und der Hochlande, dann wandten sie ihre Gedanken der Zukunft zu und schauten wie durch einen goldenen Nebel die Herrlichkeit Erls. Der eine pries das Vieh, der andere die Pferde, ein wieder anderer den guten Boden, und alle blickten der Zeit entgegen, da andere Lande wissen würden um den Meisterrang, den das Tal von Erl besaß unter den Tälern.

Und die Zeit, die diese Abende gebracht, trug sie auch wieder davon, denn sie ging dahin über dem Tal von Erl wie über allen Gefilden, die wir kennen, und es ward Frühling wieder und die Jahreszeit der Glockenblumen. Und eines Tages, in der Vollblüte der wilden Anemonen, da ward erzählt, daß Alveric und Lirazel einen Sohn bekommen.

Da zündete das Volk von Erl ein Feuer an in der nächsten Nacht auf dem Berge, und sie tanzten alle im Kreis darum und tranken Met und jauchzten. Den ganzen Tag hatten sie Holzblöcke herbeigeschleppt dafür und Reisig aus einem wilden Wald nahebei, und der Schein des Feuers wurde weithin gesehen in anderen Landen. Nur auf den blaßblauen Gipfeln der Berge von Elfenland zeigte sich nicht Abglanz noch Widerschein, denn nichts, was hier geschieht, kann ihnen Wechsel wirken.

Und wenn sie ausruhten vom Tanz um ihre Feuer, dann setzten sie sich an den Boden und weissagten Erl Wohlfahrt und Reichtum, wenn herrschen würde dieser Sohn Alverics mit all dem Zauber, den er von seiner Mutter würde haben. Und es sagten einige, er würde zum Kriege sie führen, und andere sagten, zum tieferen Pflügen der Äcker; und alle weissagten einen besseren Preis für ihr Vieh. Nicht einer schlief in dieser Nacht, sondern tanzten alle und weissagten eine glorreiche Zukunft und jauchzten ob der Dinge, die sie sich geweissagt. Und vor allem jauchzten sie darüber, daß der Name Erl hinfort sollte bekannt sein und geehrt in anderen Landen.

Dann suchte Alveric nach einer Amme für sein Kind, allüberall im Tal und droben im Hochland, und fand nicht leicht eine, die würdig gewesen wäre der Hut eines Sprosses aus Elfenlands königlichem Stamm; und die er fand, waren bange vor dem Licht, das zuzeiten in des Kindes Augen zu leuchten schien, so gleißend schier, als käme es nicht von unserer Erde oder von unserem Himmel. Und am Ende denn stieg er eines windigen Morgens den Berg der einsamen Hexe hinan und fand sie müßig sitzen unter ihrer Türe, denn sie hatte nichts zu fluchen oder zu segnen.

»Nun«, sagte die Hexe, »hat das Schwert dir Glück gebracht?«

»Wer weiß«, sagte Alveric, »was uns Glück bringt, wo wir doch nicht können das Ende sehen.«

Und er sprach müde, denn er war müde von Alter und wußte nimmer, wie viele Jahre waren hingegangen über ihm an dem Tag, da er nach Elfenland gewandert; weit mehr, so schien es, denn hingegangen waren an jenem selbigen Tag über Erl.

»Ja freilich«, sagte die Hexe. »Wer weiß das Ende denn wir?«

»Mutter Hexe«, sagte Alveric, »ich habe des Königs von Elfenland Tochter geheiratet.«

»Das war ein großer Fortschritt«, sagte die alte Hexe.

»Mutter Hexe«, sagte Alveric, »wir haben ein Kind. Wer soll es in seine Hut nehmen?«

»Keine menschliche Aufgabe«, sagte die Hexe.

»Mutter Hexe«, sagte Alveric, »willst du herabkommen ins Tal von Erl und Hüterin sein für den Sohn und Amme im Schloß? Denn niemand ist als du in diesem Gefild, der wüßte von den Dingen Elfenlands, mit Ausnahme nur der Prinzessin, und sie weiß nichts von der Erde.«

Und die alte Hexe antwortete: »Um des Königs willen soll es sein.«

So kam die Hexe herab vom Berg mit einem wunderlichen Bündel Habe. Und so ward das Kind gesäugt in den Gefilden, die wir kennen, von einer, die Lieder und Geschichten kannte von seiner Mutter Land.

Und oftmals, wenn sie sich zusammen beugten über das Kind, sprachen die betagte Hexe und die Prinzessin Lirazel miteinander, und auch noch hinterher, durch lange Abende, und sie sprachen von Dingen, von denen Alveric nichts wußte: und trotz ihrem hohen Alter und aller Weisheit, die sie gesammelt hatte in ihren hundert Jahren und die verborgen ist dem Menschen, war doch nur sie es, die lernte, wenn sie miteinander sprachen, und war's Prinzessin Lirazel, die lehrte. Doch von der Erde und von ihren Wegen, da wußte Lirazel nichts.

Und diese alte Hexe, die über dem Kinde wachte, wartete seiner so sänftiglich, daß es in all seiner Kindheit niemals weinte. Denn sie besaß einen Zauber, den Morgen zu erhellen, und einen zur Erheiterung des Tags, und einen Zauber auch zur Stillung eines Hustens und einen, der die Kinderstube warm machte und angenehm und unheimlich und der das Feuer hochspringen ließ aus Scheiten, die sie verzaubert hatte, also daß die Dinge um das Feuer riesige Schatten warfen, die dunkel und lustig über die Decke zuckten.

Und das Kind wurde gehütet von Lirazel und der Hexe, wie Kinder von bloßen Menschenmüttern gehütet werden; doch es wußte Weisen und Runensprüche, davon kein ander Kind vernimmt in den Gefilden, die wir kennen.

So schlurfte die alte Hexe durch die Kinderstube mit ihrem schwarzen Stock und hütete das Kind mit ihren Runen. Wenn dann ein Zug hereinschrillte in windigen Nächten durch irgendeine Ritze, so hatte sie einen Zauber, ihn zu stillen; und einen Zauber auch hatte sie für das Lied, das der Kessel sang, bis seine Melodie zu seltsamer Kunde ward aus nebelverborgenen Stätten, und das Kind lernte wissen um das Geheimnis ferner Täler, die seine Augen nimmer noch erblickt. Und wenn es Abend ward, hob sie wohl ihren Stock aus Ebenholz und trat vor das Feuer mitten unter die Schatten und verzauberte sie und ließ sie tanzen für das Kind. Und die Schatten nahmen alle möglichen Gestalten an, des Guten und auch des Bösen, und tanzten dem Kinde zu Gefallen; so daß es Wissen gewann nicht nur von den Dingen, von denen die Erde reich ist: Schweinen, Bäumen, Kamelen, Krokodilen, Wölfen und Enten, guten Hunden und der sanften Kuh; sondern auch von den dunkleren Dingen, welche die Menschen gefürchtet zu aller Zeit, und von den Dingen, die sie erhofft und erahnt. An diesen Abenden zogen die Dinge, die da geschehen, und die Geschöpfe, die da sind, hin über die Wände dieser Kinderstube, und langsam ward das Kind vertraut mit den Gefilden, die wir kennen.

Und an den warmen Nachmittagen trug die Hexe es wohl durch das Dorf, und alle Hunde bellten sie an ob ihrer unheimlichen Gestalt, doch wagten nicht allzu nahe zu kommen, denn ein Pagenjunge hinter ihr trug ihren Ebenholzstock. Und die Hunde, die soviel wissen, die wissen, wie weit ein Mensch einen Stein werfen kann, und ob er sie schlagen würde, oder ob er's nicht wagte, sie wußten auch, daß dies kein gewöhnlicher Stock war. So hielten sie sich fern von dem wunderlichen schwarzen Stock in der Hand des Pagen und knurrten nur, und die Dörfler kamen heraus, um nachzuschauen. Und alle waren froh, da sie sahen, welch eine Zauberamme der junge Erbe hatte, »denn hier«, sagten sie, »geht die Hexe Ziroonderel«, und sie erklärten, daß sie ihn aufziehen würde nach der wahren Richtschnur der Hexerei und daß zu seiner Zeit ein Zauber würde herrschen, mächtig genug, ihr ganzes Tal berühmt zu machen. Und sie schlugen ihre Hunde, bis sie sich in die Häuser schlichen, doch die Hunde hielten weiter an ihrem Argwohn fest. Und wenn die Männer dann zu Narls Schmiede gegangen waren, und ihre Häuser lagen still im Mondlicht, und Narls Fenster leuchteten, und der Met war herumgegangen, und sie redeten von der Zukunft Erls, und immer mehr Stimmen vereinten sich in der Erzählung seiner kommenden Herrlichkeit, dann begab es sich, daß die Hunde auf leisen Füßen auf die sandige Straße hinauskamen und heulten.

Und in die hohe sonnige Kinderstube kam Lirazel dann und brachte eine Helle mit sich, welche die gelehrte Hexe nicht hatte in all ihren Zaubern, und sang ihrem Knaben jene Lieder, die uns hier niemand kann singen, denn sie waren erlernt auf der anderen Seite der Zwielichtsgrenze und geschaffen von Sängern, die ungequält von der Zeit. Und bei allem Wunderbaren, das diese Lieder bargen, Lieder, deren Ursprung so fern lag den Gefilden, die wir kennen, und fern im Schoß von Zeiten, die anders zählen als die der Geschichtsschreiber, und obschon die Menschen sich verwunderten ob ihrer Sonderlichkeit, wenn sie aus offenen Flügelfenstern hin durch die Sommertage wehten über Erl, verwunderte sich doch selbst über sie keiner so sehr, als wie Lirazel sich verwunderte ob der irdischen Wege ihres Kindes und ob all der kleinen menschlichen Dinge, die es tat, je mehr es heranwuchs. Denn alle Menschenart war fremd für sie. Und doch liebte sie es mehr denn ihres Vaters Reich oder die glitzernden Jahrhunderte ihrer alterslosen Jugend oder das Schloß, davon nur im Lied noch erzählt werden mag.

In diesen Tagen ging Alveric auf, daß sie nun und nimmer würde vertraut werden mit irdischen Dingen, nimmer verstehen würde das Volk, das im Tal drunten wohnte, nimmer auch lesen würde ein weises Buch, ohne zu lachen, nimmer sich kümmern würde um irdische Wege, und nimmer sich heimischer fühlen würde im Schlosse von Erl denn irgendein waldländisch Tier, das Threl vielleicht in einer Schlinge gefangen und im Käfig hielt in einem Haus. Er hatte erhofft, sie würde schon bald die Dinge erlernen, die fremd waren für sie, bis die kleinen Unterschiede, welche da sind zwischen den Dingen in unserm Gefild und in Elfenland, sie nicht mehr bekümmerten; doch schließlich sah er, daß die Dinge, die fremd waren, allzeit so bleiben würden und daß die Jahrhunderte alle ihrer zeitlosen Heimat zu schwer auf ihre Gedanken und Phantasien gewirkt, als daß sich diese noch konnten wandeln lassen von unseren kurzen Jahren. Als ihm dies aufging, war ihm die Wahrheit aufgegangen.

Zwischen dem Geiste Alverics und Lirazels lag all die Ferne, die da ist zwischen Erde und Elfenland; und Liebe überbrückte die Entfernung, denn sie kann noch das Fernste überbrücken; doch wenn Alveric für einen Augenblick innehielt auf der goldenen Brücke und ließ seine Gedanken niederblicken in die Kluft, dann ergriff Schwindel sein Gemüt, und er zitterte. Wie wird das enden, dachte er? Und ward voll Furcht, es möchte das Ende noch sonderbarer sein denn der Beginn.

Und sie, sie sah nicht ein, warum sie etwas sollte wissen und lernen. War nicht ihre Schönheit genug? War endlich nicht ein Liebhaber gekommen zu jenen Rasengründen, die leuchteten um das Schloß, davon nur im Lied noch erzählt wird, und hatte sie befreit von ihrem gesellenlosen Schicksal und aus der immerwährenden Stille? War's nicht genug, daß er gekommen war? Mußte sie unbedingt all die wunderlichen Dinge verstehen, welche die Leute taten? Durfte sie nimmer denn tanzen auf der Straße, noch sprechen mit den Zicklein, noch lachen bei einem Begräbnis, noch singen bei tiefer Nacht? Warum! Was nützte die Freude, wenn sie verborgen sein mußte? Mußte denn wirklich die Fröhlichkeit sich beugen der Öde in diesem seltsamen Gefild, in das sie gekommen? Und dann eines Tages sah sie, wie eine Frau von Erl auf einmal weniger schön aussah, als sie vor einem Jahr noch ausgesehen. Gering genug war der Wechsel, doch ihr rasches Auge gewahrte ihn sicher. Und sie lief weinend zu Alveric um Trost, denn es befiel sie Angst, daß die Zeit in den Gefilden, die wir kennen, Macht haben könnte, ein Leid zu tun jener Schönheit, welche die langen, langen Zeitalter Elfenlands nimmer zu trüben gewagt. Und Alveric hatte gesagt, daß die Zeit ihr Werk tun müsse, wie alle Menschen wüßten; und wozu solle es gut sein, darob zu klagen?

DIE RUNE DES ELFENKÖNIGS (SECHSTES KAPITEL). Auf dem hohen Söller seines schimmernden Turms stand der König von Elfenland. Unter ihm hallten noch die tausend Stufen im Echo. Er hatte den Kopf erhoben, die Rune anzustimmen, die seine Tochter in Elfenland halten sollte, doch in eben diesem Augenblick hatte er sie hinübergleiten sehen über die trübliche Grenze, welche auf dieser Seite, nach Elfenland zu, von Zwielicht strahlend ist, auf jener aber, nach den Gefilden, die wir kennen, dunstig und finster und öd. Und da hatte er denn den Kopf wieder sinken lassen, bis sein Bart sich mischte mit dem Umhang von Hermelin über seinem himmelblauen Mantel, und stand nun in schweigendem Kummer, während die Zeit geschwinde dahinging wie eh und je über den Gefilden, die wir kennen.

Und da er dort stand nun, ganz Blau und Weiß vor seinem silbernen Turm, betagt vom Dahingang der Zeiten, von dem wir nichts wissen und den er erfahren, ehe er Elfenland seine ewige Ruhe auferlegt, da gedachte er seiner Tochter, wie sie nun weilte inmitten unserer gnadenlosen Jahre. Denn er, dessen Weisheit weit hinausging über die Grenzen von Elfenland und unsere rauhen Gefilde berührte, er wußte wohl um die Härte der stofflichen Dinge und um die ganze Unruhe der Zeit. Selbst jetzt schon, da er noch stand hier, so wußte er, waren die Jahre, welche die Schönheit anfallen, und all die Myriaden Härten, die da quälen den Geist, bereits um seine Tochter. Und die Tage, die ihr noch blieben jetzt, dünkten ihn, der jenseits weilte von Widrigkeit und Verwüstung durch die

Zeit, kaum länger als uns die Stunden einer Dornrose, die man vom Busch gepflückt und töricht verhökert auf den Straßen einer Stadt. Er wußte, es hing über ihr nun das Los aller sterblichen Dinge. Er dachte daran, daß sie schon bald zugrunde gehen mußte wie alles Sterbliche und würde ihr Grab finden unter den Felsen eines Landes, das nur Verachtung hegte für Elfenland und seinen höchstgehüteten Mythen geringe Schätzung erwies. Und wäre er nicht der König gewesen all diesen Zauberlandes, das seine ewige Ruhe aus seiner eigenen geheimnisvollen Seelenheiterkeit gewann, er hätte geweint bei dem Gedanken an das Grab in der felsigen Erde, das bald umfassen würde die Gestalt, die doch so schön auf immer. Oder sie würde, so dachte er, überwechseln in irgendein Paradies, das seiner Wissenschaft fern war, in einen Himmel, davon Bücher meldeten in den Gefilden, die wir kennen, denn selbst davon hatte er gehört. Er malte sie sich auf einem Berg voller Apfelbäume, unter den Blüten eines immerwährenden April, durch den der blaßgoldene Heiligenschein jener flackerte, die Elfenland geflucht hatten. Er schaute, wenn auch nur undeutlich ob all seiner Zauberweisheit, die Herrlichkeit, die nur die Seligen klar erschauen. Er sah seine Tochter auf jenen himmlischen Bergen, wie sie – und daß sie's würde, wußte er genau – die beiden Arme ausstreckte nach den blaßblauen Gipfeln ihrer elfischen Heimat, indessen nicht einer der Seligen achtete ihrer Sehnsucht. Und da, obschon er König war all diesen Landes, das seine immerwährende Ruhe von ihm empfing, weinte er, und ganz Elfenland erschauerte. Es erschauerte, wie stilles Wasser schauert hier bei uns, wenn jählings etwas daran rührt aus unseren Gefilden.

Dann wandte der König sich und verließ seinen Söller und schritt in großer Hast die ehernen Stufen hinab.

Er kam mit schallendem Schritt an die Elfenbeintüren, welche den Turm unten schlossen, und trat durch sie hindurch und kam in den Thronsaal, davon nur das Lied mag erzählen. Und dort nahm er ein Pergament aus einer Truhe und eine Feder, welche von einer sagenhaften Flügelschwinge stammte, und tauchte die Feder in eine unirdische Tinte und schrieb eine Rune auf das Pergament. Dann hob er zwei Finger und schlug das kleinere Zauberzeichen, mit dem er seine Wache vor sich entbot. Und keine Wache kam.

Ich habe gesagt, daß überhaupt keine Zeit verging in Elfenland. Doch jedes Geschehen an sich ist ein Vorgang der Zeit, und kein Ereignis kann stattfinden, ohne daß Zeit vergeht. Nun ist es so mit der Zeit in Elfenland: in all der ewigen Schönheit, welche da träumt in jener honigsüßen Luft, regt nichts sich oder schwindet oder stirbt; nichts sucht sein Glück in Bewegung oder Wechsel oder in einem Neuen, sondern empfängt alles seine Erregung aus der fortwährenden Betrachtung all der Schönheit, die immer war und allzeit leuchtet über den verwunschenen Rasengründen, so tief und voller Kraft als wie am ersten Tag, da sie Beschwörung oder Lied erschaffen. Doch wenn die Kräfte in des Zaubermeisters Geist sich erhoben, um etwas Neuem zu begegnen, dann störte jene Macht, die ihre Stille über Elfenland gelegt und von ihm alle Zeit zurückhielt, ein Weilchen diese Stille, und für dies Weilchen auch ward Elfenland erschüttert von der Zeit. Wirft man ein Etwas, fremd im Lande dort, in einen tiefen Weiher, darinnen große Fische träumen und grünes Pflanzengeschling und träumen schwere Farben und schläft das Licht, so regen sich die Fische, und die Farben wechseln, die grünen Pflanzen zittern, und das Licht erwacht, und Myriaden Dinge wohl erfahren ein langsames Bewegen und Verändern; doch bald ist der ganze Teich wieder still. Gleich so war es gewesen, da Alveric die Zwielichtsgrenze durchschritten und den ganzen verwunschenen Wald, und der König verstört gewesen war und bewegt und ganz Elfenland voller Zittern.

Als der König sah, daß keine Wache kam, schaute er in den Wald, von dessen Verstörung er wußte, hin durch die tiefe Masse der Bäume, die immer noch zuckten von Alverics Kommen; er schaute durch die Tiefen des Waldes und die Silberwände seines Schlosses, denn er schaute mit Zauberaugen, und da sah er die vier Ritter seiner Wache erschlagen liegen auf dem Grund, und ihr dickes Elfenblut war aus den klaffenden Rissen in ihrer Rüstung gequollen. Und er gedachte des frühen Zaubers, damit er den Ältesten erschaffen, durch eine Rune, welche ihm neu eingekommen, noch ehe er die Zeit besiegt. Er trat hinaus durch Glanz und Glühen eines seiner blitzenden Portale und schritt über schimmernden Rasen und kam zu der gefallenen Wache, und er sah, daß die Bäume immer noch verstört waren.

»Hier hat ein Zauber gewaltet«, sagte der König von Elfenland.

Und obschon er nur drei Runen besaß, die solches wirken konnten, und sie nur einmal konnten erschallen, und eine schon geschrieben war auf Pergament, ihm die Tochter heimzubringen, sprach er nun doch die zweite seiner höchsten Zauberrunen über jenem ältesten Ritter, den ihm sein Zauber erschaffen vor langer Zeit. Und in der Stille, welche den letzten Worten der Rune folgte, schlossen alsbald sich die Risse all in der mondhellen Rüstung, und das dicke dunkle Blut verschwand, und der Ritter erhob sich zum Leben auf seine Füße. Und der Elfenkönig besaß nun nur noch eine Rune, die mächtiger war denn aller Zauber, den wir kennen.

Die übrigen drei Ritter lagen tot; und da sie keine Seelen hatten, kehrte ihr Zauber zurück in den Geist ihres Herrn.

Der König aber schritt zurück in sein Schloß, während er den letzten seiner Wächter aussandte, ihm einen Troll zu holen.

Dunkelbraun von Haut und zwei oder drei Fuß groß nur, sind die Trolle ein Gnomenstamm, der in Elfenland wohnt. Und bald schon entstand ein Hasten in dem Thronsaal, davon nur im Lied noch erzählt werden mag, und ein Troll stand da auf seinen zwei nackten Füßen, beschienen vom Licht des Throns, und trat vor seinen König. Der König aber gab ihm das Pergament mit der Rune, die er darauf geschrieben, und sprach: »Eile von dannen und begib dich hinaus über das Ende des Landes, bis du zu den Gefilden kommst, die niemand hier kennt; und suche die Prinzessin Lirazel, die zu den Wohnungen der Menschen gegangen ist, und gib ihr diese Rune; sie wird sie lesen, und es wird alles gut sein.«

Und der Troll eilte von dannen.

Und bald schon war der Troll mit langen Sprüngen zur Zwielichtsgrenze gekommen. Dann regte nichts sich mehr in Elfenland; und reglos auf seinem herrlichen Thron, davon nur das Lied noch mag sprechen, saß der alte König und trauerte still und stumm.

DAS ERSCHEINEN DES TROLLS (SIEBENTES KAPITEL). Als der Troll zur Zwielichtsgrenze kam, hüpfte er behend hinüber; doch er tauchte mit Vorsicht ein in die Gefilde, die wir kennen, denn er hatte Angst vor Hunden. Indem er still durch die dichten Zwielichtmassen schlüpfte, kam er so sacht auf unserem Gebiete an, daß kein Auge ihn erblickt hätte, es wäre denn bereits auf die Stelle gerichtet gewesen, an welcher er erschien Dort hielt er ein paar Augenblicke inne und schaute nach links und rechts; und da er nirgends Hunde sah, verließ er das bergende Zwielicht. Dieser Troll hatte noch nie geweilt in den Gefilden, die wir kennen, doch er wußte die Hunde wohl zu meiden, denn die Furcht vor Hunden ist so tief und allgemein verbreitet unter denen, die da sind weniger als der Mensch, daß es fast scheint, als wäre sie sogar über unsere Grenzen hinausgedrungen und würde auch in Elfenland gefühlt.

In unseren Landen war es Mai jetzt, und die Butterblumen erstreckten sich feldweit vor dem Troll, eine Welt aus Gelb, vermischt mit dem Braun der sprießenden Gräser. Als er so viele Butterblumen sah leuchten dort, befiel ihn Staunen ob des Reichtums der Erde. Und bald bewegte er sich durch sie mitten hindurch und gilbte sich die Hachsen, da er ging.

Er hatte sich noch nicht weit entfernt von Elfenland, da begegnete er einem Hasen, der sich ein bequemes Bett aus Gras bereitet hatte, in welchem er sich die Zeit zu vertreiben gedachte, bis es wieder Anlaß gab, sich zu tummeln.

Als der Hase den Troll erblickte, saß er ohne jede Bewegung da und ohne jeglichen Ausdruck in den Augen und dachte nur nach.

Als der Troll den Hasen erblickte, hüpfte er näher und legte sich vor ihm in die Butterblumen und fragte ihn nach dem Weg zu den Lagern der Menschen. Aber der Hase dachte nur weiter nach.

»Geschöpf dieser Gefilde«, wiederholte der Troll, »wo sind die Lager der Menschen?«

Da stand der Hase auf und ging auf den Troll zu, was sehr lächerlich aussah, denn er entfaltete dabei nichts von der Anmut, die er hat, wenn er läuft oder Sprünge macht, und war vorn viel niedriger als hinten. Er steckte seine Nase in des Trolls Gesicht und zuckte mit seinen albernen Schnurrbarthaaren.

»Sag mir den Weg«, verlangte der Troll.

Als der Hase sich überzeugt hatte, daß der Troll nicht nach Hund roch, war er's zufrieden, sich von ihm Fragen stellen zu lassen. Aber er verstand die Sprache von Elfenland nicht, und so legte er sich wieder hin und dachte nach, während der Troll weiterredete.

Und schließlich wurde der Troll es müde, überhaupt keine Antwort zu bekommen, und so sprang er auf und brüllte »Hunde!« und verließ den Hasen und hüpfte lustig davon über die Butterblumen, indem er eine Richtung nahm, die von Elfenland wegführte. Und obschon der Hase die Elfensprache nicht ganz verstehen konnte, lag doch in dem Ton, in welchem der Troll »Hunde!« gerufen hatte, ein Ungestüm, welches ein gewisses Begreifen Einlaß finden ließ in die Gedanken des Hasen, so daß er alsbald seinem Bett aus Gras entsagte und, nicht ohne dem Troll einen verächtlichen Blick nachzuschicken, über die Wiese davonhoppelte; er ging aber nicht sehr schnell, nur auf drei Beinen eigentlich, wobei der eine

Hinterlauf jedoch in Bereitschaft stand, sich unmittelbar zu beteiligen, falls sich wirklich Hunde zeigen sollten. Und bald hielt er inne und setzte sich und stellte die Löffel auf und blickte über die Butterblumen hin und dachte tief nach. Doch noch ehe der Hase mit seinen Überlegungen, was es mit dem Troll wohl auf sich haben mochte, zu Ende gekommen, war der Troll schon außer Sicht und hatte vergessen, was er gesagt hatte.

Und bald sah er hinter einer Hecke die Giebel eines Bauernhauses ragen. Fast schien es, als blickten sie ihn an mit ihren kleinen Fenstern unter den roten Ziegeln. »Ein Menschenlager«, sagte der Troll. Und doch sagte ihm offenbar irgendein elfischer Instinkt, daß dies die Stätte wohl doch nicht sein konnte, dahin Prinzessin Lirazel gegangen. Gleichwohl kam er näher an den Hof heran und begann das Geflügel zu beäugen. Doch grad in diesem Augenblick erspähte ihn ein Hund, einer, der noch niemals einen Troll gesehen hatte, und gab einen wahrhaft hündischen Laut erstaunter Entrüstung von sich, und indem er den ganzen Rest seines Atems für die Jagd sparte, setzte er hinter dem Troll her.

Der Troll begann alsbald, sich über die Butterblumen hin zu heben und zu senken, als hätte er seine Geschwindigkeit von der Schwalbe geliehen, und segelte auf einem Luftkissen dahin. Eine solche Geschwindigkeit war dem Hund ganz neu, und er setzte dem Troll in einer langen Kurve nach, gestreckt im Lauf, mit offenem Maul und still, und der Wind wogte über ihn hin, von der Nase bis zum Schwanz, in einem einzigen welligen Strom. Die Kurve entstand aus des Hundes verwirrter Hoffnung, dem Troll so den Weg abschneiden zu können. Bald war er auch unmittelbar hinter ihm; und der Troll spielte mit der Geschwindigkeit; er atmete die blumige Luft in langen frischen Zügen über den Köpfen der Butterblumen.

Er dachte gar nicht mehr an den Hund, gab aber die Flucht nicht auf, die der Hund bewirkt hatte, aus reiner Freude an der Geschwindigkeit. Und die wunderliche Jagd ging weiter über die Felder, von Freude getrieben der Troll, von Pflichtgefühl der Hund. Um der modischen Neuheit willen setzte der Troll dann auf einmal die Füße zusammen, da er über die Blumen sprang, und indem er mit durchgedrückten Knien landete, fiel er vorwärts auf die Hände und überschlug sich so; und indem er wiederum jäh die Ellbogen steifte beim Überschlag, schoß er sich hoch in die Luft und überschlug sich dabei aber- und abermals. Dies tat er zu mehreren Malen und vergrößerte dadurch die Entrüstung des Hundes, der sehr wohl wußte, daß dies keine Art war, sich über die Gefilde, die wir kennen, zu bewegen. Doch bei all seiner Entrüstung hatte der Hund auch deutlich genug erkannt, daß er diesen Troll da nie und nimmer würde fangen können, und bald kehrte er zum Hof zurück und fand seinen Herrn dort und lief zu ihm und wedelte mit dem Schwanz. Er wedelte so nachhaltig, daß der Bauer zu der Überzeugung gelangte, er habe irgendetwas sehr Nützliches getan, und ihn tätschelte, und damit hatte die Angelegenheit ein Ende.

Und es war auch ein Glück für den Bauern, daß sein Hund ihm den Troll vom Hof gejagt hatte; denn hätte dieser dem Vieh dort auch nur wenige Mitteilungen gemacht von den Wundern Elfenlands, so hätte es alle Achtung vor dem Menschen verloren, und der Bauer wäre der Treue und Ergebenheit all seiner vierbeinigen Untertanen verlustig gegangen, mit Ausnahme nur seines standhaften Hundes.

Und der Troll hüpfte fröhlich weiter über die Köpfe der Butterblumen.

Bald sah er, weiß aufragend über den Blumen, einen Fuchs, der ihm die weiße Brust zukehrte und das weiße

Kinn und ihm zusah, wie er herangehüpft kam. Der Troll näherte sich ihm und nahm ihn in Augenschein. Und der Fuchs fuhr fort, ihn zu beobachten, denn der Fuchs beobachtet alle Dinge.

Er war spät zurückgekommen in das betaute Gebiet, nachdem er die ganze Nacht entlanggeschlichen war an der Zwielichtsgrenze, die zwischen hier liegt und Elfenland. Er stöbert sogar auf dem Grenzstreifen selber herum, mitten in den Nebeln; und es gehört zum Geheimnis jenes schweren Zwielichts, das zwischen hier liegt und dort, daß ihm ein weniges anhaftet von dessen Zauber und er davon mitbringt in unsere Gefilde.

»Nun, Niemands Hund«, sagte der Troll. Denn man kennt den Fuchs in Elfenland, weil man ihn oft undeutlich an der Grenze entlangstreichen sieht; und dies ist der Name, den man ihm gegeben hat.

»Nun, Geschöpf von drüben«, sagte der Fuchs, als er sich überhaupt zu einer Antwort entschlossen hatte. Denn er kannte die Troll-Sprache.

»Sind die Lager der Menschen hier irgendwo in der Nähe?« fragte der Troll.

Der Fuchs bewegte seine Backenhaare, indem er leicht die Lippe kräuselte. Wie alle Lügner überlegte er, ehe er sprach, und manchmal gar zog er ein kluges Schweigen der Rede vor.

»Menschen leben hier und leben dort«, sagte der Fuchs.

»Ich will zu ihren Lagern«, sagte der Troll.

»Wozu?« fragte der Fuchs.

»Ich habe eine Botschaft vom König von Elfenland.«

Der Fuchs zeigte weder Furcht noch Ehrfurcht bei der Nennung des schrecklichen Namens, sondern bewegte nur leicht den Kopf und die Augen, um die Scheu zu verhehlen, die er empfand.

66

»Wenn es um eine Botschaft geht«, sagte er, »so sind ihre Lager dort drüben.« Und er wies mit seiner langen dünnen Nase hinüber nach Erl.

»Woran soll ich's merken, wenn ich dort bin?« fragte der Troll.

»Am Geruch«, sagte der Fuchs. »Es ist ein großes Menschenlager, und der Geruch ist furchtbar.«

»Danke, Niemands Hund«, sagte der Troll. Und er dankte selten einem.

»Ich würde ja nie auch nur in ihre Nähe gehen«, sagte der Fuchs, »wenn nicht ...« Und er hielt inne und dachte schweigend nach.

»Wenn nicht was?« fragte der Troll.

»Wenn nicht das Geflügel wäre, das sie haben.« Und er fiel in ernstes Schweigen.

»Wiedersehn, Niemands Hund«, sagte der Troll und wandte sich Hals über Kopf und war schon unterwegs nach Erl.

Nachdem er den ganzen tauigen Morgen über die Butterblumen hingesprungen, war der Troll am Nachmittag schon weit gelangt auf seinem Weg, und noch vor Abend erblickte er den Rauch und die Türme von Erl. Es lag dort ganz und gar in einer Senke; und Giebel und Kamine und Türme lugten über den Rand des Tals, und Rauch hing über ihnen in der verträumten Luft. »Die Lager der Menschen«, sagte der Troll. Dann setzte er sich ins Gras und sah sich das Ganze an.

Bald ging er näher und sah abermals hin. Der Anblick gefiel ihm gar nicht, all der Rauch und die vielen Giebel, und der Geruch war in der Tat furchtbar. Es war allerlei Sagenhaftes berichtet worden in Elfenland von der Weisheit des Menschen; doch welchen Respekt uns solche Legenden auch gewonnen hatten, im leichtfertigen Geiste des Trolls verflog das alles im Nu, da er jetzt das Gewimmel der Häuser betrachtete. Und da er es noch betrachtete, kam ein Kind von vier Jahren daher, ein kleines Mädchen, das heimlief auf einem Feldweg durch den Abend nach Erl. Sie blickten einander mit runden Augen an.

»Hallo«, sagte das Kind.

»Hallo, Menschenkind«, sagte der Troll.

Er sprach jetzt nicht die Trollsprache, sondern die Sprache von Elfenland, jene vornehmere Zunge, in der er sich auch hatte ausdrücken müssen, als er vor dem König stand: denn er kannte die Sprache von Elfenland wohl, obschon sich die Trolle ihrer nicht bedienten, sondern die Trollsprache vorzogen. Diese Sprache wurde in jenen Tagen auch von den Menschen gesprochen, denn es gab weniger Sprachen noch damals, und die Elfen und das Volk von Erl bedienten sich derselben.

»Was bist du denn für einer?« fragte das Kind.

»Ein Troll aus Elfenland«, antwortete der Troll.

»Das habe ich mir gedacht«, sagte das Kind.

»Wohin gehst du, Menschenkind?« fragte der Troll.

»Zu den Häusern«, erwiderte das Kind.

»Da gehen wir aber nicht gern hin«, sagte der Troll.

»N-nein«, sagte das Kind.

»Komm doch mit nach Elfenland«, sagte der Troll.

Das Kind dachte eine Weile nach. Schon andere Kinder waren dort hingegangen, und die Elfen schickten jedesmal einen Wechselbalg an ihre Stelle, so daß sie eigentlich niemand vermißte und niemand etwas gewahr ward. Das Mädchen dachte eine Weile an die herrliche Wildnis Elfenlands und dann an sein eigenes Elternhaus.

»N-nein«, sagte das Kind.

»Warum nicht?« fragte der Troll.

»Mami hat Marmeladenbrötchen gemacht heute morgen«, sagte das Kind. Und es setzte würdevoll seinen Heimweg fort. Wären diese zufälligen Marmeladenbrötchen nicht gewesen, es wäre mit nach Elfenland gegangen.

»Marmelade!« sagte der Troll voller Verachtung und dachte an die Bergseen von Elfenland, die großen Lilienblätter, die flach auf ihren feierlichen Wassern lagen, die riesigen blauen Lilien, die sich ins Elfenlicht türmten über den grüntiefen Seen: um Marmelade hatte dies Kind auf sie verzichtet!

Dann dachte er wieder an seine Pflicht, an die Rolle aus Pergament und des Elfenkönigs Rune für seine Tochter. Er hatte das Pergament in seiner linken Hand getragen, wenn er lief, und im Mund, als er seine Purzelbäume schlug über den Butterblumen. War die Prinzessin hier, dachte er? Oder gab es noch andere Menschenlager? Als der Abend hereinbrach, schlich er sich näher und näher an die Häuser heran, um zu lauschen, ohne daß man ihn sah.

DAS EINTREFFEN DER RUNE (ACHTES KAPITEL). An einem sonnigen Maimorgen saß die Hexe Ziroonderel in der Kinderstube des Schlosses von Erl am Feuer und kochte eine Mahlzeit für das Kind. Der Knabe war jetzt drei Jahre alt, und immer noch hatte Lirazel ihm keinen Namen gegeben; denn sie fürchtete, irgend ein eifersüchtiger Erd- oder Luftgeist könnte den Namen hören, doch was sie dann fürchtete, das wollte sie nicht sagen. Und Alveric hatte gesagt, er müsse einen Namen bekommen.

Und der Knabe konnte einen Reifen rollen; denn die Hexe war in einer nebligen Nacht auf ihren Berg gegangen und hatte ihm einen Mond-Hof mitgebracht, den sie durch Zauberei gewonnen bei Mondesaufgang, und ihn zu einem Reifen gehämmert, und sie hatte ihm einen kleinen Rutenstab gemacht aus Donnerkeileisen, den Reifen anzutreiben damit.

Und jetzt wartete der Knabe auf sein Frühstück; und es lag ein Bann auf der Schwelle, um die Kinderstube freunlich zu bewahren, ein Bann, den Ziroonderel gelegt hatte mit einem Schwenken ihres Ebenholzstocks, und der Bann hielt die Ratten draußen und die Mäuse und Hunde, und Fledermäuse konnten nicht darüberfliegen, und auch die achtsame Kinderstubenkatze hielt er daheim: kein Schloß von Schmiedes Hand war jemals stärker.

Da kam plötzlich mit einem Purzelbaum über die Schwelle und über den Bann der Troll durch die Luft geschossen und landete auf seiner Sitzfläche. Die Kinderstubenuhr aus rohem Holz, die über dem Feuer hing, stellte alsbald ihr lautes Ticken ein, da er kam; denn er trug einen kleinen Zauber bei sich gegen die Zeit, in Gestalt eines seltsamen Grasrings an einem seiner Finger, damit er nicht dahinwelkte in den Gefilden, die wir kennen. Denn wohl kannte der Elfenkönig die Flucht unserer Stunden: vier Jahre allein waren verstrichen über diesen unseren Gefilden, während er hallend die ehernen Stufen hinabgestiegen war und nach dem Troll geschickt und ihm das Zaubergras gegeben hatte, es sich um einen seiner Finger zu winden.

»Was ist denn das?« sagte Ziroonderel.

Der Troll wußte recht gut, wann er unverschämt sein konnte, aber als er in die Augen der Hexe blickte, sah er etwas, davor ihm bange wurde; und das mit Recht, denn diese Augen hatten in des Elfenkönigs Augen selbst geblickt. Daher spielte er denn, wie wir in diesen Landen sagen, gleich seine Trumpfkarte aus und antwortete: »Eine Botschaft vom König von Elfenland.«

»Tatsächlich?« fragte die alte Hexe. »Ja, ja«, fügte sie dann leiser für sich hinzu, »das wird für meine Herrin sein. Ja, das mußte wohl kommen.«

Der Troll saß immer noch am Boden und fingerte an der Pergamentrolle herum, auf welcher die Rune des Königs von Elfenland geschrieben stand. Dann sah über das Ende seines Bettes, wo es auf sein Frühstück wartete, das Kind den Troll und fragte ihn, wer er sei und wo er herkomme und was er alles könne. Als das Kind ihn fragte, was er könne, sprang der Troll auf und hüpfte in der Stube herum wie eine Motte im Lampenschein an der Decke. Vom Boden auf die Schränke und wieder zurück und wieder hinaus gingen seine Sprünge, gleichsam als flöge er nur so; das Kind schlug jubelnd die Händchen zusammen, die Katze gebärdete sich wie wild; die Hexe hob ihren Ebenholzstock und schlug einen Zauber gegen das

71

Springen, doch das konnte den Troll nicht halten. Er sprang und schnellte und prallte, während die Katze sämtliche Flüche zischte, welche die Katzensprache kennt, und Ziroonderel rechtschaffen ergrimmt war, nicht nur weil ihr Zauber wirkungslos geblieben, sondern aus rein menschlicher Sorge, denn sie fürchtete für ihre Tassen und Untertassen; und das Kind jubelte die ganze Zeit und verlangte nach mehr. Und jäh entsann sich der Troll seines Auftrags und des furchtbaren Pergaments, das er bei sich trug.

»Wo ist die Prinzessin Lirazel?« fragte er die Hexe.

Und die Hexe wies ihm den Weg zu der Prinzessin Turm; denn sie wußte, daß sie nicht Mittel noch Macht besaß, eine Rune des Königs von Elfenland aufzuhalten. Doch als der Troll sich zum Gehen wandte, betrat Lirazel selbst das Gemach. Er verbeugte sich sehr tief vor dieser großen Herrin aus Elfenland; all seine Dreistigkeit war im Augenblick verflogen, und er kniete nieder auf einem Knie vor dem Glanz ihrer Schönheit und reichte ihr des Elfenkönigs Rune. Der Knabe schrie derweil, während seine Mutter die Schriftrolle entgegennahm, sie solle dem Troll noch weitere Sprünge anbefehlen; die Katze lag, den Rücken an eine Kiste gedrückt, achtsam auf der Lauer; Ziroonderel war ganz still.

Und dann dachte der Troll an die pflanzengrünen Bergseen in den Wäldern, welche die Trolle kannten; er dachte an das Wunder der unwelkenden Blumen, die von der Zeit noch niemals berührt; an die tiefe, tiefe Farbe und die immerwährende Ruhe: seine Mission war erfüllt, und er war müde der Erde.

Einen Augenblick lang regte sich nichts außer dem Kind, das nach neuen Trollspossen schrie und mit den Ärmchen ruderte: Lirazel stand stumm da, die Elfenrolle in der Hand, der Troll kniete vor ihr, die Hexe rührte sich nicht, die Katze lag wild auf der Lauer, selbst die Uhr stand still. Dann regte sich die Prinzessin, und der Troll erhob sich auf die Füße, die Hexe seufzte, und die Katze gab ihr Lauern auf, als der Troll von dannen eilte. Und obschon das Kind ihm nachschrie, er solle doch zurückkommen, achtete er seiner nicht, sondern schlängelte sich die lange Wendeltreppe hinunter, schlüpfte durch eine Tür hinaus und war schon unterwegs nach Elfenland. Und als der Troll über die Schwelle war, begann die hölzerne Uhr wieder zu ticken.

Lirazel blickte auf die Rolle nieder und sah ihren Jungen an, und sie entrollte das Pergament nicht, sondern wandte sich und trug es fort und ging in ihre Kammer und verschloß die Rolle in einem Kästchen und ließ sie dort ungelesen. Denn ihre Ängste sagten ihr nur allzu deutlich, daß ihres Vaters mächtigste Rune, die sie so sehr gefürchtet hatte, als sie vor seinem Silberturm geflohen war und seine Schritte hatte hinanhallen hören auf der ehernen Treppe, die Zwielichtsgrenze überschritten hatte auf dieser Schriftrolle und ihren Augen begegnen würde, sobald sie das Pergament entrollte, und sie von dannen tragen würde.

Als die Rune sicher in dem Kästchen lag, ging sie zu Alveric, um ihm von der Gefahr zu sagen, die auf sie zugekommen war. Doch Alveric war bekümmert, weil sie dem Kind noch immer keinen Namen hatte geben wollen, und kam alsbald auf diese Frage zu sprechen. Und so schlug sie ihm schließlich einen Namen vor; und es war ein Name, den niemand in diesen Gefilden konnte aussprechen, ein elfischer Name voller Wunder und aus Silben, die klangen wie Vogelrufe bei Nacht: keine einzige davon war Alverics Zunge gegeben. Und die Grille, die sie dazu gebracht, kam, wie all ihre Grillen, nicht von irgendeiner gewöhnlichen Erscheinung dieser unserer Gefilde, sondern von drüben, von jenseits der Grenze, aus Elfenland selbst, und es waren alle wilden Gesichte darin, die nur selten unser Gebiet besuchen. Und Alveric verdrossen diese Grillen, denn es hatte nimmer dergleichen gegeben im Schlosse von Erl seit alters: niemand vermochte sie ihm zu deuten und niemand ihm Rat zu geben. Er erwartete von ihr, sie möchte sich leiten lassen von den alten Bräuchen; sie aber wartete nur auf eines der wilden Gesichte aus Süd-Ost. Er bedrängte sie mit der menschlichen Vernunft, welcher das Volk viel beimißt hier bei uns, doch sie wollte von der Vernunft nichts wissen. Und da sie denn endlich schieden, hatte sie ihm nicht das mindeste sagen können von der Gefahr, die sie heimgesucht aus Elfenland und die ihm zu künden sie gekommen war.

Sie ging stattdessen in ihren Turm und sah nach dem Kästchen, welches dort schimmerte im leisen späten Licht; und sie wandte sich ab von ihm und schaute doch immer wieder hin; während das Licht versank hinter den Feldern und die Abenddämmerung kam und alles dahinschwand, was zuvor geleuchtet. Da setzte sie sich neben das Flügelfenster, das auf die östlichen Berge hinausging, und schaute zu den Sternen empor über den dunkelnden Linien. Sie schaute so lange, daß sie die Sterne ihren Stand wechseln sah unterweil. Denn mehr als alle anderen Dinge, die sie gesehen hatte, seit sie in diese unsere Gefilde gekommen, hatte sie die Sterne bewundert. Sie liebte ihre sanfte Schönheit; und doch war sie traurig, da sie nun sehnsüchtig zu ihnen aufschaute, denn Alveric hatte gesagt, sie dürfe ihnen keine Verehrung bezeigen.

Wie aber sollte sie ihnen, wenn sie ihnen keine Verehrung zollen durfte, Gerechtigkeit widerfahren lassen, wie ihnen danken für ihre Schönheit, sie preisen ob ihrer freudenreichen Ruhe? Und dann dachte sie an ihr Kind:

dann sah sie den Orion: dann bot sie Trotz allen eifersüchtigen Luftgeistern, und indem sie zum Orion auf-
blickte, den sie doch nun und nie verehren durfte, brachte
sie ihres Kindes Tage jenem gegürteten Jäger dar und gab
ihrem Kind den Namen des leuchtenden Sternbilds.

Und als Alveric zu ihr kam in den Turm, da erzählte sie
ihm ihren Wunsch, und er stimmte willig zu, daß der
Knabe sollte Orion heißen, da alle der Jagd viel beimaßen
im Tal. Und Alveric kehrte die Hoffnung zurück, die er
nie aufgeben wollte, daß sie, in dieser Frage endlich nun
vernünftig geworden, auch würde vernünftig sein in allen
anderen Dingen und sich leiten lassen von Brauch und
Sitte und tun, was andere taten, und entsagen den wilden
Grillen und Gesichten, die über die Grenze kamen von
Elfenland. Und er bat sie, Verehrung zu zollen den heiligen Dingen des Befreiers. Denn nie noch hatte sie einem
von diesen Dingen das Gebührende bezeigt; sie wußte
nicht, was heiliger war, sein Kerzenleuchter oder seine
Glocke, und wollte es nie erlernen, so oft es ihr Alveric
auch erklärte.

Und nun gab sie ihm freundliche Antwort, und ihr
Gatte dachte, es sei nun alles gut, doch ihre Gedanken
weilten fern bei Orion; sie weilten überhaupt nie lange
bei ernsten Dingen, konnten nie länger bei ihnen weilen
als Schmetterlinge im Schatten.

Die ganze Nacht hindurch umschloß das Kästchen die
Rune des Königs von Elfenland.

Am nächsten Morgen widmete Lirazel der Rune kaum
noch einen Gedanken, denn sie gingen zusammen mit
dem Knaben zum Heiligtum des Befreiers; und auch Ziroonderel kam mit ihnen, wartete aber draußen. Und das
Volk von Erl kam ebenfalls, so viele nur die Menschenge-
schäfte im Stich lassen konnten auf den Feldern; und alle
jene waren da, welche das Parlament gebildet hatten, da

sie vor Alverics Vater getreten waren in dem langen roten Gemach. Und sie alle waren froh, als sie den Knaben sahen und seine Kraft gewahrten und seinen Wuchs; und indem sie leise, denn sie standen im Heiligtum, miteinander murmelten, weissagten sie, daß alles werden würde, wie sie es geplant. Und der Befreier kam heraus und trat unter seine heiligen Dinge und gab dem Knaben vor ihm den Namen Orion, obschon er ihm lieber einen der Namen jener gegeben hätte, von denen er wußte, daß sie gesegnet waren. Und es freute ihn, den Knaben zu sehen und ihm einen Namen zu geben dort; denn an der Familie, welche im Schlosse von Erl wohnte, maß all dies Volk seine Generationen und die Menschenalter, die dahingingen, so wie wir zuweilen die Jahreszeiten hingehen sehen über einem alten berühmten Baum. Und er verbeugte sich vor Alveric und war voller Höflichkeit zu Lirazel, doch seine Höflichkeit gegenüber der Prinzessin kam nicht aus seinem Herzen, denn in seinem Herzen besaß sie kein größeres Ansehen denn eine Meerjungfrau, welche den Wellen entsagt hatte.

Doch der Knabe kam eben so zu dem Namen Orion. Und alles Volk jauchzte, als er heraustrat mit seinen Eltern und wieder zu Ziroonderel ging am Rande des heiligen Gartens. Und Alveric, Lirazel, Ziroonderel und Orion schritten zusammen zurück zum Schloß.

Und den ganzen Tag lang tat Lirazel nichts, was irgendwen hätte verwundern müssen, sondern ließ sich leiten von Brauch und Sitte und von den Wegen der Gefilde, die wir kennen. Nur als die Sterne kamen und mit ihnen leuchtend der Orion, da wußte sie, daß ihr Glanz noch nicht das Gebührende empfangen, und ihre Dankbarkeit für Orion sehnte sich nach Ausdruck. Sie war ihm dankbar für seine helle Schönheit, die unsere Gefilde erheiterte, und dankbar für seinen Schutz, dessen sie sich sicher

76

fühlte für ihren Knaben, vor allen eifersüchtigen Luftgeistern. Und all dieser ungesagte Dank brannte ihr so im Herzen, daß sie ganz plötzlich aufstand und ihren Turm verließ und hinausging in das freie Sternenlicht und das Gesicht hob zu den Sternen und zu Orions Stand und stumm so stehen blieb, obschon der Dank ihr auf den Lippen zitterte; denn Alveric hatte ihr gesagt, man dürfe nicht beten zu den Sternen. Lange und still stand sie so, das Antlitz emporgewandt zu dem wandernden Schwarm, Alveric gehorsam: dann senkte sie den Blick, und es war ein kleiner Teich da, schimmernd in der Nacht, in dem alle Gesichter der Sterne widerschienen. »Zu den Sternen zu beten«, sprach sie bei sich in der Nacht, »ist gewißlich nicht richtig. Diese Bilder im Wasser aber sind keine Sterne. Ich will zu ihren Bildern beten, und die Sterne werden es wissen.«

Und auf den Knien inmitten der Schwertlilien betete sie am Rande des Teichs und sagte Dank den Bildern der Sterne für die Freude, welche sie an der Nacht gehabt, da die Gestirne leuchteten in ihrer Myriaden-Majestät und sich bewegten wie ein Kriegerheer in silbernen Rüstungen, das von unbekannten Siegen kam und weiterzog, in fernen Kriegen zu siegen. Sie segnete und dankte und pries die hellen Schimmerbilder unten im Teich und hieß sie ihren Dank und Preis Orion bringen, zu dem sie nicht beten dürfe. So ward sie von Alveric gefunden, kniend, niedergebeugt im Dunkel, und er machte ihr bittere Vorwürfe. Sie verehre die Sterne, sagte er, die nicht da seien zu solchem Zweck. Und sie sagte, nein, nur vor ihren Bildern knie sie.

Wir mögen wohl leicht verstehen, wie ihm zumute war: das Fremde an ihr, ihre unerwarteten Handlungen, ihre Widerspenstigkeit gegenüber allen hergebrachten Einrichtungen, ihre Geringschätzung für Brauch und Sitte, ihre launische Unwissenheit, das alles verletzte tagtäglich neu eine in Ehren gehaltene Überlieferung. Je romantischer sie gewesen war, weit drüben jenseits der Grenze, da nur Sage und Lied von ihr kündeten, desto schwerer fiel es ihr, die Stelle jener Schloßherrinnen auszufüllen, die da beschlagen gewesen waren in allem Wissen der Gefilde, die wir kennen. Alveric erwartete von ihr, daß sie Pflichten erfüllte und Sitten befolgte, die alle so neu für sie waren wie die blitzenden Sterne.

Doch Lirazel fühlte nur, daß die Sterne nicht das Gebührende empfingen und daß Sitte oder Vernunft oder was immer sonst, dem die Menschen viel beimaßen, verlangen sollte, ihnen Dank zu zollen für ihre Schönheit; und dabei hatte sie ihnen noch nicht einmal selber gedankt, sondern nur vor ihren Bildern gekniet in dem kleinen Teich.

In dieser Nacht gedachte sie Elfenlands, wo alles im Einklang war mit ihrer Schönheit, wo nichts sich änderte und wo es keine fremden Sitten gab und keine fremden Herrlichkeiten wie diese unsere Sterne, denen niemand das Gebührende gab. Sie dachte an die elfischen Rasengründe und die hochragenden Hänge voll Blumen und an das Schloß, davon nicht anders mehr erzählt werden mag denn nur im Lied.

Verschlossen im Dunkel des Kästchens aber harrte die Rune ihrer Zeit.

LIRAZEL WEHT DAVON (NEUNTES KAPITEL). Und die Tage strichen dahin, der Sommer verging über Erl, die Sonne, die nach Norden gezogen war, kam wieder nach Süden, und es nahte die Zeit, da die Schwalben die Dachrinnen verließen, und Lirazel hatte noch immer nichts gelernt. Sie hatte nicht wieder zu den Sternen gebetet noch vor ihren Bildern gekniet, doch sie hatte auch nichts gelernt von Menschensitten und konnte nicht einsehen, warum ihre Liebe und Dankbarkeit unausgedrückt sollte bleiben den Sternen. Und Alveric wußte nicht, daß die Zeit kommen mußte, da irgend eine kleine geringfügige Alltäglichkeit sie gänzlich trennen würde und uneins machen.

Und dann nahm er sie, immer noch voll Hoffnung, eines Tages mit zum Haus des Befreiers, um sie unterweisen zu lassen in der Verehrung seiner heiligen Dinge. Und froh auch brachte der heilige Mann seine Kerze und Glocke, und den Adler aus Bronze, der ihm sein Buch hochhielt, wenn er las, und eine kleine symbolische Schale, die wohlriechendes Wasser enthielt, und die Silberschneuze, mit der er seine Kerze ausmachte. Und er erklärte ihr, so klar und einfach, wie er's zuvor schon getan, Ursprung, Bedeutung und Geheimnis aller dieser Dinge, und warum die Schale aus Messing war und die Schneuze aus Silber, und was die Sinnbilder sagten, die eingeschnitten waren in die Schale. Mit gar geziemender Höflichkeit erklärte er ihr dies alles, ja sogar freundlich; und doch war etwas Zurückhaltendes, Abweisendes in seiner Stimme, da er's erklärte; und sie wußte, daß er wie einer sprach, der am sicheren Gestade wandelt und einer Meerjungfrau ruft, weit draußen in der gefährlichen See.

Als sie zum Schloß zurückkamen, hatten die Schwalben sich zum Abschied gesammelt und saßen in langen Reihen auf den Zinnen. Und Lirazel hatte versprochen, die heiligen Dinge des Befreiers zu verehren, wie das einfache glockenfürchtige Volk des Tals von Erl: und eine späte Hoffnung glomm in Alveric auf, daß nun doch noch alles gut werde. Und viele Tage lang blieb ihr auch im Gedächtnis, was ihr der Befreier erklärt hatte.

Und eines Tages, da sie spät aus der Kinderstube kam, vorüber an den hohen Fenstern des Turms, und hinausblickte in den Abend und sich erinnerte, daß sie die Sterne nicht verehren durfte, da rief sie sich die heiligen Dinge des Befreiers ins Gedächtnis und versuchte sich all dessen zu entsinnen, was ihr erklärt worden war. Es kam sie hart an, sie zu verehren, bloß weil sie's sollte. Sie wußte, daß in nur wenigen Stunden die Schwalben würden verschwunden sein; und oft schon, wenn sie von ihr gegangen waren, hatte ihre Stimmung einen Wechsel erfahren; und so fürchtete sie, daß sie vergessen möchte und nimmer sich erinnern, wie sie verehren sollte die heiligen Dinge des Befreiers.

So ging sie wieder in die Nacht hinaus und über die Gräser, bis sie an eine Stelle kam, wo ein dünner Bach rann, und holte ein paar große flache Kiesel heraus, von denen sie wußte, wo sie zu finden waren, und dabei wandte sie das Gesicht ab von den Bildern der Sterne. Bei Tage leuchteten die Steine wunderschön im Wasser, rötlich und malvenlila; jetzt waren sie ganz dunkel. Sie nahm sie heraus und legte sie auf die Wiese: sie liebte diese glatten flachen Steine, denn irgendwie fühlte sie sich erinnert durch sie an die Felsen von Elfenland.

Sie legte sie alle nebeneinander, diesen da für den Kerzenleuchter, den für die Glocke und jenen für die heilige Schale. »Wenn ich diese lieblichen Steine verehren kann, wie man Dinge verehren soll«, sagte sie, »dann kann ich auch die Dinge des Befreiers verehren.«

Darauf kniete sie nieder vor den großen flachen Steinen und betete zu ihnen, als wären sie Dinge des Rechtglaubens.

Und Alveric, der sie suchte in der weiten Nacht und sich fragte, welch wildes Gesicht sie mochte von hinnen geholt haben, hörte ihre Stimme auf der Wiese in leisem Singsang Gebete murmeln, wie sie heiligen Dingen dargebracht werden.

Und da er die vier flachen Steine sah, zu denen sie betete, gebeugt vor ihnen im Gras, da sagte er, nicht schlimmer denn dieses seien die dunkelsten Wege der Heiden. Und sie sagte: »Ich lerne die heiligen Dinge des Befreiers verehren.«

»Es ist die Kunst der Heiden«, sagte er.

Nun gab es nichts, was die Menschen im Tal von Erl mehr fürchteten als die Künste der Heiden, von denen sie nichts wußten, als daß ihre Wege dunkel waren. Und er sprach mit dem Zorn, der sich der Menschen dort immer bemächtigte, wenn sie von den Heiden sprachen. Und sein Zorn ging ihr zum Herzen, denn sie lernte doch seine heiligen Dinge verehren nur, um ihm zu gefallen, und nun hatte er dennoch so gesprochen.

Und Alveric fand die Worte nicht, die er hätte sprechen sollen, seinem Zorn zu gebieten und sie zu begütigen; denn es sollte kein Mensch, so dachte er töricht, Entgegenkommen zeigen in Sachen, welche die Heiden betrafen. So ging Lirazel voller Trauer allein zurück zu ihrem Turm. Und Alveric blieb noch, um die vier flachen Steine weit fortzuwerfen.

Und die Schwalben zogen davon, und unglückliche Tage gingen vorüber. Und eines Tages hieß Alveric sie die heiligen Dinge des Befreiers verehren, und da hatte sie ganz vergessen, wie das geschehen mußte. Und wieder sprach er von den Künsten des Heidentums. Der Tag leuchtete hell, und die Pappeln waren golden und alle Espen rot.

Da ging Lirazel zu ihrem Turm und öffnete das Kästchen, das im klaren Herbstlicht des Morgens leuchtete, und nahm die Rune des Königs von Elfenland in ihre Hand und trug sie durch die hohe gewölbte Halle und kam mit ihr zu einem anderen Turm und stieg die Stufen hinan zur Kinderstube.

Und dort blieb sie den ganzen Tag und spielte mit ihrem Kind, die Rolle immerzu fest in der Hand: und so fröhlich sie auch zuzeiten spielte, so war doch eine seltsame Stille in ihren Augen, die Ziroonderel nicht entging und sie unruhig machte. Und als die Sonne niedrig stand und sie den Knaben zu Bett gebracht hatte, setzte sie sich neben ihn und erzählte ihm kindliche Geschichten. Und Ziroonderel, die kluge Hexe, beobachtete sie; und bei aller Klugheit ahnte sie doch nur, wie es kommen würde, und wußte nicht, wie sie es ändern sollte.

Und ehe die Sonne unterging, küßte Lirazel den Knaben und entrollte des Elfenkönigs Botschaft. Es war nur eine Launenhaftigkeit gewesen, die sie bewogen, sie aus dem Kasten zu nehmen, darin sie lag, und die Laune hätte wieder vergehen können, und sie hätte die Botschaft vielleicht nicht entrollt, hätte sie sich nicht in ihrer Hand befunden. Teils war es Launenhaftigkeit, teils Neugier auch, teils eine jener Grillen, zu nichtig, sie zu benennen, was ihre Blicke auf des Elfenkönigs Worte zog mit ihren kohlschwarzen wunderlichen Zeichen.

Und welcher Zauber auch war in der Rune, davon ich nichts zu melden vermag (und es war ein furchtbarer Zauber darin), so war die Rune doch mit Liebe geschrieben, die stärker war als aller Zauber, also daß die mystischen Zeichen geradezu glühten von der Liebe, die der Elfenkönig für seine Tochter hegte, und es waren gemischt in der mächtigen Rune zwei Kräfte, Zauber und Liebe, die größte Macht, die es jenseits der Zwielichtsgrenze gibt, mit der größten Macht, die da ist in den Gefilden, die wir kennen. Und wenn Alverics Liebe sie hätte halten können, so hätte er allein auf jene Liebe vertrauen sollen, denn des Elfenkönigs Rune war mächtiger als die heiligen Dinge des Befreiers.

Kaum hatte Lirazel die Rune auf der Rolle gelesen, da begannen Gesichte aus Elfenland sich über die Grenze zu ergießen. Einige kamen, die hätten einen Büroangestellten in der Stadt von heute bewogen, auf der Stelle seinen Schreibtisch zu verlassen und am Meeresstrand zu tanzen; andere hätten sämtliche Menschen in einer Bank dazu getrieben, Türen und Fächer offen zu lassen und einfach davonzulaufen, bis sie in grünes freies Land kamen und zu den Heidebergen; und wieder andere hätten aus einem gewöhnlichen Mann einen Dichter gemacht, ganz plötzlich, so wie er dasaß bei seinem Geschäfte. Es waren mächtige Gesichte, die der Elfenkönig aufbot kraft seiner Zauberrune. Und Lirazel saß da mit der Rune in der Hand und wurde ganz hilflos vor der Fülle dieser stürmischen Gesichte aus Elfenland. Und als die phantastischen Gebilde zu toben begannen und zu rufen und zu singen und immer mehr über die Grenze kamen, um ein einziges armes Gemüt zu bedrängen, da ward ihr Körper leichter und leichter. Ihre Füße ruhten nur noch halb auf dem Boden, halb schwebten sie darüber; die Erde hielt sie kaum noch fest, so rasch ward sie zu einem Traumgebilde. Keine Liebe, weder die ihre zur Erde, noch die der Erdenkinder zu ihr, besaß nun mehr die Macht, sie dort zu halten.

Und nun kamen Erinnerungen aus ihrer alterslosen

Kindheit an den Bergseen von Elfenland, am Rand des tiefen Walds, auf jenen berückenden Rasengründen oder in dem Schloß, davon nur im Lied noch erzählt werden mag. Sie sah all die Dinge so deutlich, wie wir kleine Muscheln im Wasser sehen, wenn wir durch klares Eis niederblicken auf den Grund eines schlafenden Sees, ein wenig getrübt nur in der anderen Region jenseits der Schranke aus Eis; so auch leuchteten die Erinnerungen ein wenig trüb herüber über die Grenze von Elfenland. Kleine wunderliche Laute von Elfengeschöpfen drangen zu ihr, Düfte schwammen herbei von jenen Wunderblumen, die um die Rasengründe blühten, die sie kannte, schwache Laute von Zauberliedern wehten über die Grenze und umwoben sie, während sie hier saß, Stimmen und Weisen und Erinnerungen fluteten durch das Zwielicht, ganz Elfenland rief. Dann hörte sie, gemessen und volltönend, und sonderbar nah, die Stimme ihres Vaters.

Sie erhob sich sogleich, und nun hatte die Erde die Gewalt über sie verloren, die sie nur über stoffliche Dinge hat, und als ein Gebilde aus Traum und Vorstellung und Fabel und Phantasie schwebte sie aus der Stube; und Ziroonderel hatte nicht die Kraft, sie zu halten mit einem Zauber, noch hatte sie selber die Kraft, sich auch nur umzuwenden, auch nur einen Blick noch zu werfen auf ihren Knaben, da sie entschwebte.

Und in dem Augenblick kam ein Wind aus Nordwest und fuhr in die Wälder und entblößte die goldenen Zweige, und er tanzte fort über die Hügel und führte ein Gefolge aus scharlachroten und goldenen Blättern, die diesen Tag gefürchtet hatten, doch nun wild tanzten, da er gekommen war; und fort in einem Taumel aus Tanz und Farbenpracht, hoch hin im Licht der Sonne, die aus dem Blick der Felder schon untergegangen, waren Wind und Blätter zusammen. Mit ihnen wehte Lirazel davon.

ELFENLANDS VEREBBEN (ZEHNTES KAPITEL). Am nächsten Morgen kam Alveric zur Hexe Ziroonderel in den Turm hinauf, müde und wie rasend, nachdem er die ganze Nacht draußen gesucht hatte nach Lirazel. Die ganze Nacht lang hatte er zu erraten versucht, welches Gesicht sie hinausgelockt hatte und wohin es sie mochte geführt haben; er hatte an dem Strom gesucht, wo sie zu den Steinen gebetet, und an dem Teich, wo sie die Sterne verehrt hatte; er hatte ihren Namen gerufen, jeden Turm hinan und weit hinaus ins Dunkel, und keine Antwort gehabt als nur das Echo; und so war er endlich heraufgekommen zur Hexe Ziroonderel.

»Wohin?« fragte er, und er sagte nicht mehr, damit der Knabe nicht wisse um seine Ängste. Doch Orion wußte darum.

Und Ziroonderel schüttelte voller Trauer den Kopf. »Den Weg der Blätter«, sagte sie. »Den Weg aller Schönheit.«

Doch Alveric blieb nicht lange genug, um mehr zu hören als ihre ersten Worte; denn er lief mit der Rastlosigkeit, mit der er gekommen war, stracks wieder aus der Stube und hastig die Treppe hinunter und alsbald hinaus in den windigen Morgen, um zu sehen, welchen Weg denn die herrlichen Blätter genommen hätten.

Und ein paar Blätter, die sich noch etwas länger angeklammert hatten an den kalten Zweigen, als die fröhliche Gesellschaft ihrer Kameraden aufgebrochen war, segelten nun auch in der Luft, doch einsam und als letzte: und Alveric sah, daß sie südostwärts trieben, auf Elfenland zu.

Da schob er in aller Eile sein Zauberschwert in die breite Lederscheide; und mit nur spärlichen Lebensmitteln versehen, hastete er über die Felder, den letzten Blättern nach, deren herbstliche Pracht ihn führte, wie ja so manche Sache in ihren späten Tagen, herbstherrlich und abgefallen, des Menschen Trachten führt.

Und so kam er zu den Hochlandsfeldern, deren Gras ganz grau war von Tau, und die Luft funkelte vor Sonnenschein und war bunt und fröhlich von den letzten Blättern, doch eine leichte Schwermut schien über den Muhlauten der Kühe zu liegen.

In dem stillen hellen Morgen, durch den der Nordwestwind strich, kam Alveric nicht zur Ruhe, und nie gab er die Hast auf eines, der plötzlich etwas verloren hat; das zeigten seine jähen Bewegungen und der wie rasende Ausdruck seines Gesichts. Er blickte den ganzen Tag über klare weite Horizonte hin, fern nach Südost, wohin die Blätter ihn führten; und am Abend schaute er auf, die Elfenberge zu sehen, streng, ohne Wechsel, von keinem Licht beschienen, das wir kennen, in Farben von blassem Vergißmeinnicht. Er hielt voll Unrast aus, ihre Gipfel zu erblicken, doch nun und nimmer wollten sie sich zeigen.

Und dann sah er das Haus des alten Lederwerkers, der ihm die Scheide für sein Schwert gemacht hatte; und der Anblick brachte ihm die Jahre wieder, die vergangen waren seit dem Abend, da er's zum ersten Mal erblickt, obschon er nicht wußte, wie viele es waren, und auch nicht wissen konnte, denn noch niemand hat je ein genaues System ersonnen, das Wirken der Zeit in Elfenland damit zu berechnen. Dann schaute er abermals nach den blaßblauen Elfenbergen aus, wohl im Gedächtnis noch, wo sie gelegen hatten, in ihrer langen ernsten Reihe, hinter einer der Giebelspitzen des Lederwerkerhauses, doch nicht der blasseste Umriß von ihnen wollte sich ihm zeigen. Da trat er in das Haus, und der alte Mann war immer noch da.

Der Lederwerker war ganz wunderbar alt geworden; selbst der Tisch, an dem er arbeitete, war viel älter. Er grüßte Alveric und entsann sich auch, wer er war, und Alveric erkundigte sich nach des alten Mannes Weib. »Sie ist schon vor langer Zeit gestorben«, sagte der. Und wieder fühlte Alveric die verwirrende Flucht jener Jahre, und Furcht wollte aufsteigen in ihm vor Elfenland, dahin er ging, doch er dachte weder an Umkehr, noch zügelte er auch nur für einen Augenblick seine ungeduldige Hast. Er sprach ein paar formelle Worte zu des alten Mannes Verlust, der vor so langer Zeit sich ereignet. »Doch wo sind die Elfenberge«, fragte er dann, »die blaßblauen Gipfel?«

Ein Ausdruck trat langsam in des alten Mannes Gesicht, so als hätte er sie im ganzen Leben nicht erblickt, als spräche Alveric, als ein gebildeter Mann, von Dingen, die der alte Lederwerker nicht wissen konnte. Nein, das wisse er nicht, sagte er. Und Alveric merkte, daß dieser alte Mann sich immer noch weigerte, von Elfenland zu sprechen, heute wie damals vor all den Jahren. Nun, die Grenze lag nur wenige Schritte entfernt; er würde sie überschreiten und sich von Elfengeschöpfen den Weg erfragen, wenn denn die Berge nicht zu sehen waren, daß sie ihn weiterführten. Der alte Mann bot ihm zu essen an, und Alveric hatte den ganzen Tag noch nichts gegessen; doch in seiner Hast fragte er ihn nur abermals nach Elfenland, und der alte Mann sagte demütig, daß er nichts wisse von solchen Dingen. Da schritt Alveric davon und kam an das Feld, das er kannte und von dem er sich erinnerte, daß es von der nebligen Zwielichtsgrenze geteilt ward. Und wirklich war er kaum an das Feld gekommen, da sah er, daß alle Pilze sich in einer Richtung neigten, und das war die Richtung, in der er ging; denn wie sich alle Dornenbäume von der See abwenden, so neigen sich Pilze und überhaupt alle Pflanzen, die etwas Geheimnisvolles an sich haben, wie etwa Fingerhut, Königskerze und bestimmte Orchideen, wenn sie irgendwo in der Nähe wachsen, alle nach Elfenland. Daran kann man erkennen, noch ehe man ein Wellenmurmeln gehört oder den Einfluß zaubrischer Dinge erahnt hat, daß man sich, wie es denn wohl zuzeiten kommen mag, dem Meer oder der Grenze von Elfenland nähert. Und in der Luft über sich sah Alveric goldene Vögel und erriet, daß es einen Sturm gegeben haben mußte in Elfenland, der sie über die Grenze geweht aus Südost, obschon ein Nordwestwind blies über den Gefilden, die wir kennen. Und er ging weiter, doch die Grenze war nicht da, und er überquerte das Feld wie jedes Feld, das wir kennen, und hatte den Saum von Elfenland doch nicht berührt.

Dann drängte Alveric weiter mit neuer Ungeduld, den Nordwestwind hinter sich. Und die Erde begann kahl zu werden und kiesig und öd; es gab weder Blumen noch Schatten noch Farben mehr und keines von jenen Dingen, die in erinnerten Landen sind und aus denen wir uns ein Bild von ihnen machen, wenn wir nicht mehr dort weilen; es war alles entzaubert jetzt. Alveric sah hoch droben einen goldenen Vogel, der nach Südosten davonschwirrte; und er folgte seinem Flug und hoffte, nun bald die Berge von Elfenland zu erblicken, von denen er glaubte, daß sie ihm bloß verborgen seien von einem zaubrischen Nebel.

Doch immer noch war der herbstliche Himmel hell und klar und der ganze Horizont eben, und immer noch wollte kein Schimmer der Elfenberge in Sicht kommen. Doch nicht daran erkannte er, daß Elfenland verebbt war. Sondern als er mitten auf jener trostlosen Kiesebene, ungequält vom Nordwestwind, schönblühend im Herbst, einen Maibaum sah, der ihm aus alter Zeit im Gedächtnis geblieben war, ganz weiß vor Blüten, und der einst einen Frühlingstag in seiner fernen Kindheit erfreut hatte, da erst erkannte er, daß Elfenland dort gewesen war und zurückgewichen sein mußte, obschon er nicht wußte, wie weit. Denn es ist wahr, und Alveric wußte es: ganz wie der Zauber, der soviel in unserem Leben erhellt, besonders in frühen Jahren, von Gerüchten kommt, die uns aus Elfenland erreichen durch verschiedene Boten (Segen sei ihnen und Friede!), also kehren auch die vielen kleinen Erinnerungen, die wir verloren haben, und kleinen treuen Spielsachen, die wir einst gehegt, aus unseren Gefilden nach Elfenland zurück, um wieder Teil seines Geheimnisses zu werden. Und das gehört zum Gesetz von Ebbe und Flut, das die Wissenschaft wohl in allen Dingen mag aufspüren; so ließ das Licht das Holz der Kohle wachsen, und aus der Kohle kommt das Licht zurück; so füllen die Flüsse das Meer, und das Meer gibt sein Naß zurück an die Flüsse; so geben alle Dinge, was sie empfangen, sogar der Tod.

Als nächstes sah Alveric, dort auf dem flachen trockenen Grund, ein Spielzeug liegen, dessen er sich noch wohl entsann und das ihm vor Jahren und Jahren (konnte er sagen, wie vielen?) eine kindliche Freude gewesen war, roh geschnitzt aus Holz; und eines unglücklichen Tages war es zerbrochen, und eines unglücklichen Tages hatte er es fortgeworfen. Und nun sah er es dort liegen, nicht nur ganz neu und unzerbrochen, sondern von einem Wunder umgeben, von Herrlichkeit und Märchenzauber, das strahlend verklärte Gebilde, das seine junge Phantasie gekannt. Es lag dort, verlassen von Elfenland, wie wunderbare Meeresdinge manchmal einsam auf öden

Sandhalden liegen, wenn das Meer zurückgewichen ist und nur eine ferne blaue Masse mit einem Rand aus Schaum.

Trostlos ob des verlorenen Märchenzaubers lag die Ebene da, von der Elfenland gewichen, obschon Alveric hier und dort und immer wieder jene kleinen aufgegebenen Dinge erblickte, die aus seiner Kindheit verloren gegangen und durch die Zeit getröpfelt waren in Elfenlands alters- und stundenlose Region und die nun elend zurückgeblieben waren nach dem ungeheuren Verebben. Alte Weise, alte Lieder, alte Stimmen summten auch noch dort, schon schwächer werdend und schwächer, als könnten sie nicht lange leben in den Gefilden, die wir kennen.

Und als die Sonne sank, ward Alveric doch weitergeführt von einem malven-rosigen Schimmerglühen im Osten, das ihn ein wenig zu prächtig dünkte für die Erde; denn er hielt es für den Himmelswiderschein des glühenden Glanzes von Elfenland. So schritt er weiter aus, voll Hoffnung, es zu finden, und ging von Horizont zu Horizont; und die Nacht kam mit allen Sterngefährten der Erde. Und da erst ließ Alveric endlich die wie rasende Rastlosigkeit fahren, die ihn seit dem Morgen getrieben; und indem er sich einhüllte in den losen Mantel, den er trug, aß er von den Sachen, die sein Ranzen barg, und schlief einen unruhigen Schlaf, allein mit anderen verlassenen Dingen.

Doch schon im frühesten Augenblick der Morgendämmerung weckte ihn seine Ungeduld wieder, obschon einer der Nebel des Oktober noch alles Licht verbarg. Er aß, was noch übrig war, und tappte dann weiter durch die graue Welt.

Kein Laut von den Dingen unserer Gefilde drang jetzt mehr zu ihm; denn die Menschen hatten nie diesen Weg genommen, als Elfenland noch dagewesen war, und niemand außer Alveric schritt jetzt der trostlosen Ebene zu. Er war über den Hahnenschrei hinausgewandert von den behaglichen Häusern der Menschen und stapfte nun durch eine wunderliche Stille, unterbrochen dann und wann nur von den kleinen trüben Schreien der verlorenen Lieder, die das verebbte Elfenland zurückgelassen hatte und die jetzt schwächer waren, als sie am Tag zuvor gewesen. Und als die Dämmerung erschien, sah Alveric wieder einen so herrlichen Glanz am Himmel, ein sattgrünes Glühen tief unten in Südost, daß er abermals dachte, er sehe einen Widerschein von Elfenland vor sich, und weiter vorwärts drang voll Hoffnung, es hinter dem nächsten Horizont zu finden. Und er überwand den nächsten Horizont; und weiter dehnte sich die kiesbedeckte Ebene, und nimmer wollte sich ein Gipfel der blaßblauen Elfenberge zeigen.

Ob Elfenland nun immer hinter dem nächsten Horizont lag, die Wolken erhellend mit seinem Glühen, und nur weiter zurückwich, wenn er näherkam, oder ob es schon vor Tagen oder Jahren verschwunden war, wußte er nicht, doch hielt er weiter aus. Und endlich kam er zu einer trockenen und graslosen Hügelkette, auf der sein Blick und seine Hoffnung lange geruht hatten, und von ihr aus schaute er weit hinaus über die trostlose Fläche, die sich hindehnte bis zum Himmelsrand, und sah kein Zeichen von Elfenland, kein noch so leises Wellen seiner Berge: sogar die kleinen Schätze der Erinnerung, welche die Ebbe hinter sich zurückgelassen welkten zu schnöden Alltagsdingen hin. Da zog Alveric sein Zauberschwert aus der Scheide. Doch obwohl dieses Schwert Macht besaß gegen Zauberwerk, war ihm doch nicht die Macht gegeben, einen Zauber wiederzubringen, der erloschen war; und das trostlose Land blieb trostlos, wie es war, so

sehr er das Schwert auch schwang, blieb steinig, verwü-
stet, prosaisch und endlos weit.

Ein Weilchen noch ging er weiter; doch auf dem flachen Land bewegte der Horizont sich unmerklich mit
ihm, und nimmer erschien ein Gipfel der Elfenberge; und
auf der öden Ebene machte er nun die Entdeckung, die so
mancher Mensch früher oder später machen muß: daß er
Elfenland verloren hatte.

DIE TIEFE DER WÄLDER (ELFTES KAPITEL). In jenen Tagen unterhielt Ziroonderel den Knaben durch allerlei Zauberwesen und kleine Wunder, und eine Weile war er auch zufrieden. Doch dann begann er bei sich zu rätseln, in aller Stille, wo seine Mutter wohl wäre. Er lauschte allen Dingen, die gesprochen wurden, und dachte lange über sie nach. Und so vergingen die Tage, und er wußte nur, daß sie verschwunden war, und immer noch sagte er kein Wort von dem, was seine Gedanken beschäftigte. Und ganz allmählich ging ihm auf, aus mancherlei gesagten oder ungesagten Dingen, aus Blicken oder flüchtigen Augenzeichen oder auch nur einem Kopfschütteln, daß etwas Rätselhaftes war um seiner Mutter Verschwinden. Doch was dies Rätsel war, vermochte er nicht zu finden, so wundersame Gedanken ihm auch durch den Sinn gingen, wenn er darüber nachdachte. Und eines Tages schließlich fragte er Ziroonderel.

Und obschon ihr alter Kopf Äonen und Äonen der Weisheit barg und sie diese Frage längst schon befürchtet hatte, wußte sie doch nicht, daß sie sein Sinnen schon seit Tagen beschäftigte, und konnte keine bessere Antwort finden in all ihrer Weisheit denn die, daß seine Mutter in die Wälder gegangen sei. Als der Knabe dies hörte, beschloß er, auch selbst in die Wälder zu gehen, um sie zu finden.

Nun hatte Orion bei seinen Spaziergängen mit Ziroonderel durch das kleine Dörfchen von Erl oft die Dörfler vorbeigehen sehen und den Schmied erblickt in seiner offenen Schmiede und Leute unter den Türen ihrer Häu-

ser und Männer, die zum Markt gekommen waren aus
fernem Gebiet; und er kannte sie alle. Und am besten
von allen kannte er Threl mit seinen stillen Füßen und
Oth mit seinen geschmeidigen Gliedern; denn beide
pflegten ihm Geschichten zu erzählen, wenn sie einander
begegneten, von den Hochlanden und den tiefen Wäldern über dem Berg; und Orion hörte gern Geschichten
von fernen Gegenden auf seinen kleinen Reisen mit der
Amme.

Es stand ein alter Myrtenbaum an einer Quelle, unter
dem pflegte Ziroonderel an Sommerabenden zu sitzen,
während Orion im Gras spielte; und dann kam Oth über
das Gras geschritten, seinen abendlichen Gang zu machen, mit seinem wunderlichen Bogen, und manchmal
kam auch Threl; und jedesmal, wenn einer von ihnen
kam, hielt Orion ihn an und bat ihn um eine Geschichte
von den Wäldern. Und wenn es Oth war, so verbeugte er
sich vor Ziroonderel, mit einem Blick der Scheu bei der
Verbeugung, und erzählte dann irgendeine Geschichte,
was das Wild alles machte, und Orion fragte ihn, warum.
Dann kam ein Ausdruck über Oths Gesicht, als erinnerte
er sich bedächtig an Dinge, die vor sehr langer Zeit geschehen waren, und nach einigen Augenblicken des
Schweigens erzählte er die sehr alte Grundursache für
das, was das Wild alles machte, und erklärte, wie es zu der
Gewohnheit gekommen war.

Wenn es Threl war, der über das Gras geschritten kam,
so gab er sich den Anschein, als sähe er Ziroonderel gar
nicht, und erzählte seine Geschichten von den Wäldern
weit hastiger und mit leiser Stimme, um dann rasch wei-
terzugehen und den Abend, wie Orion fand, voller Geheimnis hinter sich zu lassen. Er erzählte Geschichten von
allen möglichen Tieren; und die Geschichten waren so
seltsam, daß er sie nur dem jungen Orion erzählte, weil

es, wie er erklärte, viele Leute gab, die unfähig waren, die Wahrheit zu glauben, und vor solcher Leute Ohren sollten seine Geschichten nicht dringen. Einmal war Orion zu seinem Haus gegangen, einer dunklen Hütte voller Felle und Häute; alle möglichen Sorten davon hingen an der Wand, Füchse, Dachse und Marder; und kleinere lagen außerdem in Haufen in den Ecken. Für Orion war Threls dunkle Hütte so voller Wunder wie kein anderes Haus, das er je gesehen.

Doch nun war es Herbst, und der Knabe und seine Amme sahen Oth und Threl seltener; denn an den nebligen Abenden mit dem drohenden Frost in der Luft saßen sie nicht mehr unter dem Myrtenbaum. Doch Orion hielt die Augen offen auf ihren kurzen Spaziergängen; und eines Tages sah er Threl, wie er aus dem Dorf ging, das Gesicht den Hochlanden zugewandt. Und er rief Threl an, und Threl blieb mit einem leichten Ausdruck der Verwirrung stehen, denn er hielt sich für viel zu unbedeutend, um von der Schloßamme auch nur gesehen und beachtet zu werden, sei sie nun eine Hexe oder ein gewöhnliches Weib. Und Orion lief zu ihm hin und sagte: »Zeig mir die Wälder!« Und Ziroonderel erkannte, daß die Zeit gekommen war, da seine Gedanken über den Rand des Tals hinausschweiften, und wußte, daß kein Zauberbann von ihr ihn lange würde abhalten können, ihnen zu folgen. Und Threl sagte: »Nein, mein kleiner Herr«, und warf Ziroonderel, die dem Knaben nachgekommen war und ihn von Threl wegführte, einen unbehaglichen Blick zu. Und Threl ging allein weiter an sein Werk in der Tiefe der Wälder.

Und es war nicht anders, als die Hexe es vorausgesehen. Zuerst kamen Orion die Tränen, dann träumte er von den Wäldern, und am nächsten Tag entschlüpfte er und machte sich allein auf den Weg zu Oths Haus und bat ihn sehr, ihn doch mitzunehmen, wenn er das Wild jagen ging. Und Oth, der auf einem großen Hirschfell stand vor flammenden Scheiten, sprach viel von den Wäldern, nahm ihn jedoch nicht mit dorthin. Stattdessen brachte er Orion zurück zum Schloß. Und Ziroonderel gereute es zu spät, daß sie so obenhin gesagt hatte, seine Mutter sei in die Wälder gegangen, denn zu früh hatten diese ihre Worte den Geist der Wanderlust, der ihm bestimmt war, in ihm aufgeweckt, und sie sah, daß keiner ihrer Zauber ihm mehr würde Genügsamkeit bringen können. So ließ sie ihn denn endlich in die Wälder ziehen. Doch nicht ehe sie, durch Zauberstabheben und Beschwörungsspruch, den Glanz der Wälder herbeigerufen hatte an den Herd der Kinderstube und ihn hatte heimsuchen lassen die Schatten, die von dem Feuer ausgingen, und hatte sie umeinander huschen lassen durch den ganzen Raum, bis die Kinderstube selber so geheimnisvoll war wie der Wald. Erst als dieser Zauber ihn nicht wollte besänftigen und sein Verlangen zu Hause halten, ließ sie ihn in die Wälder ziehen.

Er stahl sich abermals zum Hause Oths, früh eines Morgens, über saftiges Gras: und die alte Hexe wußte, daß er nun fort war, doch sie rief ihn nicht zurück, denn sie besaß keinen Zauber, die Wanderlust im Menschen zu zügeln, ob sie nun früh kam oder spät. Und sie wollte auch nicht bloß seine Glieder halten, wenn sein Herz doch schon in die Wälder gegangen war, denn es ist immer die Art der Hexen, wenn sie sich zwischen zwei Dingen entscheiden können, dem geheimnisvolleren davon den Vorzug zu geben. So kam der Knabe allein zum Hause Oths, und er ging durch seinen Garten, in dem tote Blumen hingen an braunen Stengeln, und die Blütenblätter schmolzen zu Schleim, wenn er sie anfaßte, denn der November war gekommen, und Frost herrschte draußen in den Nächten. Und dieses Mal traf es sich, daß Oth sich in einer Stimmung befand, die des Knaben Verlangen günstig war, aber in weniger denn einer Stunde wieder wäre vergangen gewesen. Oth nahm gerade seinen Bogen von der Wand, als Orion hereinkam, und Oths Herz war bereits auf dem Weg in die Wälder; und als der Knabe nun ebenfalls kam mit seiner Sehnsucht nach den Wäldern, da konnte ihn der Jäger in dieser Stimmung nicht abweisen.

So nahm Oth Orion auf die Schulter und ging mit ihm hinauf aus dem Tal. Die Leute sahen sie gehen, Oth mit seinem Bogen und seinen weichen lautlosen Sandalen und seiner braunen Lederkleidung, Orion auf seiner Schulter, gehüllt in das Fell eines Rehkitzleins, das Oth ihm übergeworfen hatte. Und als das Dorf hinter ihnen versank, da jauchzte Orion und freute sich, wie die Häuser immer ferner rückten, denn er war ihnen noch nie zuvor so fern gewesen. Und als die Hochlande ihre Weiten öffneten vor seinen Augen, da fühlte er, daß er sich nun nicht mehr auf einem bloßen Spaziergang befand, sondern auf einer richtigen Reise. Und dann sah er fern vor sich das feierliche Dunkel der winterlichen Wälder, und es erfüllte ihn alsbald mit einem Schauer des Entzückens. In ihre Düsternis, ihr Geheimnis und ihren Schutz wurde er nun von Oth gebracht.

So behutsam betrat Oth den Wald, daß die Schwarzdrosseln, die wachsam auf ihren Zweigen saßen zu seiner Hut, nicht flohen bei seinem Kommen, sondern nur langsam ihre Warnrufe erschallen ließen und dann argwöhnisch lauschten, bis er vorüber war, und sich nicht sicher waren, ob ein Mensch den Zauber des Waldes gebrochen. In diesen Zauber und in die Düsternis und tiefe Stille trat Oth mit Ernst; und ein feierlicher Ausdruck kam in sein Gesicht, als er den Wald betrat; denn es war sein Lebenswerk, auf leisen Füßen durch den Wald zu gehen, und er näherte sich ihm, wie die Menschen sich der Erfüllung eines Herzenswunsches nähern. Und bald setzte er den Knaben nieder auf den braunen Adlerfarn und ging ein Weilchen allein weiter. Orion sah ihm nach, wie er weiterging, den Bogen in der linken Hand, bis er im Wald verschwand, wie ein Schatten, der zu einer Versammlung von Schatten geht und untertaucht in seinesgleichen. Und obwohl Orion jetzt nicht mit ihm gehen durfte, hatte er doch große Freude daran, denn an der Art, wie Oth ging, und an der Miene, die er dabei zeigte, sah er, daß dies eine ernste Jagd war und kein bloßer Spaß mehr, einem Kinde zu Gefallen; und das gefiel ihm mehr als alles Spielzeug, das er hatte. Und still und einsam ragte der große Wald um ihn auf, während er auf Oths Rückkehr wartete.

Und nach einer langen Weile hörte er einen Laut, ganz noch im Wunder des Walds, ein Geräusch, das leiser war als das Rascheln einer Schwarzdrossel, die tote Blätter durchstöbert, um Insekten zu finden, und Oth war wieder zurückgekommen.

Er hatte kein Wild gefunden; und ein Weilchen noch saß er neben Orion und schoß Pfeile in einen Baum; doch bald sammelte er seine Pfeile ein und nahm den Knaben wieder auf die Schulter und wandte sich heimwärts. Und Orion traten Tränen in die Augen, als sie den großen Wald verließen; denn er liebte das Geheimnis der riesigen grauen Eichen, an dem wir vielleicht ganz achtlos vorübergehen oder doch nur mit einem ganz flüchtigen Gefühl, etwas vergessen zu haben, eine Botschaft nicht voll empfangen zu haben; für ihn aber waren ihre Geister Spielgefährten. So kam er wie von neuen Kameraden zurück nach Erl, den Kopf voller Winke, die ihm die weisen alten Stämme erteilt, denn für ihn hatte jeder Baumstamm eine Bedeutung. Und Ziroonderel wartete unter dem Tor, als Oth Orion zurückbrachte; und sie stellte nur wenig Fragen nach seiner Zeit in den Wäldern und gab auch nur wenig Antwort, als er ihr davon erzählte, denn sie war eifersüchtig auf sie, deren Zauber ihn von dem ihren fortgelockt. Und die ganze Nacht hindurch jagten seine Träume das Wild in den Tiefen des Waldes.

Am nächsten Tag stahl er sich abermals zum Hause Oths. Doch Oth war schon aufgebrochen zur Jagd, denn er brauchte nötig Fleisch. So ging er zum Hause Threls. Und dort fand er Threl in seinem dunklen Haus mitten zwischen mannigfaltigen Häuten und Fellen. »Bring mich in die Wälder«, sagte Orion. Und Threl setzte sich in einen breiten Holzstuhl an seinem Feuer, um darüber nachzudenken und von den Wäldern zu reden. Er war anders als Oth und sprach nicht von den wenigen schlichten Dingen, die er kannte, vom Wild und von seinen Wegen, vom Wechsel der Jahreszeiten; sondern er sprach von den Dingen, die er ahnte und glaubte in der Tiefe des Walds und im Dunkel der Zeit, von Fabelmenschen und -tieren; und besonders gern erzählte er Geschichten von Füchsen und Dachsen, die ihm beigekommen waren, wenn er sie beobachtet hatte bei sinkender Dämmerung. Und da er so saß dort und in das Feuer starrte und aus seiner Erinnerung erzählte von den Bewohnern von Farn und Brombeerstrauch, vergaß Orion sein Verlangen, in die Wälder zu ziehen, und blieb bei ihm sitzen auf einem kleinen Stuhl, von Fellen gewärmt, und hatte sein zufriedenes Genüge. Und Threl erzählte er auch, was er Oth nicht gesagt, wie er denke, daß seine Mutter eines Tages hinter einem der Eichenstämme möchte hervorkommen, denn sie sei für ein Weilchen in die Wälder gegangen. Und Threl dachte bei sich, das möchte wohl so sein; denn nichts Wunderbares ward von den Wäldern erzählt, das Threl für unwahrscheinlich gehalten hätte.

Und dann kam Ziroonderel, um Orion zu holen, und

brachte ihn zurück aufs Schloß. Und am nächsten Tag ließ sie ihn wieder zu Oth gehen; diesmal nahm Oth ihn wieder mit in den Wald. Und ein paar Tage später schlich er sich abermals zum dunklen Hause Threls, in dessen Spinnweben und Ecken das Geheimnis des Waldes selber zu schlummern schien, und lauschte Threls wunderlichen Geschichten.

Und die Zweige des Walds wurden schwarz und still vor dem Flammen wilder Sonnenuntergänge, und der Winter begann die Hochlande mit seinem Bann zu belegen, und die Wissenden im Dorf prophezeiten Schnee. Und eines Tages sah Orion, im Walde draußen mit Oth, wie der Jäger einen Rothirsch schoß. Er sah ihm zu, wie er ihn herrichtete und enthäutete und in zwei Stücke schnitt und diese Stücke in der Haut zusammenband, so daß Kopf und Geweih nach unten hingen. Dann verschnürte Oth das Geweih mit dem übrigen Bündel und hievte sich das Ganze auf die Schulter und trug es mit seiner großen Stärke heim. Und der Knabe freute sich noch mehr als der Jäger.

Und am Abend noch ging Orion, um Threl die Geschichte zu erzählen, doch Threl hatte noch herrlichere Geschichten.

Und so gingen die Tage dahin, und Orion erwarb sich im Wald und bei Threls Geschichten eine Liebe zu allen Dingen, die mit dem Jägerhandwerk zu tun haben, und es wuchs ein Geist in ihm, der gar wohl anstand dem Namen, den er trug; und nichts noch zeigte sich in ihm von dem zaubrischen Teil seiner Abstammung.

DIE UNVERWUNSCHENE EBENE (ZWÖLFTES KAPITEL). Als Alveric begriff, daß er Elfenland verloren hatte, war es bereits Abend geworden, und er war zwei Tage und eine Nacht schon fort von Erl. Zum zweiten Mal nun legte er sich nieder zur Nacht auf jener kiesigen Ebene, davon Elfenland verebbt war: und bei Sonnenuntergang zeichnete sich der östliche Horizont deutlich ab vor dem türkisblauen Himmel, ganz schwarz und felsgezackt und ohne jedes Zeichen von Elfenland. Und das Zwielicht schimmerte, doch war's das Zwielicht der Erde und nicht die dichte Schranke, nach der Alveric Ausschau hielt, die Erde und Elfenland trennt. Und die Sterne kamen hervor und waren die Sterne, die wir kennen, und Alveric schlief unter ihren vertrauten Bildern.

Er erwachte in der vogellosen Morgendämmerung, und es war ihm sehr kalt, und er hörte alte Stimmen rufen, doch schwach nur in weiter Ferne, wo sie langsam davonschwebten wie Träume, die zurückkehren nach Traumland. Er fragte sich, ob sie wohl wieder nach Elfenland finden würden oder ob Elfenland zu weit für sie verebbt war. Er suchte den ganzen östlichen Horizont ab mit den Augen und sah doch immer noch nichts als die Felsen des trostlosen Landes. So wandte er sich zurück zu den Gefilden, die wir kennen.

Er wanderte zurück durch die Kälte, und all seine Ungeduld war dahin; und schrittweise wurde ihm etwas wärmer vom Wandern und später ein wenig von der Herbstsonne. Er wanderte den ganzen Tag, und die Sonne wurde schon riesig und rot, als er wieder an das Häuschen des Lederwerkers kam. Er bat um etwas zu essen, und der alte Mann hieß ihn willkommen: im Topf kochte bereits sein eigenes Abendmahl: und es dauerte nicht lange, so saß Alveric an dem alten Tisch vor einer Schüssel voll Eichhörnchenschenkel, Igel- und Kaninchenfleisch. Der alte Mann wollte nicht essen, bevor Alveric gegessen hatte, sondern bediente ihn mit einer Sorglichkeit, daß Alveric das Gefühl hatte, jetzt sei die Gelegenheit gekommen, und sich dem alten Mann zuwandte, als dieser ihm eben ein Stück Kaninchenrücken bot, und die Rede auf Elfenland brachte.

»Das Zwielicht ist wieder fort«, sagte Alveric.

»Ja, ja«, sagte der alte Mann, ohne daß seine Stimme verriet, was er sich dabei denken mochte.

»Wann ist es verschwunden?« fragte Alveric.

»Das Zwielicht, Herr?« fragte sein Gastgeber.

»Ja«, sagte Alveric.

»Ah, das Zwielicht«, sagte der alte Mann.

»Die Schranke«, sagte Alveric, und er senkte dabei die Stimme, obwohl er nicht wußte, warum, »die Schranke zwischen hier und Elfenland.«

Bei dem Wort Elfenland schwand alles Begreifen aus des alten Mannes Augen.

»Ah«, sagte er.

»Alter Mann«, sagte Alveric, »du weißt, wohin Elfenland verschwunden ist.«

»Verschwunden?« fragte der alte Mann.

Diese unschuldige Verwunderung, dachte Alveric, mußte echt sein; doch wenigstens wußte er, wo es gewesen war; es hatte ja nur zwei Felder weit von seiner Tür gelegen.

»Elfenland lag einst hinter dem nächsten Feld«, sagte Alveric.

Und die Augen des alten Mannes schweiften zurück in

die Vergangenheit, und er starrte ein Weilchen hinunter in alte Tage; dann schüttelte er den Kopf. Und Alveric hielt ihn fest mit seinem Blick.

»Du kanntest Elfenland!« rief er aus.

Doch immer noch gab der alte Mann keine Antwort.

»Du wußtest, wo die Grenze war«, sagte Alveric.

»Ich bin alt«, sagte der Lederwerker, »und ich habe niemanden, den ich fragen könnte.«

Als er das sagte, wußte Alveric, daß er an sein altes Weib dachte, und er wußte zugleich auch, daß er, selbst wenn sie noch am Leben gewesen wäre und hätte dort gestanden in diesem Augenblick, doch auch nicht mehr von Elfenland zu vermelden gehabt hätte: es blieb wohl wenig mehr zu sagen. Aber eine bestimmte launische Keckheit ließ ihn an dem Thema festhalten, auch als er wußte, daß es hoffnungslos war.

»Wer lebt im Osten von hier?« fragte er.

»Im Osten?« erwiderte der alte Mann. »Herr, hast du nicht Norden und Süden und Westen, daß du mußt nach dem Osten schauen?«

Es lag ein flehender Ausdruck in seinem Gesicht, doch Alveric achtete seiner nicht. »Wer lebt im Osten?« fragte er.

»Herr, niemand lebt im Osten«, kam die Antwort. Und das war ja wirklich auch die Wahrheit.

»Und was war früher dort?« fragte Alveric.

Und der alte Mann wandte sich ab, um nach dem Schmorgericht in seinem Topf zu sehen, und murmelte, da er sich wandte, so daß man ihn kaum hören konnte.

»Die Vergangenheit«, sagte er.

Und nichts mehr sonst wollte der alte Mann sagen, noch erklären, was er gesagt hatte. So fragte Alveric ihn, ob er ein Bett haben könnte für die Nacht, und sein Gastgeber zeigte ihm das alte Bett, dessen er sich noch wohl erinnerte, hin über die vage Zahl der Jahre. Und Alveric nahm das Bett an, ohne weiter zu widersprechen, nur damit der alte Mann an sein Abendmahl gehen konnte. Und sehr bald war Alveric tief eingeschlafen und schlief warm und endlich ruhend, während sein Gastgeber langsam noch viele Dinge bewegte in seinem Geist, von denen Alveric angenommen hatte, er wisse von ihnen nichts.

Als die Vögel unserer Gefilde Alveric weckten, und sie sangen spät im Oktober, an einem Morgen, welcher sie an den Frühling erinnerte, da stand er auf und ging hinaus vor die Tür und ging zur höchsten Stelle des kleinen Feldes, das auf der fensterlosen Seite des Hauses lag, nach Elfenland zu. Dort schaute er nach Osten und sah überall bis hin zur fernen gebogenen Himmelslinie dieselbe kahle, öde, felsige Ebene, die gestern schon dort gewesen war und am Tag zuvor. Dann reichte der Lederwerker ihm Frühstück, und danach ging er abermals hinaus und schaute wieder über die Ebene. Und über dem Essen, an dem sein Gastgeber ängstlich teilnahm, näherte sich Alveric erneut dem Thema Elfenland. Und etwas in des alten Mannes Reden oder Schweigen gab Alveric Hoffnung, er werde vielleicht doch noch etwas von ihm erfahren über den Verbleib der blaßblauen Elfenberge. So nahm er den alten Mann mit nach draußen und wandte sich ostwärts mit ihm, obwohl sein Gefährte nur mit widerstrebenden Augen in diese Richtung blickte; und indem er auf einen einzelnen Felsen zeigte, den auffälligsten und nächsten, fragte er, voll Hoffnung auf eine eindeutige Auskunft über einen eindeutigen Gegenstand: »Wie lange ist dieser Felsen schon da?«

Und die Antwort traf seine Hoffnung wie Hagel die Apfelblüte: »Er ist da, und wir müssen uns damit abfinden.«

Das Unerwartete der Antwort verwirrte Alveric; und

als er sah, daß vernünftige Fragen nach eindeutigen Ge-
genständen ihm keine logische Antwort brachten, ver-
zweifelte er daran, noch praktische Unterweisung zu er-
halten, die seine phantastische Reise würde leiten können. So wanderte er den ganzen Nachmittag auf der Ost-
seite der Hütte und beobachtete die trostlose Ebene, und
sie verwandelte sich nicht und bewegte sich nicht: keine
blaßblauen Berge erschienen, kein Elfenland kam zurückgeflutet: und der Abend sank herein, und die Felsen
glommen im tiefen Strahl der Sonne und dunkelten, als
sie unterging, und ihre Farben wechselten mit allen
Wechseln der Erdendinge, doch zeigten nimmer den
Zauber von Elfenland. Da entschloß sich Alveric zu einer
großen Reise.

Er kehrte zur Hütte zurück und sagte dem Lederwerker, daß er viel Wegzehrung erwerben müsse, so viel als
er nur würde tragen können. Und über dem Abendessen
bedachten sie, was er haben mußte. Und der alte Mann
versprach, am nächsten Morgen bei den Nachbarn her-
umzugehen, und zählte all die Dinge auf, die er von einem
jeden bekommen würde, und einiges mehr noch, wenn
Gott den Fallen, die er aufgestellt, sollte Gnade erwiesen
haben. Denn Alveric hatte beschlossen, gen Osten zu fahren, bis er das verlorene Land wiedergefunden.

Und Alveric ging früh zu Bett und schlief lange, bis der
letzte Rest Müdigkeit, die ihm die Jagd nach Elfenland
gebracht, verschwunden war: der alte Mann weckte ihn,
als er von seinen Fallen zurückkam. Und die Tiere, die er
gefangen hatte, tat der alte Mann in seinen Topf und
hängte ihn über das Feuer, während Alveric sein Frühstück aß. Und den ganzen Morgen lang ging der Lederwerker von Haus zu Haus bei seinen Nachbarn und be-
suchte kleine Bauerngehöfte am Rande der Gefilde, die
wir kennen; und von einigen bekam er gepökeltes Fleisch

und Brot und Käse von anderen und kam beladen zu seinem Haus zurück, zur rechten Zeit noch, um das Mittagessen zu bereiten.

Und alle Wegzehrung, mit welcher der alte Mann beladen heimgekommen, schulterte Alveric in einem Sack, und einiges tat er in seinen Ranzen; und er füllte seine Wasserflasche und noch zwei weitere, die sein Gastgeber aus großen Fellhäuten gemacht, denn er hatte überhaupt keine Flüsse gesehen in dem trostlosen Land; und so ausgerüstet, ging er ein Stück von der Hütte fort und schaute wieder über das Gebiet, von welchem Elfenland verebbt war. Dann kam er zurück, zufrieden, daß er Verpflegung für wohl vierzehn Tage tragen konnte.

Und am Abend, während der alte Mann ein paar Stücke Eichhörnchenfleisch bereitete, stand Alveric wieder auf der fensterlosen Seite der Hütte und starrte hin über das einsame Land, immer noch voller Hoffnung, aus den Wolken, die sich im Sonnensinken färbten, jene heiteren blaßblauen Berge auftauchen zu sehen; und nimmer doch sah er einen ihrer Gipfel. Und die Sonne verschwand, und es war der letzte Oktobertag gewesen.

An nächsten Morgen nahm Alveric noch eine gute Mahlzeit zu sich in der Hütte; dann schulterte er seine schwere Bürde und bezahlte seinen Wirt und brach auf. Die Tür der Hütte ging nach Westen, und der alte Mann gab ihm mit den Augen herzliches Geleit von seiner Türe aus, mit Lebewohl und guten Reisewünschen, doch wollte ums Leben nicht mit um das Haus kommen, ihn ostwärts ziehen zu sehen, noch wollte er von dieser Reise sprechen: es war, als gäbe es für ihn der Himmelsrichtungen nur drei.

Die helle Herbstsonne stand noch nicht hoch, als Alveric von den Gefilden, die wir kennen, hinüberschritt in das Land, von dem Elfenland gewichen und dem nichts anderes nahegekommen war, den großen Sack über der Schulter und das Schwert an der Seite. Die Maibäume der Erinnerung, die er gesehen hatte, waren alle welk geworden jetzt, und die alten Lieder und Stimmen, die das Land heimgesucht, waren jetzt schwach und leise wie Seufzer; und es schienen auch weniger geworden zu sein, als wären einige bereits gestorben oder hätten sich zurückgekämpft nach Elfenland.

Den ganzen Tag schritt Alveric rüstig aus, mit der Kraft, mit der alle Reisen beginnen und die ihm forthalf, obwohl er beladen war mit soviel Verpflegung und um die Schultern noch eine große Decke trug wie einen schweren Mantel; und er trug noch ein Bündel Feuerholz dazu und einen Knüttelstab in seiner rechten Hand. Er bot einen ungereimten Anblick mit seinem Stab und seinem Sack und seinem Schwert; doch er folgte einer Idee, einer Eingebung, einer Hoffnung; und so mochte sich ihm etwas mitteilen von der Wunderlichkeit, welche alle Menschen an sich haben, die dies tun.

Nachdem er gegen Mittag angehalten, um zu essen und zu ruhen, schritt er langsam wieder zu und wanderte bis zum Abend: doch auch dann legte er sich noch nicht zur Ruhe, wie er beabsichtigt hatte, denn als das Zwielicht niederkam und schwer am östlichen Himmel lag, zog es ihn immer wieder auf aus seiner Rast, und er ging ein weiteres Stückchen, um zu sehen, ob es nicht doch jenes dichte tiefe Zwielicht sein könnte, welches die Grenze gebildet der Gefilde, die wir kennen, und hatte sie abgeschlossen von Elfenland. Doch es war immer nur irdisches Zwielicht, bis die Sterne hervorkamen, und sie waren allesamt nur die vertrauten Sterne, die auf die Erde schauen. Da legte er sich nieder zwischen den gezackten und mooslosen Felsen und aß Brot und Käse und trank Wasser; und als die Nachtkälte über die Ebene zu kommen begann, entzündete er ein kleines Feuer mit seinem spärlichen Bündel Holz und legte sich dicht daran hin, in seine Manteldecke gehüllt; und noch ehe die Glutasche schwarz geworden, lag er in tiefem Schlaf.

Die Dämmerung kam ohne einen Vogellaut oder ein Wispern von Laub oder Gras, die Dämmerung kam in tödlicher Stille und Kälte; und nichts auf der ganzen weiten Ebene schien das wiederkehrende Licht willkommen zu heißen.

Wenn ewige Finsternis gelegen hätte auf diesen eckigen Felsen, dann wäre es besser gewesen, dachte Alveric, als er ihre ungestalten Reihen sah und ihre glimmende Trübe; Finsternis wäre wohl besser jetzt, da Elfenland verschwunden. Und obschon das Elend der entzauberten Stätte ihm mit der fröstelnden Dämmerungskälte in die Gedanken drang, schien ihm doch immer noch seine feurige Hoffnung und ließ ihm kaum Zeit zum Essen am kalten schwarzen Rund seines einsamen Feuers, ehe sie ihn weitertrieb über die Felsen nach Osten. Und den ganzen Morgen hindurch wanderte er weiter, ohne die Gesellschaft auch nur eines einzigen Halms. Die goldenen Vögel, die er zuvor gesehen, waren lange schon zurückgeflohen nach Elfenland, und die Vögel unserer Gefilde mieden, wie alles Lebendige, das wir kennen, das leere wüste Land. Alveric wanderte so allein wie ein Mensch, der in seiner Erinnerung zurückgeht, um noch einmal die Schauplätze alter Erlebnisse aufzusuchen, und statt der erinnerten Schauplätze durchirrte er ein Gefild, davon jeder Glanz gewichen war. Er reiste etwas leichter als am Tag zuvor, doch war sein Schritt müder, denn schwerer fühlte er jetzt die Erschöpfung des gestrigen Tages. Er ruhte lange zu Mittag und schritt dann fort. Die Felsen, zahllos, wollten kein Ende nehmen und zackten den Horizont, und auch an diesem Tag wollte kein Schimmer der blaßblauen Berge sich zeigen. Am Abend machte sich Alveric aus seinem schwindenden Vorrat Holz erneut ein Feuer; die kleine Flamme, die einsam aufstieg in der Wüstenei, schien die entsetzliche Öde irgendwie erst richtig zu enthüllen. Er saß an seinem Feuer und dachte an Lirazel und wollte die Hoffnung nicht fahren lassen, obschon ein flüchtiger Blick auf jene Felsen ihn hätte warnen müssen, noch zu hoffen, denn etwas in ihrem chaotischen Bild war Teil der Ebene, die sie gezeugt, und deutet hin darauf, daß sie unendlich war.

DIE VERSCHWIEGENHEIT DES LEDERWERKERS (DREIZEHNTES KAPITEL). Es dauerte viele Tage, bis Alveric an der Eintönigkeit der Felsen aufging, daß eine Tagesreise wie die andere war und daß auch noch so viele weitere Tage nicht würden Wechsel bringen in seine zerklüfteten Horizonte, von denen einer so trostlos war wie der andere, den er ablöste, und von denen keiner den Anblick der blaßblauen Berge bot. Er war nun, während sein Proviantsack leichter und immer leichter wurde, zehn Tage schon über die Felsen gelaufen: es war Abend jetzt, und Alveric begriff endlich, daß er, wenn er noch weiter reiste und nicht bald die Gipfel der Elfenberge zu Gesicht bekam, Hungers sterben würde. So aß er nur sparsam zu Abend und im Finsteren, da sein Bündel Feuerholz lange schon aufgebraucht war, und ließ die Hoffnung fahren, die ihn bisher geleitet. Und sobald nur etwas Licht kam, ihm zu zeigen, wo Osten war, aß er noch ein wenig von dem, was er sich vom Abendbrot gespart, und brach dann auf zu seinem langen Wanderrückweg nach den Gefilden der Menschen, über Felsen hin, die ihm noch rauher und unwirtlicher vorkamen, da er nun Elfenland im Rücken hatte. Den ganzen Tag über aß und trank er nur wenig, und bei Einbruch der Nacht hatte er Verpflegung für noch grad vier Tage.

Er hatte gehofft, rascher ausschreiten zu können während dieser letzten Tage, wenn er denn sollte umkehren müssen, weil er dann leichter gehen konnte: er hatte keinen Gedanken gehabt für die Ermüdungs- und Bedrük-

kungsmacht jener eintönigen Felsen mit ihrer Trostlosigkeit, wenn die Hoffnung, die ihre wilde Öde noch etwas
verklärt hatte, geschwunden war: er hatte wenig überhaupt an Rückkehr gedacht, bis der zehnte Abend kam
und immer noch keiner der blaßblauen Berge und er
plötzlich nach seinen Vorräten sah. Und die ganze Eintönigkeit seines Heimwegs wurde unterbrochen nur dann
und wann von der Furcht, er könnte vielleicht nicht mehr
durchhalten bis zu den Gefilden, die wir kennen.

Die ungezählten Felsen lagen wie Grabsteine da; sie
waren nur größer und dicker und nicht so sorgfältig ge-
staltet, doch die ganze Wüstenei hatte das Aussehen eines
Friedhofs, der sich hinstreckte über die Welt mit in-
schriftlosen Steinen über namenlosem Gebein. Durch-
schauert von den bitteren Nächten, geleitet von flammenden Sonnenuntergängen, schritt er fort durch die
Morgennebel und leeren Mittage und durch die müden
vogellosen Abende. Mehr als eine Woche verstrich, seit
er umgekehrt war, und sein letztes Wasser war aufgebraucht, und immer noch sah er kein Zeichen der Gefilde,
die wir kennen, noch irgend Vertrauteres denn die Felsen, deren er sich zu erinnern meinte und die ihn doch
würden fehlgeleitet haben, nach Norden, Süden oder
Westen, wäre nicht die rote Novembersonne gewesen,
der er folgen konnte, oder bisweilen ein freundlicher
Stern. Und dann endlich, grad als die Dunkelheit
schwärzend über die Felsenvielfalt sank, zeigte sich im
Westen über den Felsen, ganz blaß erst vor den Resten
des Sonnenuntergangs, doch immer mehr wachsend dann
zu einem leuchtenden Orange, ein Fenster unter einem
der Menschengiebel. Alveric erhob sich und ging darauf
zu, bis die Felsen in der Finsternis und Müdigkeit ihn
übermannten und er sich niederlegte und schlief; und das

111

kleine gelbe Fenster schien in seine Träume und schuf ihm Gestalten der Hoffnung, so schön wie nur je eine war, die aus Elfenland kam.

Das Haus, welches er am Morgen sah, als er aufwachte, konnte unmöglich dasjenige sein, dessen winziges Licht ihm Hoffnung gegeben hatte und Hilfe in der Einsamkeit; es wirkte jetzt allzu schlicht und gewöhnlich. Er erkannte es als ein Haus, nicht weit von dem des Lederwerkers. Bald kam er zu einem Teich und trank. Er kam zu einem Garten, in dem eine Frau arbeitete in der Frühe, und sie fragte ihn, woher er gekommen sei. »Aus dem Osten«, sagte er und wies ihr die Richtung, und sie verstand ihn nicht. Und so kam er wieder zu der Hütte, von der er aufgebrochen war, um abermals Gastfreundschaft zu erbitten von dem alten Mann, der ihn zweimal beherbergt.

Er stand unter der Türe, als Alveric kam, mit müdem Schritt, und wieder hieß er ihn willkommen. Er gab ihm Milch erst und dann zu essen. Und Alveric aß und ruhte dann den ganzen Tag aus: es wurde Abend, ehe er sprach. Doch als er gegessen hatte und geruht und saß wieder am Tisch, und das Abendessen stand vor ihm, und es herrschte Licht und Wärme, da fühlte er ganz plötzlich das Bedürfnis nach menschlichem Mitteilen. Und dann ließ er sie hervorsprudeln, die Geschichte seiner großen Reise über das Land, wo die Menschendinge aufgehört haben und keine Vögel mehr sind oder kleinen Tiere, noch auch nur Blumen: eine Chronik der Trostlosigkeit. Und der alte Mann lauschte den lebendigen Worten und sagte nichts, er machte nur ein paar eigene Anmerkungen, als Alveric auf die Gefilde, die wir kennen, zu sprechen kam. Er hörte mit Höflichkeit zu, doch sagte nimmer ein Wort von dem Land, von dem Elfenland verebbt war. Es hatte tatsächlich den Anschein, als wäre alles Land im Osten nur ein Wahn und eine Einbildung, und Alveric wäre nun davon geheilt oder erwacht aus einem Traum und wieder zurückgekehrt unter vernünftige Alltagsdinge, und von den Traumdingen bliebe nichts mehr zu sagen. Gewißlich würde der alte Mann kein Wort je sagen, um Elfenland anzuerkennen oder irgend etwas sonst, was nur achtzig Ellen östlich von seiner Hüttentür lag. So ging Alveric denn zu Bett, und der alte Mann blieb allein sitzen, bis sein Feuer niedrig geworden war, und dachte an das, was er gehört hatte, und schüttelte den Kopf. Und den ganzen nächsten Tag ruhte Alveric dort oder erging sich in des alten Mannes herbstbefallenem Garten, und manchmal noch machte er wieder den Versuch, mit seinem Gastgeber zu sprechen von seiner großen Reise durch das trostlose Land, vermochte aber kein Zugeständnis von ihm zu gewinnen, daß es solche Lande gebe, und kam nicht an gegen die Hartnäckigkeit, mit welcher er dem Thema auswich, ganz als könnte das bloße Sprechen von diesen Landen sie ihnen näherbringen.

Und Alveric grübelte über vielen Gründen dafür nach. War der alte Mann vielleicht einmal in Elfenland gewesen in seiner Jugend und hatte dort etwas gesehen, was er zutiefst fürchtete, ja war er vielleicht mit knapper Not dem Tode entronnen oder einer lebenslangen Liebe? War Elfenland ein Geheimnis, zu groß, als daß es menschliche Stimmen berühren durften? Wußten diese Leute, die dort wohnten am Rande unserer Welt, gar von der unirdischen Schönheit all der Herrlichkeiten von Elfenland und fürchteten, das bloße Sprechen davon könnte eine Verlockung sein und sie hinüberziehen gegen allen Vorsatz, der sie vielleicht mit Mühe nur zurückhielt? Oder konnte schon ein Wort, das darüber gesprochen wurde, das Zauberland näherbringen, um phantastisch zu machen und elfisch die Gefilde, die wir kennen? Auf all diese Grübelfragen fand Alveric keine Antwort.

113

Und noch einen weiteren Tag ruhte Alveric aus, und danach machte er sich auf, nach Erl zurückzukehren. Er brach am Morgen auf, und sein Gastgeber begleitete ihn vor die Tür, um ihm dort Lebewohl zu sagen, und sprach von seiner Heimreise und von den Angelegenheiten von Erl, von denen sich viel Klatsch und Tratsch nährte auf dem Lande. Und groß war der Gegensatz zwischen der Anerkennung, die der gute Mann so den Gefilden, die wir kennen, bezeigte, da Alveric nun ihnen seine Reise zulenkte, und seiner Mißbilligung jener anderen Lande, dahin Alverics Hoffnungen immer noch wieder zurückkehrten. Und sie schieden, und des alten Mannes Abschiedsgrüße verwehten, und er wandte sich zurück in sein Haus und rieb sich zufrieden die Hände im langsamen Gehen, denn es freute ihn, daß einer, der seinen Blick auf die phantastischen Lande gerichtet, sich nun zu einer Reise wandte über die Gefilde, die wir kennen.

In diesen Gefilden herrschte der Frost, und Alveric stapfte über das harsche graue Gras und atmete die klare frische Luft, doch dachte kaum an sein Heim oder seinen Sohn, sondern hing Plänen nach, wie er selbst jetzt noch könnte nach Elfenland kommen; denn er meinte, es könnte vielleicht weiter im Norden einen Weg geben, der im Bogen hinter die blaßblauen Berge führte. Daß Elfenland zu weit verebbt für ihn war, um sich von hier noch einholen zu lassen, fühlte er wohl mit verzweifelter Gewißheit, doch er mochte nicht glauben, daß es entlang der ganzen Zwielichtsgrenze zurückgewichen sei, wo Elfenland die Erde berührt, so weit wie der Dichter gesungen. Weiter im Norden konnte er die Grenze vielleicht finden, unbewegt, schläfrig liegend im Zwielicht, und unter die blaßblauen Berge kommen und sein Weib wiedersehen: von diesen Gedanken erfüllt ging er über die nebellieblichen Felder.

Und erfüllt von seinen Plänen und Träumen von jenem Geisterland, kam er am Nachmittag zu den Wäldern, die über Erl brüten. Er betrat den Wald, und so vertieft er auch war in Gedanken, die fern von hier weilten, sah er doch bald in einiger Entfernung den Rauch eines Feuers aufsteigen, grau zwischen den dunklen Eichenstämmen. Er ging darauf zu, um zu sehen, wer dort war, und da saßen sein Sohn und Ziroonderel und wärmten sich die Hände am Feuer.

»Wo bist du gewesen?« rief Orion, sobald er ihn erblickte.

»Auf einer Reise«, sagte Alveric.

»Oth ist auf der Jagd«, sagte Orion, und er wies in die Richtung, in die der Wind den Rauch fächelte. Und Ziroonderel sagte nichts, denn sie sah in Alverics Augen mehr, als noch so viele Fragen hätten von seiner Zunge locken können. Dann zeigte Orion ihm ein Hirschfell, auf dem er saß. »Das hat Oth geschossen«, sagte er.

Es schien ein Zauber zu liegen um das Feuer aus dicken Scheiten, das still vor sich hin glühte in den Wäldern, auf dem leuchtenden Blättergewand, das der Herbst abgeworfen; und es war nicht der Zauber Elfenlands, noch hatte Ziroonderel ihn beschworen mit ihrem Stab: es war ein Zauber nur aus des Waldes eigensten Kräften.

Und Alveric stand eine Weile lang schweigend da und schaute nieder auf den Knaben und die Hexe, wie sie dort an ihrem Feuer saßen im Wald, und er begriff, daß die Zeit gekommen war, da er Orion Dinge erzählen mußte, welche ihm selber nicht klar waren und ihn selbst jetzt noch verwirrten. Doch er sprach von ihnen nicht gleich, sondern sagte etwas von den Angelegenheiten von Erl und wandte sich und ging weiter zu seinem Schloß, während Ziroonderel und der Knabe später zurückkamen mit Oth.

Und Alveric befahl, ihm ein Abendessen zu bereiten, als er ans Tor kam, und aß es allein in der großen Halle, die mitten im Schlosse von Erl lag, und die ganze Zeit sann er nach über Worte, die er sagen wollte. Und dann ging er hinauf im Abendschein zur Kinderstube und erzählte dem Knaben, wie seine Mutter für ein Weilchen sei nach Elfenland gegangen, zu ihres Vaters Schloß, davon nur im Lied noch erzählt werden mag. Und ohne eine Antwort Orions abzuwarten, fuhr er mit der kurzen Geschichte fort, die zu erzählen er gekommen war, und erzählte ihm, wie Elfenland auf einmal verschwunden sei.

»Aber das kann nicht sein«, sagte Orion, »denn ich höre die Hörner von Elfenland jeden Tag.«

»Du kannst sie hören?« fragte Alveric.

Und der Knabe erwiderte: »Ich höre sie blasen am Abend.«

DIE SUCHE NACH DEN ELFENBERGEN (VIER-ZEHNTES KAPITEL). Winter senkte sich nieder auf Erl und packte den Wald und hielt die kleinen Zweige steif und still: im Tale brachte er den Strom zum Schweigen; und auf den Rinderfeldern war das Gras spröde und brüchig wie irdene Töpferware, und der Atem der Tiere stieg auf wie der Rauch von Lagerfeuern. Und Orion ging immer noch in die Wälder, wann immer Oth ihn mitnahm, und manchmal ging er mit Threl. Wenn er mit Oth ging, war der Wald erfüllt von der Zauberschönheit der Tiere, die Oth jagte, und der Glanz der großen Hirsche schien wie ein Spuk in das Dunkel ferner Höhlen zu dringen; doch wenn er mit Threl ging, durchzog ein Geheimnis den Wald, so daß man nicht sagen konnte, welches Geschöpf im nächsten Augenblick auftauchen mochte, noch was der nächste Riesenstamm barg. Was alles für Tiere dort waren im Wald, wußte selbst Threl nicht sicher: Viele Arten wohl erlagen seinen Listen, doch wer konnte wissen, ob das alle waren?

Und wenn der Knabe noch spät im Walde war, an glücklichen Abenden, so hörte er stets, wenn die Sonne flammend niederging, im Osten fern die Elfenhörner blasen, im Frösteln der nahenden Dämmerung, weit weg und sehr schwach, gleichwie Revelgen, die man in Träumen hört. Von jenseits der Wälder klangen sie herüber, all jene schallenden Hörner, von jenseits der Hügel, weit hinter der fernsten Wellung; und er erkannte in ihnen die Silberhörner von Elfenland. In allen anderen Dingen war er ein Mensch, und bis auf seine Fähigkeit, diese elfischen

Hörner zu hören, deren Musik nur eine Elle weit erklingt jenseits des menschlichen Gehörs, und zu erkennen, was sie waren: bis auf dies beides war er bis jetzt noch nicht mehr als ein Menschenkind.

Wie die Hörner von Elfenland über die Zwielichtsgrenze blasen und wahrgenommen werden konnten von jedem Ohr in den Gefilden, die wir kennen, vermag ich nicht zu verstehen; doch Tennyson spricht davon, daß man sie selbst in diesen unseren Landen »schwach blasen« höre, und ich glaube, daß wir desto weniger in die Irre gehen, je bereitwilliger wir alles annehmen, was die Dichter sagen, wenn der Geist recht über sie kommt. So soll auch, mag die Wissenschaft sie nun bestreiten oder bestätigen, Tennysons Auffassung mich hier weiter leiten.

Alveric ging in jenen Tagen sinnend durch das Dorf Erl, die Gedanken in weiten Fernen; und er blieb an vielen Türen stehen und sprach und plante, die Augen allzeit, wie es schien, auf Dinge gerichtet, die niemand sonst sehen konnte. Er brütete über fernen Horizonten und über dem letzten, hinter dem Elfenland lag. Und von Haus zu Haus sammelte er eine kleine Schar von Männern.

Es war Alverics Traum, die Grenze weiter im Norden zu finden, weiter nördlich zu reisen über die Gefilde, die wir kennen, und immer neue Horizonte zu suchen, bis er in ein Gebiet kam, von dem Elfenland nicht verebbt war; dieser Aufgabe beschloß er seine ferneren Tage zu widmen.

Als Lirazel noch bei ihm gewesen war in den Gefilden, die wir kennen, waren seine Gedanken immerzu darauf gerichtet gewesen, sie irdischer zu machen; doch nun, da sie verschwunden war, wurden die Bewegungen seines eigenen Geistes täglich elfischer von Art, und die Men-

schen begannen Seitenblicke zu werfen auf sein phanta-
stisches Gebaren. Allzeit in Träume versponnen von Elfenland und von elfischen Dingen, sammelte er Pferde
und Proviant und trug eine solche Riesenmenge Vorräte
zusammen für seine kleine Schar, daß alle, die es sahen,
sich baß verwunderten. Viele Männer bat er darum, sich
mit zu der wunderlichen Schar zu gesellen, und nur wenige wollten mit ihm gehen, die Horizonte heimzusuchen,
als sie hörten, wohin er ihr Ziel bestimmt. Und der erste,
den er warb für jene Schar, war ein junger Bursche, der
Unglück in der Liebe gehabt; dann kam ein junger Hirte
dazu, wohlbewandert in Einsamkeiten; dann einer, der
ein wunderliches Lied gehört hatte, das einer am Abend
gesungen: es hatte seine Gedanken weit fort in undenk-
bare Länder getragen, und so war er's gar wohl zufrieden,
seinen Phantasien zu folgen. Ein riesiger Vollmond hatte
eines Sommers die ganze warme Nacht lang auf einen
Burschen geschienen, da er im Heu gelegen, und danach
hatte er Dinge geahnt oder gesehen, von denen er sagte,
daß sie der Mond ihm gezeigt: kein Mensch sonst in Erl
sah solche Dinge, was immer sie waren: auch er gesellte
sich zu Alverics Schar, sobald dieser ihn darum bat. Es
gingen viele Tage hin, ehe Alveric diese vier fand; und
mehr vermochte er nicht zu finden, mit Ausnahme nur
noch eines jungen Burschen, der ein rechter Tölpel war
und ohne Witz, und den nahm er, die Pferde zu warten,
denn auf Pferde verstand er sich gut, und sie verstanden
ihn, obschon kein Mensch, weder Mann noch Weib,
konnte klug werden aus ihm, außer seiner Mutter, die
weinte, als Alveric sein Gelöbnis, mit ihm zu ziehen, bekommen; denn sie sagte, er sei der Halt und die Stütze ihres Alters und wisse, wann die Stürme kämen und wann
die Schwalben flögen, und welche Farbe die Blumen
würden haben aus den Samen, die sie in ihrem Garten

gesät, und wo die Spinnen ihre Netze wöben, und all die alten Fabeln von den Fliegen: sie weinte und sagte, es würden der Dinge noch weit mehr verloren gehen durch seinen Weggang, als sich die Leute in Erl nur träumen ließen. Doch Alveric nahm ihn mit fort: so gehen viele.

Und eines Morgens warteten sechs Pferde, behäuft und behangen mit Vorräten rund um ihre Sättel, vor Alverics Tor, und bei ihnen standen fünf Männer, bereit, mit ihm bis ans Ende der Welt zu ziehen. Er hatte lange Rats gepflogen mit Ziroonderel, doch sie sagte, daß kein Zauber von ihr wäre mächtig, Elfenland zu behexen oder den furchtbaren Willen seines Königs zu durchkreuzen; so befahl er den Orion ihrer Sorge, denn er wußte wohl, daß, wenn ihr auch nur einfacher oder irdischer Zauber zu Gebote stand, doch keinerlei Zauber, von dem sich denken ließ, er könne eindringen in die Gefilde, die wir kennen, noch Fluch noch Runenspruch, gerichtet wider den Knaben, würde imstande sein, ihren Bann zu durchbrechen; und was sich selbst betraf, so vertraute er auf das Glück, das am Ende langer mühevoller Reisen wartet. Mit Orion sprach er ebenfalls lange, denn er wußte ja nicht, wie dauernd die Reise sein mochte, ehe er Elfenland wiederfand, noch wie leicht er zurückkehren konnte über die Zwielichtsgrenze. Er fragte den Knaben, was er sich wünsche vom Leben.

»Ein Jäger zu werden«, sagte dieser.

»Was willst du jagen, während ich hinter den Bergen bin?« fragte sein Vater.

»Hirsche, wie Oth«, sagte Orion.

Alveric war es zufrieden, denn er selber liebte diesen Sport.

»Und eines Tages will ich auch weit über die Berge hinausziehen und fremde Tiere jagen«, sagte der Knabe.

120

»Was für Tiere denn?« fragte Alveric. Doch der Knabe wußte es nicht.

Sein Vater schlug ihm verschiedene Tierarten vor.

»Nein, noch fremdere, seltsamere«, sagte Orion. »Seltsamere noch als Bären.«

»Aber was sollen das für Tiere sein?« fragte sein Vater.

»Zaubertiere«, sagte der Knabe.

Aber die Pferde rührten sich unruhig drunten in der Kälte, so daß keine Zeit mehr blieb zu weiteren müßigen Reden, und Alveric sagte der Hexe und seinem Sohn Lebewohl und schritt davon und dachte nur wenig an die Zukunft, denn alles lag zu sehr im Dunkel, als daß sich darüber hätte denken lassen.

Alveric bestieg sein Pferd über den Vorratsbündeln, und die ganze Schar der sechs Männer ritt davon. Die Dörfler standen auf der Straße, um sie fortreiten zu sehen. Alle kannten ihr wunderliches Ziel; und als sie alle Alveric gegrüßt und dem letzten der Reiter ihr Lebewohl zugerufen hatten, erhob sich ein summendes Murmeln. Und es war Verachtung in dem Murmeln für Alverics Ziel, und Mitleid, und Spott; und manchmal sprach Zuneigung mit darin und manchmal Geringschätzung; doch in den Herzen aller nagte der Neid; denn wohl verspottete ihre Vernunft das schweifende Abenteuer durch die Außenlande, doch ihre Herzen wären gern mitgezogen.

Und Alveric ritt davon aus dem Dorf Erl, seine Schar von Abenteurern hinter sich: einen mondsüchtigen Menschen, einen Verrückten, einen liebeskranken Burschen, einen Hirtenjungen und einen Dichter. Und Alveric machte Vand, den jungen Hirten, zum Lagermeister, denn er dünkte ihn der gesündeste Geist zu sein unter seinen Gefolgsleuten; doch es erhoben sich Streitigkeiten alsbald, da sie ritten, noch ehe sie überhaupt dazu gekommen, ein Lager aufzuschlagen; und Alveric, der die Unzufriedenheit hörte oder spürte unter seinen Männern, erkannte bald, daß auf einem Zuge wie dem seinen nicht der gesündeste Geist, sondern der verrückteste es sein sollte, dem Vollmacht gegeben wurde. So ernannte er Niv, den Tölpel und witzlosen Burschen, zu seinem Lagermeister; und Niv diente ihm gut, bis zu einem Tage, der jetzt noch ferne lag, und zur Seite stand ihm der Mondsüchtige, und alle waren's zufrieden, zu tun nach Nivs Geheiß, und ehrten Alverics Ziel. Und viele Männer in zahllosen Landen tun weitaus gesündere Dinge mit weniger Einsinnigkeit.

Sie kamen zu den Hochlanden und ritten über die Felder und ritten, bis sie an die letzten Grenzen der Menschen kamen und an die letzten Häuser, die sie an den Rand gebaut, über den hinaus zu reisen selbst ihre Gedanken sich weigern. Durch diese Häuserlinie am Rande jener Felder, vier oder fünf auf jeder Meile wohl, ritt Alveric mit seiner seltsamen Schar. Die Hütte des Lederwerkers lag weit im Süden. Nun wandte er sich nordwärts, um an der Rückseite der Häuser entlangzureiten, über Felder, durch die einst die Zwielichtsgrenze gelaufen war, bis er vielleicht eine Stelle fand, an der Elfenland nicht gar so weit zurückgewichen. Dies erklärte er seinen Männern, und die führenden Geister, Niv und Zend, der Mondsüchtige, zollten ihm Beifall alsbald; und Thyl, der junge Liederträumer, sagte, es sei dies ein weiser Plan; und Vand wurde mitgerissen vom heißen Eifer der drei; und Rannok, dem unglücklich Verliebten, war alles gleich und recht. Und sie waren noch nicht weit gekommen hinter den Häusern, da berührte die rote Sonne den Horizont, und sie eilten, ein Lager aufzuschlagen bei dem kleinen Rest von Licht, das der kurze Wintertag ihnen noch ließ. Und Niv sagte, sie wollten ein Schloß bauen wie das eines Königs, und der Gedanke befeuerte Zend, sich wie drei Männer zu mühen, und Thyl half ihm emsig; und sie setzten Pfosten und Pfähle und breiteten Decken darüber und machten eine Wand aus Reisig, denn sie waren den letzten Hecken noch nicht fern, und Vand half ebenfalls mit rohen Hürdengeflechten, und Rannok plagte sich müde mit; und als alles fertig war, da sagte Niv, es sei ein richtiges Schloß. Und Alveric ging hinein und ruhte, während sie draußen ein Feuer anzündeten. Und Vand kochte ein Mahl für sie alle, wie er's sonst jeden Tag für sich getan auf den einsamen Hügeln; und niemand hätte die Pferde besser warten können als Niv.

Und als die Dämmerung wich, da wuchs die Kälte des Winters; und als der erste Stern erschien, war nichts in all der Nacht mehr als nur bittere Kälte; doch Alverics Männer legten sich nieder an ihrem Feuer, in Ledermänteln und Pelzen, und schliefen alle, bis auf Rannok, den unglücklichen Verliebten.

Für Alveric, der auf Pelzen lag unter seinem Obdach und in die rote Glutasche starrte hinter den dunklen Gestalten seiner Männer, ließ sich der Zug recht hoffnungsvoll an: er würde weiter nach Norden ziehen und jeden Horizont absuchen nach einem Zeichen von Elfenland: er würde an der Grenze entlangziehen der Gefilde, die wir kennen, und stets in der Nähe von Vorräten sein: und wenn ihm denn keine Spur der blaßblauen Berge zu Gesicht kam, so würde er weiterziehen bis in ein Gebiet, davon Elfenland noch nicht verebbt war, und ihnen so in den Rücken kommen. Und Niv und Zend und Thyl hatten ihm zugeschworen alle an diesem Abend, daß sie, noch ehe viele Tage vergangen wären, gewißlich Elfenland würden finden. Über diesem Gedanken schlief er ein.

DAS ZURÜCKWEICHEN DES ELFENKÖNIGS (FÜNFZEHNTES KAPITEL). Als Lirazel davonwehte mit den prächtigen Blättern, sanken sie eins nach dem andern nieder aus ihrem Tanz in der schimmernden Luft, liefen noch ein Weilchen weiter über die Felder und sammelten sich dann an Hecken und ruhten; doch über Lirazel hatte die Erde, die alle Dinge niederzieht, keine Gewalt, denn die Rune des Königs von Elfenland war über die Grenze gekommen und rief sie heim. So glitt sie sorglos im großen Nordwestwind dahin und blickte müßig hinab auf die Gefilde, die wir kennen, als sie heimwärts über sie hinfegte. Überhaupt nichts konnte die Erde an ihr mehr halten; denn mit ihrem Gewicht (an dem die Erde uns hält) waren auch all ihre irdischen Sorgen von ihr abgefallen. Sie sah ohne Kummer alte Stätten, da sie mit Alveric einst gewandert: sie trieben vorbei; sie sah die Häuser der Menschen: auch sie strichen vorüber; und tief und dicht und farbenschwer erblickte sie vor sich die Grenze von Elfenland.

Einen letzten Schrei schickte die Erde ihr zu, aus vielen Stimmen: ein Kinderrufen, ein Krähenkrächzen, das dumpfe Muhen von Kühen, das Quietschen eines langsam heimrollenden Gefährts; dann glitt sie in das dichte Zwielicht der Grenze, und alle Erdenlaute trübten sich jäh: sie glitt hindurch, und sie verstummten ganz. Wie ein müdes Pferd, das tot zusammenbricht, gab unser Nordwestwind seinen Geist auf an der Grenze; denn keine Winde wehen in Elfenland, wie sie hinziehen über die Gefilde, die wir kennen. Und Lirazel neigte sich langsam gleitend nieder, bis ihre Füße wieder den zaubrischen Boden ihrer Heimat gefunden hatten. Sie sah in voller Schönheit die Gipfel der Elfenberge und dunkel darunter den Wald, der des Elfenkönigs Thron bewachte. Über diesem Wald schimmerten selbst jetzt gewaltige Zinnen und Dachhelme im elfischen Morgen, dessen Funkeln glänzender erglüht als das der tauigsten Dämmerungen unserer Lande und nimmer schwindet noch vergeht.

Über das elfische Land glitt die Elfenherrin dahin auf ihren leichten Füßen, die das Gras berührten, wie Distelwolle es berührt, wenn sie darauf niederschwebt und die Halmspitzen streicht, während ein lauer Wind sie langsam hintreibt über die Gefilde, die wir kennen. Und all die elfischen und phantastischen Dinge, und der wunderliche Anblick des Landes, und die fremdartigen Blumen und verwunschenen Bäume, und die schicksalsschwere Zauberahnung, die in der Luft hing, all das war so voller Erinnerungen an ihre Heimat, daß sie die Arme warf um den ersten knorrigen gnomenartigen Stamm und seine verrunzelte Rinde küßte.

Und so kam sie an den verwunschenen Wald; und die finsteren Fichten, die an seinem Eingang Wache hielten, mit wachsam äugendem Efeu über den Zweigen, beugten sich tief vor Lirazel, da sie vorüberglitt. Und es bedurfte keines Wunders in diesem Wald und keines unheimlichen Zauberwinks, um ihr das Vergangene wiederzubringen, als wäre es kaum eben vergangen. Es war, so spürte sie, erst gestern morgen gewesen, daß sie davongeeilt; und gestern morgen war's hier immer noch. Die klaffenden Wunden, die Alverics Schwert den Bäumen geschlagen, waren so frisch und weiß wie eh.

Und nun begann Licht den Wald zu durchglühen, ein Farbenblitzen, hell und immer heller, und sie wußte, das kam von Glanz und Herrlichkeit der Blumen, die ihres

Vaters Rasengründe säumten. An diese kam sie nun wieder; und die schwachen Fußstapfen, die sie darauf geprägt hatte, als sie ihres Vaters Schloß verlassen und Alveric erblickt dort voll Verwundern, sie waren noch nicht verschwunden aus dem gebeugten Gras mit seinen Spinnweben und seinem Tau. Dort glühten die großen Blumen im elfischen Licht; während hinter ihnen blinkend und blitzend, das Portal, durch das sie es verlassen, noch weit geöffnet auf den Rasengrund, das Schloß lag, davon nur im Lied noch erzählt werden mag. Dorthin nun kehrte Lirazel zurück. Und der Elfenkönig, welcher durch Zauber den Tritt ihrer lautlosen Füße gehört, stand schon vor seinem Tor, sie zu empfangen.

Sein langer Bart hüllte sie fast ein, da sie sich umarmten: er hatte lange Leid getragen um sie an diesem Elfenmorgen. Er war voll Unsicherheit gewesen, trotz seiner Weisheit; er hatte Angst gehabt, trotz all seinen Runen; er hatte sich nach ihr gesehnt, wie Menschenherzen sich sehnen mögen, trotz all seinem Zauberwesen, das ihn der Menschenart entrückte. Und nun war sie wieder daheim, und die Freude des alten Elfenkönigs erhellte den elfischen Morgen weit über Meilen hin, und selbst auf den Hängen der Elfenberge ward ein Schimmer gesehen.

Und durch das Blinken und Blitzen des riesigen Portals traten sie ein in den Palast; der Ritter der Königswache grüßte mit seinem Schwert, da sie vorüberschritten, doch wagte nicht den Kopf zu wenden nach Lirazels Schönheit; sie kamen wieder in die Halle mit des Elfenkönigs Thron, der da gemacht ist aus Regenbögen und Eis; und der große König setzte sich und nahm Lirazel auf sein Knie; und eine Stille kam über ganz Elfenland.

Und lange in diesem endlosen Elfenmorgen rührte nichts an diese Stille; Lirazel ruhte aus nach allen Erdensorgen, der Elfenkönig saß da und bewahrte die tiefe Zufriedenheit in seinem Herzen, der Ritter der Wache verhielt bei seinem Gruß, das Schwert noch immer gesenkt, und das Schloß glühte und leuchtete: es war wie ein Bild in einem tiefen Teich, fernab vom Lärm der Stadt, mit grünem Schilf und schimmernden Fischen und ungezählten winzigen Muscheln, leuchtend im Zwielicht der Wassertiefe, die nichts gestört hat den ganzen Sommertag lang. Und so ruhten sie alle, der Widrigkeit der Zeit entrückt, und um sie ruhten die Stunden, wie die kleinen hüpfenden Wellen eines Wasserfalls ruhen, wenn das Eis den Strom gestillt: und die heiter blauen Gipfel der Elfenberge über ihnen standen wie unveränderliche Träume.

Und wie der Lärm einer Stadt schallt in das Zwitschern der Vögel im Walde, wie man ein Schluchzen hört unter Kindern, die sich zur Freude zusammengefunden, wie ein Gelächter unter Trauergästen, wie schriller Wind in Obstgärten fährt zur Zeit der frühen Blüte, auch wie ein Wolf kommt über die Hügel, da die Schafe schlafen, so kam auf einmal ein Gefühl in des Elfenkönigs Gemüt: das Gefühl, es komme jemand auf sie zu über die Felder der Erde. Und das war Alveric mit seinem Schwert aus Donnerkeileisen, dessen zaubrische Art der alte König spürte.

Da stand der Elfenkönig auf und legte den linken Arm um seine Tochter und hob den rechten empor, ein mächtiges Zauberzeichen zu machen, und also stand er hoch vor seinem leuchtenden Thron, der da ist die innerste Mitte von Elfenland. Und mit klarer, tief in der Kehle widerhallender Stimme intonierte er einen rhythmischen Bann- und Zauberspruch, aus Worten gemacht, die Lirazel nimmer vernommen, eine urzeitenalte Beschwörung, die Elfenland fort rief und weiter hinweg zog von der Erde. Und die herrlichen Blumen sogen die Musik in sich hinein mit ihren Kelchen und hörten, und die tiefen Töne fluteten über die Rasengründe; und das ganze Schloß erschauerte und erzitterte in helleren Farben; und ein Zauberweben ging über die Ebene, so weit die Zwielichtsgrenze reichte, und ein Beben durch den verwunschenen Wald. Und immer noch schallte die Stimme des Elfenkönigs fort. Die schicksalsschweren Töne gelangten jetzt zu den Elfenbergen, und ihre ganze Gipfelkette erzitterte wie Hügel im Höhenrauch, wenn die Sommerhitze von den Hochmooren aufsteigt und sichtbar tanzt in der Luft. Ganz Elfenland hörte, ganz Elfenland gehorchte dem Bann. Und nun schwebten der König und seine Tochter davon, wie der Rauch der Nomaden davonschwebt über der Sahara aus den Kamelhaarzelten, wie Träume verschweben in der Dämmerungsfrühe, wie Wolken über dem Sonnenuntergang; und wie der Wind mit dem Rauch, die Nacht mit den Träumen, die Wärme mit dem Sonnenuntergang, so schwebte ganz Elfenland mit ihnen davon. Ganz Elfenland entschwebte mit ihnen und ließ nur die trostlose Ebene zurück, die öd verlassene Region, das entzauberte Land. So rasch ward der Bann gesprochen, so jäh willfahrte ihm Elfenland, daß manch ein kleines Lied, eine alte Erinnerung, ein Garten oder Maibaum aus verschollenen Jahren nur ein kleines Stück weit mitgerissen wurde von seinem Abtrieb: sie schwankten zu langsam nach Osten, und auf einmal war der elfische Rasen davon, und die Zwielichtsgrenze wälzte sich über sie weg und ließ sie zwischen den Felsen zurück.

Wohin nun Elfenland ging, kann ich nicht sagen, noch ob es der Krümmung der Erde folgte oder hinaustrieb ins Zwielicht jenseits unserer Felsen: es hatte einmal eine Verzauberung gegeben und gab sie nun nicht mehr: wo immer sie hingegangen, sie war uns fern.

Dann verstummte der Gesang des Elfenkönigs, und das Werk war getan. So still, wie in einem Augenblick, den niemand bestimmen kann, die breiten Schichten über dem Sonnenuntergang von Gold nach Rosa wechseln und von glutendem Rosa zu schlaffer unleuchtender Farbe, zog sich ganz Elfenland von den Rändern jener Gefilde zurück, an denen sein Wunder versteckt gelegen hatte seit langen Menschenaltern, und war davon jetzt, niemand weiß, wohin. Und der Elfenkönig setzte sich wieder auf seinen Thron aus Nebel und Eis, darinnen verzauberte Regenbögen waren, und nahm seine Tochter Lirazel wieder auf sein Knie, und die Stille, die sein Bann- und Zauberspruch gebrochen, kam schwer und tief wieder zurück über Elfenland. Schwer und tief fiel sie auf die Rasengründe und schwer und tief auf die Blumen; jeder der blendenden Halme verhielt so reglos in seiner kleinen Krümmung, als hätte die Natur selbst in einem Augenblick der Trauer »Stille!« geboten beim plötzlichen Ende der Welt; und die Blumen träumten fort in ihrer Schönheit, geschützt vor Herbst oder Wind. Weit über den Mooren der Trolle schlief die Stille des Königs von Elfenland, wo der Rauch aus ihren wunderlichen Behausungen gedämpft hing in der Luft; und in einem Wald, darin sie das Zittern von ungezählten Rosenblättern zur Ruhe brachte, befriedete sie auch die Teiche, daran die hohen Lilien ragten, bis sie und ihre Spiegelbilder fortschlummerten in einem herrlichen Traum. Und dort, unter reglosem Blattwerk vom Traum ergriffener Bäume, am stillen Wasser, widerträumend die Luft, durch deren Ruhe die riesigen Lilienblätter grün fluteten und glitten, dort saß der Troll Lurulu still auf einem Blatt. Denn also nannten sie in Elfenland den Troll, der nach Erl gegangen war. Er saß da und starrte ins Wasser, mit jener gewissen Unverschämtheit, die sein Blick an sich hatte. Er starrte und starrte und starrte.

Nichts regte sich, und nichts erfuhr einen Wechsel. Alles war still und ruhte in der tiefen Zufriedenheit des Königs. Der Ritter der Wache steckte sein Schwert zurück in sein Wehrgehänge und stand dann so still auf seinem beständigen Posten wie eine hohle Rüstung, deren Eigner Jahrhunderte schon tot ist. Und immer noch saß der König schweigend da mit seiner Tochter auf dem Knie, die blauen Augen bewegungslos wie die blaßblauen Gipfel, welche durch weite Fenster hereinleuchteten von den Elfenbergen.

Und der Elfenkönig regte sich nicht, noch ging ein Wechsel mit ihm vor; sondern er verweilte weiter in dem Augenblick, in dem er Zufriedenheit gefunden, und breitete ihren Einfluß über all sein Gebiet, zu Elfenlands Nutzen und Wohlfahrt; denn er besaß, was unsre gequälte Welt mit all ihren Wechseln sucht und so selten findet und alsbald wieder von sich werfen muß. Er hatte Zufriedenheit gefunden und hielt daran fest.

Und in der Stille, die sich auf Elfenland niedergelassen, vergingen zehn Jahre über den Gefilden, die wir kennen.

ORION JAGT DEN HIRSCH (SECHZEHN-TES KAPITEL). Es vergingen zehn Jahre über den Gefilden, die wir kennen; und Orion wuchs heran und erlernte die Kunst Oths und die Listen Threls und kannte die Wälder und Hänge und Täler des Hügellands, wie andere Knaben es lernen, Zahlen mit anderen Zahlen zu multiplizieren oder Gedanken aus einer Sprache zu ziehen, die nicht ihre eigene ist, und sie dann wieder aufzuzeichnen in Worten der eigenen Zunge. Und wenig nur wußte er von den Dingen, welche die Tinte zu leisten vermag: wie sie eines toten Menschen Gedanken bewahren kann zur Verwunderung späterer Jahre und kann von Geschehnissen künden, die lange vorbei und vergangen, und eine Stimme uns sein kann aus dem Dunkel der Zeit und manch ein zerbrechlich Ding erretten vom Malmstoß schwerer Menschenalter; oder weiß gar, hin über die rollenden Jahrhunderte, ein Lied uns zuzutragen von lange toten Lippen, die einst es gesungen auf längst vergessenen Bergen. Wenig wußte er von der Tinte; doch die Spur eines Rehs auf trockenem Grund, drei Stunden alt schon, war ihm ein deutlicher Pfad, und nichts strich durch die Wälder, dessen Geschichte Orion nicht las. Und alle Laute des Walds waren voll klarer Bedeutung für ihn, so wie es dem Mathematiker die Zeichen und Zahlen sind, die er vor sich hat, wenn er seine Millionen durch Zehner und Elfer und Zwölfer teilt. Sonne und Mond und Wind sagten ihm, welche Vögel kommen würden in den Wald, und von den nahenden Jahreszeiten wußte er, ob sie mild würden sein oder

131

streng, ein ganz klein wenig später nur als die Tiere des Waldes selber, die keine Menschenvernunft haben noch Seele und wissen doch soviel mehr als wir.

Und so wuchs er heran und lernte die innerste Stimmung der Wälder kennen, und er konnte unter ihr schattiges Dach treten wie eins der Waldtiere selber. Und dies konnte er, als er grad vierzehn Jahre zählte; und es lebt manch ein Mensch all seine Jahre hin und kann doch nimmer einen Wald betreten, ohne die Stimmung seiner schattigen Wege gänzlich zu verändern. Denn Menschen betreten einen Wald vielleicht mit dem Wind im Rücken; sie brechen durchs Unterholz, treten auf Äste und Zweige, sie sprechen, rauchen oder trampeln und stampfen; und Häher schreien wider sie, Tauben verlassen die Bäume, Kaninchen bringen sich hoppelnd in Sicherheit, und weit mehr Tiere noch, als sie kennen, schlüpfen auf sachten Pfoten davon bei ihrem Kommen. Orion jedoch bewegte sich wie Threl, in Schuhen aus Hirschleder und mit dem Schritt eines Jägers. Und keins der Waldtiere wußte genau, wann er kam.

Und er kam, sich einen Haufen Felle zu schaffen wie Oth, und erwarb sie sich mit seinem Bogen im Walde; und er hängte große Hirschgeweihe auf in der Halle des Schlosses, hoch unter alten Geweihen, zwischen denen seit Menschenaltern nur die Spinne gelebt und gewoben. Und dies war eins der Zeichen, daran das Volk von Erl ihn nun als Herrn erkannte, denn keine Nachricht kam von Alveric, und die alten Herrscher von Erl waren alle Hirschjäger gewesen. Und ein anderes Zeichen war der Fortgang der Hexe Ziroonderel, welche zurückkehrte auf ihren Berg; und Orion lebte nun ganz allein im Schloß, und sie bewohnte ihre Hütte wieder, wo ihre Kohlköpfe wuchsen im Hochland, dem Donner nahe.

Und den ganzen Winter hindurch jagte Orion die Hir-

sche im Wald, doch als der Frühling kam, legte er den Bogen weg. Aber während der ganzen Jahreszeit des Liedes
und der Blumen weilten seine Gedanken doch immer
noch bei der Jagd; und er ging von Haus zu Haus, wo immer ein Mann einen der langen dünnen Hunde besaß, mit
denen man jagen kann. Und manchmal kaufte er den
Hund, und manchmal versprach der Besitzer, ihn auszu-
leihen zu den Jagdtagen. So stellte sich Orion allmählich
eine Meute von braunen langhaarigen Jagdhunden zusammen und wartete sehnlich darauf, daß Frühling und
Sommer vergingen. Und eines Frühlingsabends, als
Orion eben seine Hunde versorgte und die meisten Dörfler vor ihrer Haustür standen, die Länge des Abends zu
betrachten, da kam ein Mann die Straße herauf, den niemand kannte. Er kam aus dem Oberland und trug am
Leibe die alleräteste Kleidung, die an ihm hing, als hätte
sie ewig an ihm gehangen und wäre ein Teil von ihm wie
zugleich doch auch ein Teil der Erde, denn sie war zer-
mürbt vom Lehm der Hochfelder und hatte dessen tiefes
Braun angenommen. Und die Leute bemerkten den
leichten Schritt eines kraftvollen Fußgängers und Müdigkeit in seinen Augen: und keiner wußte, wer er war.

Und dann sagte eine Frau: »Es ist Vand, der damals
erst ein junger Bursche war.« Und sie umdrängten ihn
alle, denn es war wirklich Vand, der vor mehr als zehn
Jahren die Schafe verlassen, um mit Alveric zu reiten,
niemand wußte, wohin. »Wie geht es unserem jungen
Herrn?« fragten sie. Und ein Blick der Müdigkeit trat
Vand in die Augen.

»Er folgt seinem Ziel«, sagte er.

»Wohin?« fragten sie.

»Nach Norden«, sagte er. »Er sucht noch immer nach
Elfenland.«

»Warum verließest du ihn?« fragten sie.

»Ich hatte die Hoffnung verloren«, sagte er.

Sie drangen nicht weiter in ihn, denn alle wußten, daß man, um Elfenland zu suchen, eine starke Hoffnung brauchte und ohne sie keinen Schritt sah von den Elfenbergen, heiter im wechsellosen Blau. Und dann kam Nivs Mutter angelaufen. »Ist es tatsächlich Vand?« fragte sie. Und sie alle sagten: »Ja, es ist Vand.«

Und während sie tuschelten miteinander über Vand, und wie ihn Jahre und Wandern hätten verändert, sagte sie zu ihm: »Erzähl mir von meinem Sohn.« Und Vand erwiderte: »Er führt den Zug. Und ist niemand, dem mein Herr mehr vertraute.« Und sie verwunderten sich alle und hatten doch keine Ursache, sich zu verwundern, denn es war ein verrückter Zug.

Allein Nivs Mutter verwunderte sich nicht. »Ich wußte es«, sagte sie. »Ich habe es gewußt.« Und sie war von großer Zufriedenheit erfüllt.

Es gibt Ereignisse und Zeiten, die zur Gemütsstimmung eines jeden Menschen passen, doch nur wenige hätten zu Nivs gestörtem Gemüt gepaßt. Aber da war Alverics Suche nach Elfenland gekommen, und so hatte Niv seine Aufgabe gefunden.

Und das Volk von Erl redete noch bis in den späten Abend mit Vand und vernahm Geschichten von vielen Lagern und vielen Märschen, die Geschichte einer Wanderschaft ohne Sinn und Gewinn, auf der Alveric Jahr um Jahr die Horizonte heimgesucht hatte wie ein Gespenst. Und manchmal leuchtete aus der Traurigkeit, die Vand erwachsen war aus diesen gewinnlosen Jahren, ein Lächeln auf, wenn er von irgendeinem närrischen Geschehnis erzählte, das stattgefunden im Lager. Doch all das ward erzählt von einem, welcher die Hoffnung verloren hatte auf dieser Suche. Und das war nicht die rechte Art, davon zu erzählen, mit solchen Zweifeln, mit solchem Lächeln. Denn von einem solchen Zug sollte nur berichten, wer ganz befeuert ist von seinem Glanz: Nivs krankes Hirn oder Zends mondsüchtiger Witz könnten uns eher wohl Nachricht geben von dieser Suche, eine Nachricht, eher geeignet, unsere Herzen mit auch nur einem Schimmer seines Sinns zu erleuchten; doch nie und nimmer eine Geschichte, wie sie hier einer erzählte, welchen die Suche selber nicht länger zu locken verstand, ganz gleich, ob sie nun aus Tatsachen bestand oder nur aus eitel Gespött. Die Sterne stahlen sich hervor, und immer noch erzählte Vand seine Geschichten, und einer nach dem andern gingen die Leute zurück nach Haus, müde, noch mehr zu hören von der hoffnungslosen Suche. Wäre die Geschichte von einem erzählt worden, der immer noch festhielt an dem Glauben, der Alverics Wanderer führte, die Sterne wären verblichen, ehe die Leute den Erzähler verlassen hätten, und den Himmel hätte die Frühhelle überzogen, ehe sie ihn verlassen, so weit und breit, daß einer schließlich gesagt hätte: »Ach! Es ist ja Morgen!« Und dann erst wären sie gegangen.

Und am nächsten Tag ging Vand zurück auf die Hügel und zu den Schafen und quälte sich nicht mehr mit abenteuerlichem Trachten.

Und während dieses Frühlings sprachen die Menschen wieder von Alveric, und ein Weilchen verwunderten sie sich über seinen Zug, und ein Weilchen auch sprachen sie von Lirazel und rätselten, wohin sie wohl gegangen sei, und rieten, warum; und wo sie nichts errätseln und erraten konnten, da erzählten sie irgend eine Geschichte, um alles zu erklären, und die Geschichte ging von Mund zu Mund, bis alle sie schließlich glaubten. Und der Frühling ging vorüber, und sie vergaßen Alveric und gehorchten dem Willen Orions.

Und als Orion eines Tages dasaß und wartete, daß auch

135

der Sommer vorrüberging, mit seinem Herzen bei frostkalten Tagen und in seinen Träumen mit den Hunden im
Oberland, da kam Rannok, der unglücklich Verliebte,
über die Hügel auf dem Weg, auf dem auch Vand gekommen war, und ging hinunter nach Erl. Rannok mit
endlich freiem Herzen, der Schwermut ledig, Rannok
ohne Weh, sorglos, sorgenfrei, zufrieden, nur noch auf
Ruhe aus nach seiner langen Wanderschaft, der Seufzer
satt. Und nichts anderes als dies bewog Vyria, das Mädchen, das er einst gesucht, die Augen auf ihn zu richten.
So kam's denn am Ende dahin, daß sie ihn heiratete, und
auch er hing nun keinen phantastischen Fahrten mehr
nach.

Und obschon einige weiter aufblickten zu den Ober-
landen an noch so manch einem Abend, bis die langen
Tage dahingegangen waren und ein fremder Wind die
Blätter berührte, und einige über die ferneren Wellen der
Hügel, sahen sie doch keinen mehr zurückkehren von Al-
verics Gefolgsleuten auf dem Pfad, auf dem Vand und
Rannok gekommen. Und als die Zeit nahte, da das Laub
ward ein Wunder aus Scharlach und Gold, sprachen die
Männer nicht mehr von Alveric, sondern gehorchten
Orion, seinem Sohn.

Und in dieser Jahreszeit erhob sich Orion eines Tages
noch vor der Frühdämmerung und nahm sein Horn und
seinen Bogen und ging zu seinen Hunden, die sich wun-
derten, seine Schritte zu hören, ehe das Licht war gekommen: sie hörten sie alle in ihrem Schlaf und erwach-
ten und bellten ihn laut und lärmend an. Und er machte
sie los und beruhigte sie und führte sie fort zu den Hügeln.
Und sie kamen in die großartige Einsamkeit des Hügellands um eine Zeit, da die Hirsche äsen im tauigen Gras
und die Menschen noch nicht erwacht sind. Hin durch den
wilden feuchten Morgen liefen sie über die schimmern-

den Hänge, Orion und seine Hunde, und sie waren voll Jauchzens miteinander und Freude. Und der Duft des Thymians kam schwer mit der Luft, die Orion atmete, da er hinlief über die Felder, auf denen er blühte, spät im Jahr. Und zu den Hunden kamen alle Wanderdüfte des Morgens. Und welche wilden Tiere sie getroffen hatten im Dunkel auf dem Berg und welche ihn überquert zu weiteren Reisen und wohin sie alle verschwunden waren, als der Tag hell wurde und die Drohung des Menschen brachte, erriet Orion und verwunderte sich darob; den Hunden aber war alles das ganz klar. Und einige der Düfte vermerkten sie mit spürender Nase, während andere ihnen ein Spott waren und eine Geringschätzung, und nur nach einem suchten sie vergebens, denn das große Rotwild war nicht auf den Hügeln an diesem Morgen.

Und Orion führte sie weit fort vom Tale Erl, doch bekam keinen Hirsch zu Gesicht an diesem Tag, und kein Wind brachte die Witterung, welche die gespannten Hunde suchten, noch konnten sie eine Spur davon verborgen finden in Gras oder Laub. Und der Abend kam über Orion, da er seine Hunde heimführte, die Nachzügler rufend mit seinem Horn, während die Sonne riesig wurde und scharlachrot; und schwächer als das Echo seines Horns und jenseits weit der Hügel und der Nebel, doch klar und hell in jedem Silberton, vernahm er die Elfenhörner, die ihm zuschallten an jedem Abend.

In der großen Begleitung gewöhnlicher Müdigkeit kamen er und seine Hunde heim, dunkel bei Sternenlicht. Endlich blitzten die Fenster von Erl ihnen die Glut ihres Willkomms entgegen. Die Hunde kamen in ihre Zwinger und fraßen und legten sich nieder dann zu befriedigtem Schlaf; Orion ging in sein Schloß. Auch er aß zu Abend und saß danach noch da und dachte über die Hügel nach und seine Hunde und den ganzen Tag, den Geist von Müdigkeit umschläfert bis zu jener Grenze, an der er ruht, der Sorgen los und ledig.

Und manch ein Tag ging weiter so vorbei. Und dann, eines tauigen Morgens, da sie über den Kamm der Hügelkette kamen, sahen sie unter sich einen Hirsch, verspätet äsend, nachdem all seine Gefährten schon verschwunden. Die Hunde brachen in ein einziges Geheul der Freude aus, der schwere Hirsch bewegte sich flink über das Gras, Orion schoß einen Pfeil auf ihn ab und fehlte: all dies geschah in einem Augenblick. Und dann sausten die Hunde los, und der Wind strich ihnen über die Rücken, daß ihr Fell sich kräuselte und wogte, und der Hirsch schnellte davon, als träfe jeder seiner Läufe auf kleine tanzende Federn. Und zuerst waren die Hunde schneller als Orion, doch er war so unermüdet wie sie, und indem er zuweilen eine Abkürzung nahm, blieb er in ihrer Nähe, bis sie an einen Fluß kamen und zögerten und der Hilfe der Menschenvernunft bedurften. Und solche Hilfe, wie sie die Menschenvernunft leisten kann in solchen Dingen, leistete ihnen Orion, und bald waren sie wieder auf der Spur. Und der Morgen verging, während sie von Hügel zu Hügel rasten, und sie hatten den Hirsch kein zweitesmal erblickt; und der Nachmittag zog vorüber, und immer noch folgten die Hunde jedem Schritt des Hirsches mit einem Geschick, so sonderbar wie Zauber. Und gegen Abend endlich sah Orion ihn, wie er langsam über einen Berghang schritt, in rauhem Gras, das in den Strahlen der tiefen Sonne glänzte. Er spornte seine Hunde an, und sie hetzten ihn durch drei weitere kleine Täler, doch unten auf der Sohle des dritten wandte er sich plötzlich am Kieselbett eines Flusses und wartete dort auf die Hunde. Und sie kamen und stellten ihn bellend und gaben acht auf seine Augsprossen. Und da die Sonne sank, rissen sie ihn nieder dort und töteten ihn. Und Orion setzte das Horn an den Mund mit großer Freude im Herzen: er hatte keine anderen Wünsche mehr. Und mit einem Ton gleichwie aus Freude auch, als teilten sie sein Entzücken oder äfften es spöttisch nach, von Bergen her, die er nicht kannte, vielleicht von der anderen Seite des Sonnenuntergangs, schallten die Hörner von Elfenland Antwort.

DAS EINHORN KOMMT IM STERNENLICHT (SIEBZEHNTES KAPITEL). Und der Winter kam und weißte die Dächer von Erl und alle Wälder und Oberlande. Und als Orion seine Hunde aufs Feld nahm am Morgen, lag die Welt da wie ein Buch, vom Leben neu geschrieben; denn die ganze Geschichte der Nacht zuvor hatte sich in langen Linien in den Schnee gezeichnet. Hier war der Fuchs gegangen und dort der Dachs, und hier war der Rothirsch aus dem Wald getreten; die Spuren führten über die Hügel und entschwanden dem Blick, wie die Taten von Staatsmännern, Soldaten, Höflingen und Politikern auftauchen und wieder verschwinden auf den Blättern der Geschichte. Selbst die Vögel hatten ihre Niederschrift hinterlassen auf den weißen Hängen: jedem Schritt ihrer dreikralligen Füße konnte das Auge folgen, bis plötzlich auf beiden Seiten der Spur drei kleine Schrammen erschienen, wo die Spitzen ihrer längsten Federn in den Schnee geschnellt, und die Spur gänzlich aufhörte. Sie waren wie eine volkstümliche Schlagzeile, eine irgendwann vehement hervorgebrochene Laune, die für einen Tag auf ein Blatt der Geschichte kommt und dann wieder vergeht und nichts anderes hinterläßt als eben diese Zeilen auf der einen Seite.

Und unter all diesen Aufzeichnungen, welche von der Geschichte der Nacht zurückblieben, wählte Orion die Spur eines großen Hirsches, die noch nicht allzu alt war, und folgte ihr mit seinen Hunden über die Hügel hin, bis selbst der Klang seines Horns in Erl nicht mehr zu hören war. Und über einem Kamm sah ihn das Volk von Erl

140

dann wieder heimkommen, schwarz schattenhaft im letzten Schein der Sonne; und oft kam er erst, wenn schon alle Sterne glühten durch den Frost. Oft hing das Fell eines Rothirschs über seinen Schultern, und das riesige Geweih ruckte und nickte über seinem Kopf.

Und zu dieser Zeit geschah es, daß sich eines Tages in der Schmiede Narls, Orion ganz unbekannt, die Männer sammelten des Parlaments von Erl. Sie trafen sich nach Sonnenuntergang, als alle wieder daheim waren von ihrem Tagewerk. Und voller Ernst kredenzte Narl einem jeden den Met, der aus dem Kleehonig gebraut war; und als sie alle gekommen, saßen sie schweigend. Und dann brach Narl das Schweigen und sagte, daß Alveric nicht mehr herrsche über Erl und daß sein Sohn der Herrscher von Erl sei, und erzählte ihnen erneut, wie sie einst auf einen Zauberer gehofft hätten, daß er über das Tal herrsche und es berühmt mache, und sagte, dies hätte er sein sollen. »Doch wo nun«, fragte er, »ist der Zauber, auf den wir hofften? Denn er jagt das Wild, wie all seine Vorväter taten, und nichts von einem Zauber ist über ihn gekommen von drüben; und es geschieht nichts Neues.«

Und Oth stand auf, ihn zu verteidigen. »Er ist so flink wie seine Hunde«, sagte er, »und jagt vom frühen Dämmern bis Sonnenuntergang und streift über die fernsten Hügel und kommt doch unermüdet heim.«

»Das ist nur seine Jugend«, sagte Guhic. Und so sagten alle außer Threl.

Und Threl stand auf und sagte: »Er kennt die Wege des Walds und hat ein Wissen um Tiere, das über die Menschengelehrsamkeit geht.«

»Er hat es von dir erworben«, sagte Guhic. »Es ist kein Zauber daran.«

»Nichts von all dem«, sagte Narl, »ist von drüben.«

So stritten sie ein Weilchen und jammerten über den

Verlust des Zaubers, auf welchen sie gehofft hatten: denn ein Tal ist nimmer ein rechtes Tal, wenn's die Geschichte nicht einmal berührt, und ein Dorf nimmer ein rechtes Dorf, wenn nicht sein Name ein Weilchen ist auf den Lippen der Menschen; nur das Dorf Erl fand nirgends Bericht und Erwähnung; in keinem Jahrhundert ward es je bekannt jenseits des Runds seiner Berge. Und nun schienen alle ihre Pläne verloren, die sie geschmiedet vor so langer Zeit, und nirgends sahen sie Hoffnung noch als im Met, der aus dem Kleehonig gebraut war. Und diesem wandten sie sich schweigend zu. Jetzt war es ein gutes Gebräu.

Und nach einer Weile blitzten neue Pläne in ihren Köpfen auf, Entwürfe und Listen, und neue Anschläge; und die Debatte im Parlament von Erl kam feurig in Fluß. Und sie hätten wohl einen Plan und eine Politik ersonnen; doch da erhob sich Oth von seinem Sitz. Es gab in einem aus Feuerstein erbauten Haus im Dorfe Erl eine alte Chronik, ein in Leder gebundenes Buch, und in ihm schrieben die Leute zu gewissen Zeiten alle möglichen Dinge auf, die Bauern ihre Weisheit über die Zeit des Säens, die Jäger ihre Weisheit über das Aufspüren des Wilds, und die Propheten ihre Weisheit über die Wege der Erde. Aus diesem Buch zitierte Oth nun, und zwar zwei Zeilen, derer er sich entsann von einer der betagten Seiten; der Rest der Seite aber handelte vom Hacken des Felds. Diese Zeilen nun sagte er dem Parlament von Erl, da die Männer beisammen saßen, den Met vor sich auf dem Tisch:

> Nächtig vermummt, von niemandem erkannt,
> Bringt das Geschick, was kein Prophet geahnt.

Da planten sie denn nicht weiter, denn ihre Gedanken waren gedämpft von dem ehrfürchtigen Grauen, das diese Zeilen in ihnen auslösten; es sei denn, der Met wäre stärker gewesen als alles, was nur in Büchern geschrieben stand. Wie dem auch war, sie saßen schweigend nun und tranken ihren Met. Und im frühen Sternenlicht, während der Westen noch glühte, brachen sie auf vom Hause Narls und gingen heim zu ihren eigenen Häusern, und dabei murmelten sie, daß sie keinen Zauberer hätten, über Erl zu herrschen, und sehnten sich nach einem Zauberer, der retten möchte vor Vergessenheit das Dorf und Tal, das sie liebten. Und da sie zu ihren Häusern kamen, schieden sie voneinander, einer nach dem andern. Und drei oder vier, die nahe am Dorfende wohnten, auf der Seite, die unter den Hügeln lag, waren noch nicht zu ihren Türen gekommen, als, weiß und deutlich im Sternenlicht und im verbliebenen Dämmern, sie ein bedrängtes und erschöpftes Einhorn gejagt kommen sahen über die Hügel. Sie blieben stehen und starrten und beschatteten sich die Augen und strichen sich die Bärte voller Verwunderung. Und doch blieb das Tier ein weißes Einhorn, das müde vorbeigaloppierte. Und dann hörten sie, näherkommend, Orions Hunde hecheln.

DAS GRAUE ZELT IM ABEND (ACHTZEHN-TES KAPITEL). An dem Tag, an dem das gehetzte Einhorn durch das Tal von Erl gejagt war, hatte Alveric über elf Jahre Wanderschaft hinter sich. Mehr als zehn Jahre waren sie,eine Gemeinschaft von sechs, hinter den Häusern dahingezogen am Rande der Gefilde, die wir kennen, und hatten am Abend gelagert, ihre sonderbare Ausrüstung grau über Pfähle gehängt. Und ob sich nun die fremdartige Phantastik ihres Zugs in allen Dingen spiegelte rund um sie her oder nicht, ihr Lager wirkte jedesmal so fremdartig wie nichts sonst in der Landschaft; und wenn das Grau des Abends wuchs, dann wuchs um sie auch seine Phantastik und sein Geheimnis.

Und bei aller Heftigkeit von Alverics Ehrgeiz reisten sie doch müßig und gemächlich: zuweilen blieben sie drei Tage lang in einem Lager, das ihnen wohlgefiel; dann schlenderten sie weiter. Neun oder zehn Meilen marschierten sie da fort; dann lagerten sie wieder. Eines Tages, so fühlte es Alveric mit Gewißheit im Herzen, würden sie die Zwielichtsgrenze erblicken, eines Tages Elfenland betreten. Und in Elfenland, das wußte er, war die Zeit nicht so wie hier: ganz ungealtert würde Lirazel ihm begegnen in Elfenland; kein einziges Lächeln würde verloren gegangen sein an die rasenden Jahre und keine Runzel künden vom Verfall der Zeit. Dies war seine Hoffnung; und sie führte seine seltsame Gesellschaft weiter von Lager zu Lager und begeisterte sie, wenn sie am Feuer saßen in den einsamen Abenden, und trug sie immer weiter nach Norden, entlang am Rand der

Gefilde, die wir kennen, wo aller Menschen Gesichter sich abwandten in die andere Richtung und die sechs Wanderer unbemerkt gingen und unbeachtet. Nur der Geist Vands wollte sich ihrer Hoffnung nicht fügen, und in jedem Jahr sagte seine Vernunft mehr der Lockung ab, welche die anderen leitete.

Und dann eines Tages verlor er den Glauben an Elfenland. Danach war er nur noch ein Mitläufer, bis ein Tag kam, da der Wind voller Regen war und alle froren und naß waren und die Pferde müde; da denn verließ er sie.

Und Rannok folgte ihnen, weil er keine Hoffnung mehr trug im Herzen und seinem Kummer zu entlaufen wünschte; doch dann kam ein Tag, wo alle Amseln sangen in den Bäumen der Gefilde, die wir kennen, und da verließ ihn seine Hoffnungslosigkeit im schimmernden Sonnenschein, und er gedachte der behaglichen Häuser und Wohnstätten der Menschen. Und bald ging auch er aus dem Lager und machte sich auf, zurück zu den schöneren Landen.

Und nun waren die vier, die übriggeblieben, alle eines Sinnes, und unter dem nassen rauhen Tuch, das sie über die Pfähle hängten, waren sie tief zufrieden an ihren Abenden. Denn Alveric klammerte sich an die Hoffnung mit all der Kraft seiner Rasse, die einst in alten Schlachten Erl gewonnen und hatte es Jahrhunderte lang gehalten, und in den leeren Köpfen Nivs und Zends wuchs die Idee immer kräftiger und größer heran, wie eine seltene Blume, die vielleicht zufällig ein Gärtner gepflanzt hat an einer wilden ungepflegten Stelle. Und Thyl sang von der Hoffnung; und seine wilden Phantasien, die immer weiter ausschweiften nach jedem Lied, schmückten Alverics Zug mit immer mehr Glanz. So waren sie alle eines Sinnes. Und größere Züge, ob kranken oder gesunden Geistes, haben Erfolg gehabt, wenn dies so war, und größere Züge sind gescheitert, war es anders.

Sie waren jahrelang nach Norden gewandert hinter den Häusern; und dann eines Tages wandten sie sich ostwärts, wo immer eine bestimmte Tönung des Himmels oder ein Anflug von Unheimlichkeit am Abend oder eine bloße Prophezeiung Nivs sie die Nähe Elfenlands vermuten ließ. Bei solchen Gelegenheiten ritten sie in das Felsengebiet hinüber, das all die Jahre wie ein Grenzsaum lag an den Gefilden, die wir kennen, bis Alveric sah, daß die Vorräte für Männer und Pferde kaum ausreichten mehr, um sie zurückzubringen zu den Häusern der Menschen. Dann kehrten sie um; aber Niv hätte sie weitergeführt über die Felsen, wäre es nach ihm gegangen, denn seine Begeisterung wuchs, je weiter sie zogen; und Thyl sang ihnen prophetisch Erfolg zu; und Zend verkündete wohl, er sehe die Gipfel und Zinnen von Elfenland; nur Alveric behielt seinen Kopf. Und so kamen sie denn wieder zu den Häusern der Menschen und kauften sich neuen Vorrat. Und Niv und Zend und Thyl machten viele Worte und Geschwätz um den Zug und verströmten die Begeisterung, die ihnen im Herzen brannte; aber Alveric sprach nicht davon, denn er hatte erfahren, daß die Menschen jenes Gebiets Elfenland weder Wort noch Blick zuwenden, obschon er nicht begriffen hatte, warum.

Bald waren sie dann wieder unterwegs, und die Leute, die ihnen den Ertrag der Gefilde, die wir kennen, verkauft hatten, starrten ihnen neugierig nach, da sie gingen, als dächten sie, es stamme allein aus Verrücktheit oder aus Träumen, die der Mond gebracht, die ganze Rederei, die sie von Niv und Zend und Thyl vernommen.

So reisten sie immerzu weiter und suchten immerzu nach neuen Stellen, von ihnen aus Elfenland zu entdekken; und ihnen zur Linken wehten die Düfte der Gefilde, die wir kennen, der Duft des Flieders aus Hüttengärten im Mai, und dann der Duft des Weißdorns und der Rosen, bis schließlich alle Luft strotzend war von frisch gemähtem Heu. Sie hörten das Muhen des Viehs zu ihrer Linken, hörten menschliche Stimmen, hörten Rebhühner rufen; sie hörten alle Laute, die aufsteigen von glücklichen Bauernhöfen; und zu ihrer Rechten war allzeit das öde Land, allzeit das Felsengewirr und nimmer mehr Gras oder Blume. Sie hatten keine Gemeinschaft mehr mit den Menschen, und doch vermochten sie Elfenland nicht zu finden. Da brauchten sie denn die Lieder Thyls und Nivs unwankende Hoffnung.

Und das Gerücht und Gerede von Alverics Zug verbreitete sich über das Land und lief ihnen voraus, bis schließlich alle Menschen, an denen sie vorüberzogen, seine Geschichte kannten; und von einigen erfuhr er die Verachtung, die manche Menschen denen bezeigen, die all ihre Tage einem einzigen Ziel weihen, und von anderen ward er geehrt; doch alles, um was er bat, war Reisevorrat, und diesen kaufte er ihnen ab, wenn sie ihn brachten. So ging es immer weiter. Wie Gestalten einer Legende schon zogen sie hinter den Häusern hin und errichteten ihr graues unförmiges Zelt in den grauen Abenden. Sie kamen so still wie der Regen und gingen wie ziehende Nebel wieder fort. Es wurden Witze über sie gemacht und Lieder. Und die Lieder überdauerten die Witze. Und schließlich wurden sie zur Legende, die nun auf ewig durch die Gehöfte spukte: man sprach von ihnen, wenn Menschen von hoffnungslosen Zielen sprachen, und bedachte sie mit Gelächter oder Lob, wie die Menschen jeweils geartet waren.

Und die ganze Zeit sah der König von Elfenland zu; denn er wußte durch Zauber, wenn Alverics Schwert näherkam: es hatte sein Königreich einst hart bedrängt, und der König von Elfenland spürte den Duft des Donnerkeileisens alsbald, wenn die Luft davon erfüllt war. Er hatte seine Grenzen weit davor zurückgezogen und nichts als Öde hinterlassen, wo Elfenland zuvor gelegen; und obschon er nichts wußte von der Dauer der menschlichen Reisen, hatte er doch einen Raum gelegt zwischen sich und sie, den zu durchmessen einen Kometen ermüdet hätte, und so dünkte er sich rechtschaffen sicher.

Doch als Alveric mit seinem Schwert hoch im Norden dahinzog, löste der Elfenkönig den Griff, mit dem er Elfenland zurückgerissen, wie der Mond, der die Flut der Gezeiten abzieht, sie wieder zurückfließen läßt, und so raste auch Elfenland zurück wie die Flut über flachen Sand. Mit einem langen Band aus Zwielicht als Saum strömte es hin über die Felsenwüste; mit alten Liedern kam es, alten Träumen, und alten Stimmen. Und nach einer Weile lag die Zwielichtsgrenze blitzend und schimmernd wieder nahe den Gefilden, die wir kennen, wie ein endloser Sommerabend, der fortdauerte aus dem goldenen Zeitalter. Doch öd und fern im Norden, wo Alveric wanderte, dehnte sich immer noch grenzenlos das von Felsen bedeckte trostlose Land; nur zu Gefilden, von denen er und sein Schwert und seine abenteuerliche Schar weit entfernt waren, drang jene mächtige Rückkehr Elfenlands wieder vor. So daß dicht an des Lederwerkers Hütte und an den Gehöften seiner Nachbarn, drei Felder weit nur weg, das Land wieder lag, in dem sich alle Wunder sammelten und häuften, danach die Dichter unablässig suchen, das wahre Schatzhaus aller phantastischen Dinge; und die Elfenberge schauten heiter über die Grenze, als hätten ihre blaßblauen Gipfel sich nie von der Stelle gerührt. Und hier, entlang der Grenze, ästen die Einhörner, wie es ihre Gewohnheit war: sie ästen manchmal in Elfenland, das die Heimat aller Fabelwesen

148

ist, und weideten Lilien ab unter den Hängen der Elfenberge, und manchmal auch schlüpften sie durch die Zwielichtsgrenze am Abend, wenn all unsere Felder still geworden waren, um sich an irdischem Gras gütlich zu tun.
Und dies Verlangen nach irdischem Gras, das hin und
wieder über sie kommt, wie über den Rothirsch im Hoch-
gebirge einmal im Jahr das Verlangen nach dem Meer, ist
der Grund dafür, daß ihr Dasein, obwohl sie der Fabel
angehören durch ihre elfenländische Geburt, doch unter
den Menschen bekannt ist. Auch der Fuchs, in unseren
Gefilden geboren, streicht über die Grenze und taucht ins
Zwielicht zu gewissen Zeiten; daraus erwächst ihm der
Zauber, der ihn umgibt, wenn er zurückkehrt, heim in
unsre Lande. Auch er ist ein Fabelwesen, doch nur in Elfenland, wie hier das Einhorn Fabelwesen ist.

Und selten nur erblickte das Volk auf den Gehöften die
Einhörner, sei's auch nur undeutlich im Abenddämmer-
schein, denn seine Gesichter waren abgewandt von Elfenland auf immer. Elfenlands Wunder, seine Schönheit,
sein Glanz, seine Geschichte, das alles war nur etwas für
Gedanken, die Muße hatten, sich mit solchen Dingen ab-
zugeben; aber die Ernten brauchten diese Menschen, und
auch die Tiere, die nicht zum Fabelreich gehörten, und
das Dachstroh, und die Hecken, und noch tausend Dinge
sonst: nur eben grad gewannen sie am Ende jeden Jahres
ihren Kampf gegen den Winter: sie wußten wohl, daß,
wenn sie auch nur einen einzigen Gedanken für nur einen
einzigen Augenblick nach Elfenland wandten, dessen
Herrlichkeit sie alsbald packen und ihnen all ihre Muße
nehmen würde, und dann wäre ihnen keine Zeit mehr geblieben, das Dachstroh auszubessern oder die Hecken-
umzäunung oder die Äcker zu pflügen der Gefilde, die
wir kennen. Aber Orion lockte der Klang der Hörner, die
von Elfenland herüberbliesen am Abend und die zu ver-

nehmen ihn irgend eine elfische Empfänglichkeit seines
Gehörs für zauberische Dinge als einzigen in diesen ganzen Gefilden befähigte, und so kam er mit seinen Hunden
denn auch an ein Feld, über das die Zwielichtsgrenze lief,
und traf dort eines Abends spät auf die Einhörner. Und
indem er an einer Ecke des kleinen Feldes entlang-
schlüpfte, die Hunde trottend hinter sich, gelangte er zwischen ein Einhorn und die Grenze und schnitt es von Elfenland ab. Dies war das Einhorn, welches mit blitzen-
dem Nacken, von Schaumflocken bedeckt, die silbrig
leuchteten im Sternenlicht, keuchend, gehetzt und müde,
durchs Tal von Erl gerast kam wie eine Eingebung und
Erleuchtung, wie eine neue Dynastie für ein des Alten
und Gewohnten müdes Land, wie die Nachricht von einem glücklicheren Kontinent, den plötzlich zurückge-
kehrte Seefahrer in fernen Breiten gefunden.

ZWÖLF ALTE MÄNNER OHNE ZAUBER (NEUNZEHNTES KAPITEL). Nun geschehen nur wenige Dinge in einem Dorf, die nicht Gerücht und Gerede hinterlassen. So auch bei diesem Einhorn. Denn die drei Männer, die es hatten vorbeirasen sehen im Sternenlicht, erzählten davon alsbald ihren Familien, und von diesen liefen viele alsbald aus ihren Häusern, die gute Nachricht andern zu erzählen, denn alle Nachrichten, die von fremden Dingen handelten und sonderbaren, galten auch für gut in Erl, des Geredes wegen, das sie möglich machten; und das Reden wurde für erforderlich erachtet, wenn das Tagewerk vorüber war, sich die Abende damit zu vertreiben. So redeten sie denn lange auch von dem Einhorn.

Und einen Tag später oder zwei traf sich erneut in der Schmiede Narls das Parlament von Erl, setzte sich vor die Metbecher und diskutierte über das Einhorn. Und einige freuten sich sehr und sagten, Orion sei ein Zauberer, denn Einhörner seien von zaubrischem Geblüt und kämen von jenseits unserer Gefilde.

»So ist es denn am Tage«, sagte einer, »daß er in Ländern gewesen, von welchen zu sprechen uns nicht geziemt, und ist ein Zauberer, weil alle Dinge zaubrisch sind, welche von drüben stammen.«

Und einige stimmten zu und hielten dafür, daß ihre Hoffnungen Erfüllung gefunden.

Aber andere sagten, es sei das Tier, falls es ein Tier war, nur im Sternenlicht vorübergelaufen, und wer denn könne sich verbürgen, daß es ein Einhorn gewesen? Und einer sagte, bei Sternenlicht könne man überhaupt schwer sehen, und ein anderer sagte, Einhörner seien schwer zu bestimmen. Und dann fingen sie an, die Größe und Gestalt dieser Tiere zu erörtern und alle bekannten Legenden, die davon erzählten, und konnten sich doch nicht einig werden, ob ihr Herr nun ein Einhorn gejagt habe oder nicht. Bis schließlich Narl, der sah, daß sie auf diesem Wege nicht würden zur Wahrheit kommen, es aber für notwendig erachtete, den Vorfall ein für allemal zu klären, so oder so, sich erhob und ihnen sagte, es sei die Zeit für die Abstimmung gekommen. Und so stimmten sie ab, wie Narl es befohlen hatte, vermittels eines Verfahrens, welches darin bestand, daß Muscheln von verschiedener Farbe in ein Horn geworfen wurden. Und eine Stille trat ein, und Narl zählte. Und es ward durch Abstimmung festgestellt und geklärt, daß es kein Einhorn gegeben hatte.

Bekümmert sah das Parlament von Erl nun, daß ihre Pläne, einen Zauberer zum Herrn zu haben, fehlgeschlagen waren; sie waren alle alte Männer, und nachdem die Hoffnung, die sie so lange Zeit gehegt, zunichte geworden, wandten sie sich nicht gar so leicht mehr neuen Plänen zu, wie sie sich einst dem Plan zugewandt hatten, den sie vor so langer Zeit geschmiedet. Was sollten sie jetzt nur tun, fragten sie? Wie zu ihrem Zauber kommen? Was konnten sie anstellen, daß die Welt sich Erls erinnerte? Zwölf alte Männer ohne Zauber. Da saßen sie nun über ihrem Met, und auch er konnte ihre Traurigkeit nicht lichten.

Orion aber war mit seinen Hunden nahe der Stelle, da Elfenland zurückgeflutet war und sozusagen auf seinem höchsten Stande wogte, indem es mit seinen Wellen bis an das Gras reichte der Gefilde, die wir kennen. Er war am Abend dort hingegangen, als die Hörner deutlich herüberbliesen, ihn zu leiten, und wartete nun in aller Ruhe dort am Rande der Gefilde auf die Einhörner, daß sie sich über die Grenze stählen. Denn er jagte keine Hirsche mehr.

Und als er über die Felder ging am späten Nachmittag, da grüßten die Leute, die auf den Gehöften arbeiteten, ihn fröhlich und heiter; doch je weiter er nach Osten ging, desto weniger sprachen sie mit ihm, bis sie schließlich, als er sich der Grenze näherte und immer noch weiterschritt, nicht einmal mehr in seine Richtung blickten, sondern ihn und seine Hunde ihren eigenen Anschlägen überließen.

Und als die Zeit kam, da die Sonne sank, stand er ruhig an einer Hecke, welche unmittelbar hinüber in die Zwielichtsgrenze lief, die Hunde dicht um sich gesammelt unter der Hecke und voller Acht auf sie alle, daß keiner sich möchte regen. Und die Tauben kamen heimgeflogen zu den Bäumen der Gefilde, die wir kennen, und die Stare auch; und die Elfenhörner bliesen eine klare, silbern zaubrische Musik, welche die frostkalte Luft erschauern ließ, und alle Wolken wechselten plötzlich die Farbe; das war die Stunde, im schwindenden Licht, im Dunkeln der Farben, da Orion auf der Lauer lag und wartete, daß eine undeutliche weiße Gestalt heraustrat aus der Zwielichtsgrenze. Und an diesem Abend, grad als er mit der Hand einen der Hunde beruhigte, grad als die Felder bei uns dämmrig wurden, schlüpfte denn auch ein großes weißes Einhorn über die Grenze, im schmatzenden Maul noch Lilien, wie sie nimmer gewachsen sind in unseren Gefilden. Es trat, ein weißes Etwas auf vollkommen lautlosen Füßen, vier oder fünf Schritte weit in die Gefilde, die wir kennen, und stand dann dort, so still wie Mondenschein, und lauschte und lauschte und lauschte. Orion machte keine Bewegung, und auch die Hunde verhielten sich still, durch irgend eine Macht, die er über sie hatte,

153

oder aus eigener Klugheit. Und nach vielleicht fünf Minuten tat das Einhorn einen weiteren Schritt und noch einen und fing an, die langen süßen irdischen Gräser abzuweiden. Und sobald es das getan, kamen ihm andere nach durch die tiefblaue Zwielichtsgrenze, und plötzlich ästen dort ihrer fünf. Und immer noch stand Orion mit seinen Hunden wie angewurzelt und wartete.

Schritt um Schritt bewegten sich die Einhörner weiter von der Grenze fort, weiter und weiter gelockt in die Gefilde, die wir kennen, vom hohen satten Erdengras, auf dem sie nun alle fünf weideten im stillen Abend. Wenn ein Hund bellte, ja wenn auch nur ein verspäteter Hahn krähte, stellten sie alsbald ihre Ohren auf, und sie standen achtsam; sie trauten nichts und niemandem in den Gefilden der Menschen, noch wagten sie sich weit in sie hinein.

Doch endlich hatte sich das eine, das zuerst durch das Zwielicht gekommen war, so weit von seiner zaubrischen Heimat entfernt, daß Orion es hinterlaufen konnte, und seine Hunde folgten ihm alsbald. Und hätte Orion nur gespielt mit dem Wild, wäre er nur aus müßiger Laune auf die Jagd gegangen und nicht aus jener tiefen Liebe zum Waidwerk, die nur Jäger kennen, dann hätte er alles verloren: denn seine Hunde hätten unweigerlich die nächsten der Tiere verfolgt, und die wären im Nu über die Grenze gewesen und verloren, und hätten die Hunde ihnen nachgesetzt, so wären auch sie verloren gewesen und alle Mühen des Tages dahin für nichts. Aber Orion leitete seine Hunde an, das fernste Tier zu verfolgen, und achtete sorgsam darauf, daß keiner die anderen jagte; und auch nur einer setzte dazu an, doch war Orions Peitsche schon bereit. Und so schnitt er seiner Beute den Heimweg ab, und zum zweiten Mal hetzten seine Hunde mit lautem Gebell hinter einem Einhorn her.

Sobald das Einhorn die Füße der Hunde hörte und mit

154

einem einzigen Augenblitz sah, daß es seine verwunschene Heimat nicht mehr erreichen konnte, schoß es mit einem jähen Satz vorwärts und flog wie ein Pfeil hin über die Gefilde, die wir kennen. Wenn ihm eine Hecke in den Weg kam, so schien es gar nicht eigens die Glieder zu sammeln zum Sprung, sondern einfach darüber wegzugleiten mit reglosen Muskeln, um weiterzugaloppieren, sobald es wieder den Grasboden berührte.

Bei der ersten Hetze jetzt waren die Hunde Orion bald weit voraus, und dies setzte ihn in den Stand, das Einhorn abzudrängen, so oft es versuchte, das Zauberland im Bogen wieder zu erreichen; und bei solchen Versuchen kam er seinen Hunden immer wieder nahe. Und als Orion dem Einhorn zum dritten Mal den Weg abgeschnitten hatte, galoppierte es nun geradeaus davon und immer weiter so über die Felder der Menschen. Das Gebell der Hunde drang durch die Abendstille, wie quer über einen schlafenden See eine lange Kräuselwelle dem unsichtbaren Weg eines fremden Tauchers folgt. Bei dem gestreckten Galopp gewann das Einhorn soviel Vorsprung vor den Hunden, daß Orion es bald nur noch in weiter Ferne sah, als weißen Fleck, der sich im Dämmerlicht an einem Hang entlangbewegte. Dann erreichte es den Rand eines Tals und entschwand den Blicken. Aber der starke seltsame Duft, der die Hunde leitete wie ein Lied, blieb klar und deutlich im Gras, und niemals mußten sie zögern oder innehalten, es sei denn für einen Augenblick an Flüssen. Und selbst dort hatten ihre stöbernden Nasen den Zauberduft wieder aufgenommen, noch ehe Orion sie einholte, um ihnen beizustehen.

Und während die Jagd weiterging, schwand das Tageslicht dahin, bis der ganze Himmel bereit war für das Kommen der Sterne. Und es erschien ein Stern und noch ein zweiter, und dann stieg Nebel auf von den Flüssen und breitete sich weiß hin über alle Felder, bis sie das Einhorn auch dann nicht mehr hätten sehen können, wenn es dicht vor ihnen gewesen wäre. Die Bäume schienen zu schlafen. Sie kamen an kleinen Häusern vorüber, die einsam lagen, beschirmt von Ulmen, geschützt von hohen Eibenhecken vor denen, die durch die Felder streiften; es waren Häuser, von denen Orion nichts je gesehen oder gewußt, bis ihn der zufällige Lauf seines Einhorns plötzlich vor ihre Türen brachte. Hunde bellten, als sie vorüberjagten, und hörten lange nicht auf zu bellen, denn jener Zauberduft in der Luft und die Hetze und das Heulen der Meute sagten ihnen, daß etwas Sonderliches vor sich ging; und zuerst bellten sie, weil sie gern teilgenommen hätten an dem, was vor sich ging, und hernach dann, um ihre Herren zu warnen vor der Sonderlichkeit. Sie bellten lange durch den Abend.

Und einmal, als sie an einem kleinen Haus vorüberkamen, das inmitten alter Weißdornbüsche lag, ging plötzlich eine Tür auf, und eine Frau schaute hinaus, wer da vorbeiliefe: sie konnte nicht mehr als ein paar graue Gestalten gesehen haben, aber Orion sah in dem kurzen Augenblick, da er vorübereilte, den ganzen Glanz des Hauses und das gelbe Licht, das hinaus in die Kälte strömte. Die fröhliche Wärme ermunterte ihn, und er hätte gern ein Weilchen gerastet in dieser kleinen Menschenoase in den einsamen Feldern, aber die Hunde rasten weiter, und er folgte; und die in den Häusern hörten ihr Geheul vorüberziehen wie den Klang einer Trompete, dessen Echo zwischen den fernsten Bergen verklingt.

Ein Fuchs hörte sie kommen und stand ganz still und lauschte: zuerst war er stutzig und verwirrt. Dann witterte er das Einhorn, und da war ihm alles klar, denn der zaubrische Duft sagte ihm, daß da ein Etwas lief, das aus Elfenland stammte.

Doch wenn Schafe den Duft auffingen, packte sie ein Schrecken, und sie liefen alle dicht gedrängt durcheinander und davon, so lange bis sie nicht mehr laufen konnten.

Vieh sprang hoch aus dem Schlaf, starrte verträumt und wunderte sich; doch das Einhorn war im Nu vorbei und davon, wie ein rosenduftendes Lüftchen, das sich aus Talgärten in die Straßen einer Stadt verirrt hat, durch den lärmenden Verkehr schlüpft und wieder verschwindet.

Bald schauten alle Sterne auf die stillen Felder nieder, durch welche die Jagd ging mit ihrem Frohlocken, eine Linie schäumenden Lebens, das sich einen Weg bahnte durch Ruhe und Schlaf. Und nun gewann das Einhorn, obwohl es immer noch weit den Blicken entschwunden war, keinen Vorsprung mehr an jeder Hecke. Denn anfangs hatte es an den Hecken nicht mehr Geschwindigkeit verloren, als ein Vogel verliert, der durch eine Wolke fliegt, während die großen Hunde sich mühsam hindurchquälten, wo sie eine Lücke fanden, oder sich auf die Seite legten und sich zwischen den Buschstämmen hindurchschlängelten. Aber nun mußte es seine Kräfte bei jeder Hecke mit größerer Anstrengung zusammenreißen, und manchmal streifte es schon die oberen Zweige und strauchelte. Es galoppierte auch langsamer; denn das hier war eine Reise, wie sie kein Einhorn noch durch die tiefe Stille Elfenland hatte machen müssen. Und irgend etwas gab den ermüdeten Hunden das Gefühl, daß sie sich ihrer Beute näherten. Und neue Freude kam in ihre Stimmen.

Sie durchquerten ein paar weitere schwarze Hecken, und dann ragte vor ihnen das Dunkel eines Waldes auf. Als das Einhorn den Wald betrat, drangen die Stimmen der Hunde deutlich an sein Ohr. Zwei Füchse sahen es langsam getrottet kommen, und sie liefen an seine Seite, um zu sehen, was dem Zaubergeschöpf zustoßen werde, das da müde zu ihnen kam von Elfenland. Sie liefen zu beiden Seiten mit ihm weiter, hielten langsamen Schritt mit ihm und beobachteten es, und sie hatten keine Angst vor den Hunden, obwohl sie ihr Heulen hörten, denn sie wußten, daß nichts, was jenem zaubrischen Duft folgte, sich abwenden würde nach einem irdischen Tier. So mühte es sich weiter durch den Wald, und die Füchse beobachteten es neugierig auf seinem Weg.

Die Hunde drangen in den Wald ein, und die großen Eichen hallten wider von ihrem Geheul, und Orion folgte ihnen mit einer ausdauernden Geschwindigkeit, wie er sie vielleicht in unseren Gefilden erworben hatte, wenn sie ihm nicht über die Grenze von Elfenland zugewachsen war. Das Dunkel des Waldes war schier undurchdringlich, doch er folgte dem Geheul seiner Hunde, und sie wieder brauchten nicht zu sehen, nachdem jener wundersame Duft sie leitete. Sie hatten noch keinen Augenblick gezaudert, seit sie diesem Duft folgten, sondern waren immerfort weitergejagt durch Dämmerung und Sternenschein. Es war ganz anders als bei jeder Fuchs- oder Hirschjagd sonst; denn da kreuzt vielleicht ein anderer Fuchs die Spur des gejagten Fuchses, oder der Hirsch läuft durch eine Herde von Hirschen und Hindinnen; sogar eine Schafherde kann Hunde verwirren, wenn sie die Spur überquert, der sie folgen; dieses Einhorn aber war in jener Nacht das einzige Zauberwesen in all unseren Gefilden, und sein Duft lag unverkennbar über dem irdischen Gras: ein scharfer, stechender Geruch der Verzauberung inmitten der Alltagsdinge. Sie jagten es quer durch den Wald und hinunter in ein Tal, und die beiden Füchse waren immer noch an seiner Seite und beobachteten: es setzte die Füße sehr vorsichtig, als es den Hang hinunterlief, ganz als würde sein Körpergewicht ihnen schwer, doch seine Geschwindigkeit stand jener der Hunde noch in nichts nach, als sie ihm hinunterfolgten: unten wandte es sich nach links, sobald es die Talmulde erreicht, und lief ein kleines Stück darin entlang, doch da holten die Hunde auf, und so wandte es sich dem gegenüberliegenden Hang zu. Und dann ließ sich seine Erschöpfung nicht länger verhehlen, jene Erschöpfung, die doch alle wilden Tiere bis zum letzten zu verhehlen suchen; es quälte sich fortan bei jedem Schritt, so als trügen seine Beine schwer an seinem Körper. Und Orion sah es vom gegenüberliegenden Hang.

Und als das Einhorn die Anhöhe geschafft hatte, waren die Hunde so dicht hinter ihm, daß es sich jäh herumwarf mit seinem großen einen Horn und drohend vor ihnen stehen blieb. Da umringten die Hunde es mit wildem Gebell, doch das Horn schweifte und senkte sich mit so geschwinder Anmut, daß kein Hund zupacken konnte; sie erkannten den Tod, wenn sie ihn sahen, und so begierig sie auch waren, sich in die Beute zu verbeißen, sprangen sie doch zurück vor diesem blitzenden Horn. Dann kam Orion herauf mit seinem Bogen, doch schoß er nicht, zum einen vielleicht weil es schwer war für ihn, an seiner Meute vorbei einen sicheren Pfeil zu verschicken, zum andern vielleicht aber auch aus einem Gefühl heraus, wie wir es heute haben und das nichts Neues ist für uns: daß es nämlich ›unfair‹ gewesen wäre dem Einhorn gegenüber. Statt dessen zog er ein altes Schwert, das er trug, und bahnte sich einen Weg durch seine Hunde und stellte sich dem tödlichen Horn zum Kampf. Und das Einhorn bog den Nacken, und das Horn blitzte auf Orion zu; und so müde das Einhorn auch war, so mächtig war doch die Kraft geblieben in diesem Muskelnacken, den Stoß zu führen, den es im Sinne hatte, und Orion entging ihm mit knapper Not. Er holte zu einem Streich aus nach des Einhorns Kehle, doch das große Horn schlug ihm das

Schwert zur Seite und senkte sich erneut gegen ihn. Wieder parierte er mit der ganzen Kraft seines Arms und entging ihm nur um Haaresbreite. Und wieder schlug er nach der Kehle des Einhorns, und es parierte den Schwertstreich fast verächtlich. Wieder und wieder zielte das Tier nach Orions Herz; riesig und weiß drang es auf ihn ein und drängte ihn zurück. Der anmutsvoll gekrümmte Nacken mit seinem Bogen aus harten Muskeln, die das tödliche Horn trieben, ermüdete Orions Arm. Noch einmal schlug er zu und fehlte; er sah das Auge des Einhorns böse blitzen im Sternenlicht, er sah vor sich das blendende Weiß des furchtbaren Nackenbogens, er wußte, daß er die schweren Stöße nicht mehr würde abwehren können; und da gelang es einem Hund, sich vorn in der rechten Schulter des Tiers zu verbeißen. Und kaum ein Augenblick verging, bis nun mehrere andere Hunde das Einhorn ansprangen, ein jeder an wohlgewählter Stelle, und dann war das Ganze nur noch ein einziges Getümmel, das wild durcheinanderwirbelte. Orion ließ sein Schwert sinken, denn allzu viele Hunde waren auf einmal zwischen ihm und seines Feindes Kehle. Ein furchtbares Stöhnen kam von dem Einhorn, Laute, wie man sie nimmer hört in den Gefilden, die wir kennen; und dann war kein anderer Laut mehr zu vernehmen als das tiefe Knurren der Hunde, die sich in Fabelblut wälzten und tobten über dem herrlichen Aas.

EINE HISTORISCHE TATSACHE (ZWAN-
ZIGSTES KAPITEL). Von wilder Erregung und Triumph erfrischt, trat
Orion unter seine müden Hunde und
schwang die Peitsche und trieb sie
hinweg von dem toten Riesenleib, und
er ließ den Riemen in weitem Umkreis
um sich zischen, während er mit
der anderen Hand sein Schwert
packte und dem Einhorn den Kopf
abschlug. Er löste auch das Fell
des langen weißen Nackens und
brachte es so herunter, daß es
leer und lose hängen blieb an dem Kopf. Die ganze Zeit
bellten die Hunde wie wild und machten gierige Sprünge,
einer um den andern, den zaubrischen Kadaver zu erreichen, so oft sie eine Gelegenheit erspähten, der Peitsche
zu entgehen; so dauerte es recht lange, bis Orion seine
Trophäe hatte, denn er mußte mit der Peitsche gleich hart
arbeiten wie mit dem Schwert. Doch schließlich hatte er
sie sich an einem Lederriemen über die Schultern geschlungen, das große Horn emporgerichtet rechts neben
seinem Kopf, während das blutbefleckte Fell ihm über
den Rücken herabhing. Und als er das ins Werk gesetzt,
erlaubte er seinen Hunden, wieder über den Kadaver
herzufallen und sein herrliches Blut zu schmecken. Dann
rief er sie weg und blies eine Melodie auf seinem Horn
und wandte sich langsam heimwärts nach Erl, und sie
folgten ihm alle. Und die beiden Füchse stahlen sich her-
zu, um ebenfalls das wundersame Blut zu kosten, denn sie
hatten die ganze Zeit dagesessen und darauf gewartet.
    Als das Einhorn seinen letzten Berghang erstiegen,
hatte Orion eine solche Müdigkeit verspürt, daß er ihm
kaum noch weiter hätte folgen können, doch nun, da der

schwere Kopf ihm von den Schultern hing, war all seine Erschöpfung verflogen, und er schritt mit einer Leichtigkeit dahin, wie er sie sonst nur früh am Morgen hatte, denn dies war sein erstes Einhorn. Und auch die Hunde wirkten erfrischt, als habe das Blut, das sie geleckt, eine seltsame, fremdartige Kraft enthalten, und sie kamen in wilder Ausgelassenheit heim und tobten und machten Luftsprünge, wie sonst nur, wenn man sie frisch aus dem Zwinger gelassen.

So schritt Orion denn heim in der Nacht über die Hügel, bis er das Tal von Erl vor sich liegen sah, erfüllt vom Rauch der Herde, und nur im Fenster eines seiner Türme brannte noch ein spätes Licht. Und nachdem er auf vertrauten Wegen die Hänge hinuntergeschritten, brachte er seine Hunde zu ihren Zwingern; und kurz bevor die Dämmerung die Hügelhöhen berührte, blies er vor dem Seitentor seines Schlosses in sein Horn. Und als der betagte Wächter ihm öffnete, sah er über seinem Kopf rukkend das große Horn.

Es war dies das Horn, das in späteren Jahren als Geschenk des Papstes an König Franz gegangen ist. Benvenuto Cellini erzählt davon in seiner Lebensbeschreibung. Er teilt mit, wie Papst Clemens eines Tages nach ihm und einem gewissen Tobbia geschickt und ihnen befohlen habe, Entwürfe zu fertigen für die Fassung eines Einhorns, des schönsten, das man je gesehen. So mag man wohl Orions Entzücken ermessen, wenn das erste Einhorn, welches er überhaupt erlegte, noch Menschenalter später für das schönste galt, das man je gesehen, und in keiner geringeren Stadt denn Rom, wo alle Möglichkeiten bestanden, solche Dinge zu erwerben und zu vergleichen. Denn dem Papst muß ja eine ganze Anzahl dieser wundersamen Hörner zur Verfügung gestanden haben, wenn es heißt, daß er das schönste davon auswählte für sein Geschenk; aber in den schlichteren Tagen meiner Geschichte war diese Trophäe eine solche Seltenheit, daß Einhörner immer noch als Fabelwesen betrachtet wurden. Das Jahr des Geschenks für König Franz dürfte so um 1530 gewesen sein, und das Horn wurde in Gold gefaßt; der Auftrag ging übrigens an Tobbia und nicht an Benvenuto Cellini. Ich erwähne das Datum, weil es Leute gibt, die einer Erzählung wenig Wert beimessen, wenn sie sich nicht hier und da auf Geschichte stützt, und die selbst in der Geschichte mehr auf Tatsachen geben als auf Philosophie. Wenn ein solcher Leser den Schicksalen Orions bis hierher gefolgt ist, dürfte er jetzt längst nach einem Datum hungern oder einer historischen Tatsache. Was das Datum betrifft, so gebe ich ihm das Jahr 1530. Wohingegen ich als historische Tatsache jenes generöse Geschenk wähle, von dem Benvenuto Cellini berichtet, denn es mag wohl sein, daß ein solcher Leser sich just, als er zu den Einhörnern kam in unserm Buch, am weitesten von der Geschichte entfernt gefühlt hat und am einsamsten grad an diesem Punkt mit seinem Bedürfnis nach historischen Dingen. Welchen Weg das große Horn dann genommen hat vom Schlosse Erl, durch welche Hände es wanderte und wie es schließlich nach Rom kam, das zu erzählen wäre ein Buch für sich.

Hier brauche ich über das Horn nichts weiter zu sagen, als daß Orion den ganzen Kopf zu Threl trug, der die Fellhaut abzog und wusch und den Schädel stundenlang kochte und dann die Haut wieder überzog und den Nakken mit Stroh ausstopfte; und Orion gab der Trophäe den festen Platz unter allen Köpfen, die in der hohen Halle hingen. Und das Gerücht lief alsbald durch ganz Erl, so schnell wie ein Einhorn galoppiert, und kündete von dem schönen Horn, das Orion gewonnen. So daß sich das Parlament von Erl erneut in Narls Schmiede zusammenfand.

Da saßen sie am Tisch und debattierten über das Gerücht; aber auch andere außer Threl hatten den Kopf bereits gesehen. Und zuerst hielten noch manche, um alter Stimmspaltung willen, an ihrer Meinung fest, es könne nicht die Rede sein von einem Einhorn. Sie tranken Narls guten Met und ereiferten sich gegen das Untier. Aber nach einer Weile, ob sie nun Threls Argument überzeugte oder ob sie, wie es wahrscheinlich ist, aus Großzügigkeit nachgaben, einer Großmut, die wie eine liebliche Blume aus dem süßen Met erwuchs, jedenfalls erschlaffte die Opposition gegen das Einhorn nach einer Weile immer mehr, und als man zur Abstimmung schritt, stellte sich heraus, daß Orion ein Einhorn erlegt hatte, welches er hierher gejagt von jenseits der Gefilde, die wir kennen.

Und darüber waren nun alle froh und jauchzten; denn endlich erblickten sie den Zauber, nach dem es sie verlangt hatte und für den sie Pläne geschmiedet vor so vielen Jahren, als sie alle noch jünger gewesen waren und hatten mehr Hoffnung gehabt in ihren Plänen. Und sobald die Entscheidung gefallen war, brachte Narl weiteren Met auf den Tisch, und sie tranken weiter nach Kräften, um den glücklichen Anlaß zu würdigen: denn endlich, so sagten sie, war der Zauber über Orion gekommen, und gewißlich erwartete Erl nun eine glorreiche Zukunft. Und das lange Zimmer und der Kerzenschein und das freundliche Einvernehmen und das erquickliche Labsal des Mets machten es ihnen leicht, ein kleines Stückchen vorwärts zu blicken in die künftige Zeit und in ihr ein Jahr zu sehen, das noch nicht gekommen war, und Ruhm und Glanz in nur noch kleiner Entfernung. Und sie sprachen wieder von den Tagen, die nun soviel näher waren, da die fernsten Lande hören würden von dem Tal, das sie liebten: sie sprachen vom Ruhm der Gefilde von Erl, der sich fortpflanzen würde von Stadt zu Stadt. Der eine pries das Schloß, ein anderer die riesig hohen Hügel, ein dritter das Tal selbst, wie verborgen es liege vor aller Welt, ein anderer die lieben malerischen Häuser, die in alten Zeiten erbaut, ein wieder anderer die Tiefe der Wälder, die über der Himmelslinie lagen; und alle sprachen von der Zeit, da die weite Welt hören würde von dem allem, aufgrund des Zaubers, der in Orion wohnte; denn sie wußten, daß die Welt ein rasch bereites Ohr hat für den Zauber und sich allzeit gerne dem Wunderbaren zuwendet, mag sie sonst auch dem Schlafe nahe sein. Sie ergingen sich in höchsten Tönen, priesen den Zauber, erzählten einander abermals von dem Einhorn und prahlten mit der Zukunft Erls, als plötzlich die Türe aufging und der Befreier vor ihnen stand. Er stand da in seinem langen weißen Gewand mit dem malvenlila Besatz, im Rahmen der Tür, die Nacht hinter sich. Als sie aufblickten im Licht ihrer Kerzen, konnten sie sehen, daß er ein Sinnbild um den Hals trug, an einer goldenen Kette. Narl hieß ihn willkommen, einige rückten einen weiteren Stuhl an den Tisch; er aber hatte sie von dem Einhorn reden hören. Er erhob die Stimme, wo er stand, und sprach sie an. »Verflucht seien die Einhörner«, sagte er, »und alle ihre Wege und alle Dinge, die da zaubrisch sind!«

In der heiligen Scheu, die plötzlich den behaglichen Raum verwandelt hatte, schrie einer: »Meister! Fluche uns nicht!«

»Guter Befreier«, sagte Narl, »wir haben kein Einhorn gejagt.«

Aber der Befreier hob dennoch die Hand gegen die Einhörner und fluchte ihnen. »Verflucht sei ihr Horn«, schrie er, »und die Stätte, da sie weilen, und verflucht seien die Lilien, davon sie sich mästen, und alle Lieder, die da erzählen von ihnen! Verflucht seien sie mit allen Wesen, welche nicht können zum Heil gelangen.«

Er hielt inne, um ihnen Gelegenheit zu geben, sich von den Einhörnern loszusagen, blieb aber weiter unter der Tür stehen und richtete sein Auge streng in den Raum. Und sie dachten an das weiche und glatte Fell des Einhorns, an seine Hurtigkeit, an die Anmut seines Nackens und überhaupt an seine undeutliche Schönheit, wie sie an ihnen vorbeigeblitzt, als es am Abend durch Erl gekommen. Sie dachten an sein stämmiges und ehrfurchtgebietendes Horn; sie entsannen sich alter Lieder, die von ihm erzählten. Sie saßen in unbehaglicher Stille da und wollten sich nicht lossagen von dem Einhorn.

Und der Befreier wußte, was sie dachten, und er hob abermals die Hände im Kerzenschein, die Nacht hinter sich. »Verflucht sei ihre Schnelligkeit«, sagte er, »und ihr weißes glattes Fell; verflucht sei ihre Schönheit und was sie sonst haben an Zauber; verflucht sei überhaupt alles, was da wandelt kraft zaubrischer Ströme.«

Und immer noch sah er in ihren Augen eine weilende Liebe zu den Dingen, die er verbot, und so hörte er noch nicht auf. Noch lauter erhob er die Stimme und fuhr fort, das Auge streng auf ihre verwirrten Gesichter gerichtet: »Und verflucht seien die Trolle und Elfen, die Kobolde und Feen auf Erden, die Hippogryphen und Pegasusse in der Luft und alle Stämme des Meervolks unter den Wassern! Unsere heiligen Bräuche verbieten sie! Und verflucht seien alle Zweifel, alle absonderlichen Träume, alle Phantasien! Und vom Zauber möge sich alles Volk wenden, das echt und recht ist! Amen!«

Er wandte sich jäh herum und war in die Nacht hinaus. Ein Wind stob um die Tür und schlug sie dann zu. Und der große Raum in Narls Schmiede war wieder ganz so, wie er vor wenigen Augenblicken gewesen, doch die behagliche Stimmung darin schien auf einmal getrübt und verödet. Und dann erhob sich Narl am Ende des Tisches und brach das düstere Schweigen, indem er sprach. »Haben wir darum vor so langer Zeit unsere Pläne geschmiedet«, sagte er, »und unser Vertrauen gesetzt auf den Zauber, daß wir uns jetzt sollten lossagen von den Zauberwesen und fluchen unsern Nachbarn, dem harmlosen Volk jenseits der Gefilde, die wir kennen, und den lieblichen Wesen der Luft und den Liebsten der toten Seeleute, die da wohnen unter den Meereswellen?«

»Nein, nein«, sagten da einige. Und sie sprachen dem Met wieder zu.

Und dann stand einer auf, das Methorn hoch erhoben, und dann noch einer und noch wieder einer, bis alle standen, aufrecht, rund um das Kerzenlicht. »Zauber!« schrie einer. Und die übrigen nahmen den Schrei einmütig auf und schrien alle: »Zauber!«

Der Befreier auf seinem Heimweg aber hörte den Zauber-Schrei, und er schlug sein geweihtes Gewand enger um sich und umklammerte fester seine heiligen Dinge, und sprach einen Bannfluch, der ihn bewahrte vor unvermuteten Dämonen und den zweifelhaften Wesen des Nebels.

AM RANDE DER WELT (EINUNDZWANZIGSTES KAPITEL). An diesem Tag ließ Orion seine Hunde ausruhen. Aber am nächsten Tag stand er früh auf und ging zu den Zwingern und machte die freudig erregten Hunde los im leuchtenden Morgen und führte sie hinaus aus dem Tal und über die Hügel, der Zwielichtsgrenze abermals entgegen. Und er nahm seinen Bogen nicht mehr mit, sondern nur sein Schwert noch und seine Peitsche; denn er hatte Freude gefunden an der Freude seiner fünfzehn Hunde, da sie das einhörnige Ungetüm jagten, und hatte das Gefühl, daß er teilnahm an der Freude eines jeden von ihnen; während dagegen ein Pfeilschuß nur eine Einzelfreude war.

Den ganzen Tag lang streifte er über die Felder, grüßte einen Bauern hier und da oder einen Feldarbeiter und empfing auch von ihnen Gruß und Weidmanns Heil. Doch als der Abend kam und er nahe der Grenze war, grüßten ihn immer weniger Menschen, wenn er vorbeiging, denn sein Weg führte ersichtlich zu einer Stätte, dahin niemand mehr die Schritte lenkte und nicht einmal die Gedanken. So ging er einsam, doch ermutigt von seinen eifrigen Gedanken und glücklich in der Gesellschaft seiner Hunde; und beide, seine Gedanken wie seine Hunde, lechzten nach der Jagd.

Und so kam er denn wieder an die Zwielichtsgrenze, wo die Hecken der Menschengefilde ausmündeten und seltsam fremd wurden und undeutlich in einem Schein, der nicht von unserer Erde war, und schließlich im Zwielicht verschwanden. Er blieb mit seinen Hunden dicht hinter einer dieser Hecken stehen, grad wo sie die Grenze berührte. Das Licht auf dieser Hecke war, wenn überhaupt wie etwas auf unserer Erde, wie die neblige Trübe, die auf einer nur über ein Feld weg gesehenen Hecke blitzt, wenn sie vom Regenbogen berührt wird: am Himmel steht der Regenbogen klar, doch wenn man über ein weites Feld nach ihm blickt, ist sein Ende kaum zu sehen; stattdessen hat eine himmlische Sonderbarkeit die Hecke berührt und verwandelt. In solchem Licht nun glühte der letzte der Hagedorne, der auf den Feldern der Menschen wuchs. Und gleich dahinter lag wie ein flüssiger Opal, durchzogen von wandernden Lichtern, die Grenze, welche kein Mensch durchschauen kann und kein Laut durchdringt als der Ton der Elfenhörner, und dieser auch nur für die Ohren ganz weniger Menschen. Die Hörner bliesen auch jetzt und durchbrachen die Grenze aus Dämmerlicht und Schweigen mit dem zaubrischen Widerklang ihres silbernen Tons, der alle Dinge, die dazwischenlagen, zu durchschlagen schien, um an Orions Ohr zu dringen, ganz wie das Sonnenlicht den Äther durchschlägt, die Täler des Monds zu erleuchten.

Die Hörnerklänge erstarben, und nichts mehr flüsterte herüber von Elfenland; und alle Laute hinfort waren die eines irdischen Abends. Doch selbst diese wurden immer leiser und weniger, und trotzdem wollte sich kein Einhorn zeigen.

Ein Hund bellte weit in der Ferne: ein Fuhrwerk, einziger Laut auf einer leeren Straße, zog müde heimwärts: ein Mensch sprach irgendwo auf einem Feldweg und ließ die Stille dann ungebrochen, denn Worte schienen das Schweigen zu verletzen, das über all unseren Gefilden lag. Und in dem Schweigen lauerte Orion vor der Grenze und harrte der Einhörner, die nimmer kamen und von denen er doch jeden Augenblick eines durchs Zwielicht

169

treten zu sehen hoffte. Aber er hatte unklug gehandelt, indem er zur nämlichen Stelle gekommen war, da er die fünf Einhörner vor erst zwei Tagen getroffen. Denn von allen Kreaturen sind die Einhörner die vorsichtigsten und hüten ihre Schönheit vor dem Auge des Menschen mit nimmer nachlassender Wachsamkeit; sie verbringen den ganzen Tag jenseits der Gefilde, die wir kennen, und betreten sie, selten genug auch, nur am Abend, wenn alles still geworden ist, und mit der äußersten Umsicht, und wagen sich selbst dann kaum über die Ränder hinaus. Daß solche Tiere zweimal am selben Fleck zu treffen sein könnten, innerhalb zweier Tage, mit Hunden dazu, nachdem man eines von ihnen gejagt und getötet, das war weit unwahrscheinlicher, als Orion dachte. Aber sein Herz war voller Triumph ob seiner Jagd, und so lockte der Schauplatz ihn wieder an, wie es solche Schauplätze an sich haben. Und nun lauerte er vor der Grenze und wartete, daß eins dieser großen Geschöpfe stolz hindurchgeschritten kam, eine greifbare Gestalt aus dem ungreifbar schillernden Farbenspiel. Und kein Einhorn wollte erscheinen.

Und da er so stand dort, lange und lange, begann die wundersame Grenze ihn zu verlocken, bis seine Gedanken schweifend den wandernden Lichtern folgten und Sehnsucht ihn überkam nach den Gipfeln von Elfenland. Und es wußten gar wohl um diese Verlockung, die auf den Gehöften wohnten allüberall am Rande der Gefilde, die wir kennen, und weise hielten sie auf immer abgewandt den Blick von jenem Wunder, das da so nah mit seiner Farbenpracht gleich hinter ihren Häusern lag. Denn es war darin eine Schönheit, wie sie nicht ist in unsern Feldern allen; und schon den Kindern jener Bauern wird gesagt, wie ihnen, hüteten sie sich nicht vor jedem Blick auf die dort wandernden Lichter, schier keine

Freude bleiben werde an den guten Feldern, den schönen braunen Ackerfurchen oder den Weizenwogen oder an irgendwelchen Dingen hier bei uns; sondern es würden ihre Herzen fern sein von hier bei elfischen Dingen und allzeit sich sehnen nach unbekannten Bergen und nach den Wesen dort, die ohne den Segen des Befreiers.

Und da er so stand jetzt, im Blassen des irdischen Abends, haarscharf am Rande jenes Zauberzwielichts, da schwanden auf einmal die Erdendinge aus seinem Gedächtnis, und jäh ging all sein Trachten nur noch nach Elfendingen. Und von allem Volk, das die Pfade der Menschen gewandelt, entsann er sich einzig seiner Mutter, und plötzlich wußte er, als hätte das Zwielicht es ihm gesagt, daß sie verwunschen war und er aus zaubrischem Stamm. Und es hatte ihm dies nie einer erzählt, doch wußte er's jetzt.

Jahrelang schon hatte er so manchen Abend überlegt und gegrübelt, wohin seine Mutter wohl gegangen sein könnte: er hatte nachgedacht in einsamer Stille, und keiner wußte die Gedanken des Kindes: und nun schien eine Antwort gleichsam in der Luft zu hängen; es war ihm, als befinde sie sich ein kleines Stück entfernt nur jenseits des verzauberten Zwielichts, das jene Gehöfte von Elfenland trennte. Er tat drei Schritte und kam zur Grenze selbst; sein Fuß stand am äußersten Rand der Gefilde, die wir kennen: vor seinem Gesicht lag die Grenze wie ein Nebel, in dem alle nur erdenklichen Perlenfarben gemessen tanzten. Ein Hund hatte Laut gegeben bei seinen Schritten; die Meute wandte die Köpfe und beäugte ihn; er blieb stehen, und sie beruhigten sich wieder. Er versuchte durch die Nebelschranke zu blicken, sah aber nichts als wandernde Lichter, gebildet vom gehäuften Zwielicht Tausender von geendeten Tagen, die durch Zauber bewahrt worden waren, die Schranke dort zu bilden. Dann

rief er nach seiner Mutter, hinweg über die mächtige
Kluft, jene wenigen Schritte luftigen Zwielichts über den
Feldern, auf deren einer Seite die Erde lag mit den Behausungen der Menschen und ihrer Zeit, welche wir nach
Minuten messen und Stunden und Jahren, und auf der
anderen Elfenland mit seiner anderen Zeit. Er rief zweimal nach ihr und lauschte und rief dann abermals; doch
keinerlei Ruf oder auch nur Flüstern kam zurück aus Elfenland. Da spürte er denn die Größe der Kluft, die ihn
von ihr trennte, und wußte, daß diese Kluft riesig war und
dunkel und mächtig, ganz wie die Klüfte, die unsere Zeiten vom vergangenen Tage trennen oder die zwischen
dem Alltagsleben liegen und den Dingen des Traums
oder zwischen den Menschen, welche die Scholle bebau-
en, und den Helden des Liedes oder zwischen den Lebenden und denen, die sie betrauern. Und die Grenzschranke
blinkte und funkelte, als könnte ein so luftiges Ding doch
nie und nimmer verlorene Jahre scheiden von jener flie-
henden Stunde, die da heißt Jetzt.

So stand er da, die Rufe der Erde schwach hinter sich im
späten Abend, im zarten Glühen des weichen irdischen
Dämmerns, und vor sich, dicht vor dem Gesicht, die tiefe
Stille Elfenlands und, schimmernd in fremder Schönheit,
die Grenze, die diese Stille schuf. Und nun dachte er keinen Augenblick mehr an irdische Dinge, sondern starrte
nur noch hinein in den Trennwall aus Zwielicht, wie Propheten, die sich abgeben mit verbotenen Lehren, in wol-
kige Kristalle starren. Und alles, was elfisch war in Orions
Blut, alles, was er an Zauber hatte von seiner Mutter,
ward angelockt und versucht und gerufen von den kleinen
Lichtern der aus Zwielicht errichteten Schranke. Er
dachte an seine Mutter, die in einsamer Seelenruhe
wohnte jenseits der taumelnden Zeit, er dachte an die
Herrlichkeiten Elfenlands, ihm undeutlich bekannt aus

172

zaubrischen Erinnerungen, die er von seiner Mutter empfangen. Die kleinen Rufe des irdischen Abends hinter
sich beachtete er nicht mehr, noch hörte er sie. Und mit
all diesen kleinen Rufen waren verloren ihm auch die
Wege und Nöte der Menschen, die Dinge, die sie planen,
die Dinge, um die sie sich mühen und auf die sie hoffen,
und all die kleinen Dinge, die ihre Geduld vollbringt. Im
neuen Wissen, welches ihm zugekommen war vor dieser
glitzernden Grenze, dem Wissen, daß er von zaubrischem
Blute war, befiel ihn alsbald die Sehnsucht, der Zeit die
Treue aufzukündigen und die Lande zu verlassen, die unter der Herrschaft der Zeit lagen und ewig seufzten unter
ihrer Tyrannei, sie zu verlassen mit nicht mehr als fünf
kurzen Schritten und einzugehen in das alterslose Land,
darin seine Mutter saß bei ihrem Vater, indessen er re-
gierte auf seinem Nebelthron in jener Halle von verwir-
render Schönheit, die zu erahnen nur das Lied versucht.
Nicht länger war Erl seine Heimat, nicht länger der Weg
der Menschen auch sein Weg: nie mehr auf ihre Felder
seine Füße! Aber die Gipfel der Elfenberge waren ihm
jetzt, was der Willkomm der Strohdachtraufen dem irdischen Arbeiter ist, am Feierabend; die Fabelwelt, das
Unirdische, war für Orion Heimat. So sehr hatte die
Zwielichtsgrenze, zu lange geschaut, ihn verzaubert; um
soviel zaubermächtiger war sie als jeder Erdenabend.

Wohl gibt es Menschen, die vielleicht lange hineinge-
starrt haben in das Zwielicht und sich dann doch davon
abwandten; nicht so jedoch Orion; denn obschon der
Zauber Macht hat, weltliche Dinge verwunschen zu machen, fügen sie sich ihm doch nur schwerfällig und langsam, während bei Orion alles, was zaubrisch war in seinem Blut, dem Zauber Antwort blitzte, der da leuchtete
in der Umwallung Elfenlands. Er war aus den seltensten
Lichtern erschaffen, die in den Lüften wandern, und aus

173

den schönsten Sonnenstrahlen, die unsere Gefilde verwundern, wenn sie im Gewitter durch die Wolken blitzen, und aus den Nebeln kleiner Flüsse und der Glut der Blumen im Mondenschein und allen Enden unserer Regenbögen mit ihrer Schönheit und Magie, und insgleichen aus den Dämmerungsresten von Abenden, die ein betagter Geist sich lang im Gedächtnis bewahrt. In diese Verzauberung trat er nun, um allen Weltdingen Valet zu geben; doch als sein Fuß das Zwielicht berührte, da streckte ein Hund, der hinter ihm gesessen unter der Hecke, so lange zurückgehalten von der Jagd, ein wenig seinen Körper und gab einen jener leisen Laute der Ungeduld von sich, die bei den Menschen am ehesten einem Gähnen ähneln. Und alte Gewohnheit ließ Orion den Kopf wenden bei diesem Laut, und er sah den Hund und trat für einen Augenblick zu ihm und tätschelte ihn und wollte ihm schon Lebewohl sagen; doch da waren alle anderen Hunde um ihn, beschnüffelten seine Hand und blickten ihm ins Gesicht. Und da er so stand dort unter seinen ungeduldigen Hunden, da ward er, der doch vor einem Augenblick noch von Fabeldingen geträumt hatte, mit Gedanken, die hingeschweift waren über die zaubrischen Lande und hatten die verwunschenen Gipfel der Elfenberge erklommen, ganz plötzlich vom Ruf dessen gepackt, was irdisch war in seiner Abstammung. Es war nicht so, daß ihm etwa mehr gelegen hätte an der Jagd denn an seiner Mutter dort jenseits der nagenden Zeit, in den Landen ihres Vaters, die lieblicher waren, als je ein Lied gekündet; es war auch nicht so, daß er seinen Hunden zu sehr wäre zugetan gewesen, als daß er sie hätte verlassen können; sondern seine Väter waren, Menschenalter um Menschenalter, der Jagd nachgegangen, wie seiner Mutter Geschlecht zeitlos der Zauberei; und die Lockung des Zaubers war stark, solange er auf Zauberdinge blickte, und ebenso

174

stark war nun die alte irdische Macht, die ihn zum Jagen rief. Die herrliche Zwielichtsgrenze hatte sein Sehnen nach Elfenland gezogen, doch im nächsten Augenblick schon ward ihm durch seine Hunde der Sinn gewandt: es ist schwer für uns alle, sich dem Zugriff äußerer Dinge und Wesen zu entziehen.

Ein paar Augenblicke lang stand Orion nachdenklich unter seinen Hunden; er versuchte sich zu entscheiden, welchen Weg er einschlagen sollte, er suchte abzuwägen zwischen der leichten müßigen Zeitlosigkeit, die über den unbeschwerten Rasengründen von Elfenland hing und seinen stillen Herrlichkeiten, und der guten braunen Scholle der Erde mit ihren Weidewiesen und kleinen Hecken. Aber die Hunde umringten ihn, schnüffelten, winselten, blickten ihm in die Augen und sprachen zu ihm, wenn Schwänze und Pfoten und große braune Augen sprechen können, und was sie sagten, war: »Fort! Fort!« In solchem Tumult zu denken, war unmöglich; er konnte sich nicht entscheiden, und da bekamen denn die Hunde ihren Willen, und gemeinsam zogen sie los, er und sie, heim über die Gefilde, die wir kennen.

ORION BESTELLT EINEN PIKÖR (ZWEI- UNDZWANZIGSTES KAPITEL). Und viele Male wieder ging Orion, während der Winter dahinschwand, mit seinen Hunden wieder zu der wunderbaren Grenze und wartete dort, während das irdische Zwielicht blaßte; und manchmal sah er die Einhörner hindurchkommen, gewitzt und schweigend, wenn unsere Gefilde still geworden, groß herrliche Gestalten ganz aus Weiß. Doch er brachte keine Horntrophäen mehr heim zum Schloß von Erl, noch jagte er wieder über die Gefilde, die wir kennen; denn die Einhörner taten nur noch ein paar wenige Schritte auf unser Gebiet, wenn sie kamen, und Orion vermochte nicht eines von ihnen mehr zu hinterlaufen. Als er es einmal versuchte, hätte er fast all seine Hunde verloren, und einige waren bereits in die Grenze selbst geraten, als seine Peitsche sie eben noch einholte; zwei kleine Ellen weiter, und der Klang seines irdischen Horns hätte sie nimmermehr erreicht. Dies war es, was ihn lehrte, daß bei aller Gewalt, die er hatte über seine Hunde, und obschon etwas Zauberisches war in dieser Gewalt, doch ein einzelner Mann ohne Hilfe nicht jagen konnte mit Hunden so nahe jener Grenze, hinter der ein jeder, der vielleicht hinüberstreunte, alsbald verloren war auf immer.

Nach dieser Erfahrung fing Orion an, die jungen Burschen in Erl am Abend bei ihren Spielen zu beobachten, bis er ihrer drei ausgekundet hatte, die an Schnelligkeit und Kraft alle übrigen zu übertreffen schienen; und zwei von ihnen wählte er sich aus, daß sie seine Piköre würden.

Er ging zu des einen Hütte, als die Spiele vorüber waren und grad die Lichter angegangen, eines hochgewachsenen Burschen mit großer Gliederschnelligkeit; der Bursche und seine Mutter waren da, und beide standen vom Tisch auf, als der Vater die Tür öffnete und Orion hereinkam. Und fröhlich fragte Orion den Burschen, ob er wohl würde mit den Hunden kommen mögen und eine Peitsche tragen und achtgeben, daß keiner sich verliefe. Und eine tiefe Stille trat ein. Sie alle wußten, daß Orion seltsame Tiere jagte und seine Hunde an seltsame Stätten mitnahm. Keiner dort hatte je einen Schritt hinausgetan über die Gefilde, die wir kennen. Der Bursche hatte Angst, das müsse er nun tun. Seinen Eltern war es in der Seele verhaßt, ihn gehen zu lassen. So ward denn schließlich die Stille von Entschuldigungen gebrochen und gemurmelten Ausflüchten und unvollendeten Sätzen, und Orion sah ein, daß der Bursche nicht mit ihm kommen würde.

Da ging er denn zum Haus des anderen. Dort war ein Tisch gedeckt, mit zwei Kerzen darauf. Zwei alte Frauen saßen daran mit dem Burschen beim Abendessen. Und Orion teilte ihnen mit, wie er dringend einen Pikör brauche, und bat den Burschen, doch mit ihm zu kommen. In diesem Haus war die Angst noch auffälliger. Die alten Frauen schrien mit einer Stimme, daß der Bursche noch viel zu jung sei, daß er nicht so gut mehr laufen könne wie früher, daß er nicht würdig sei solch einer großen Ehre, und daß die Hunde ihm nimmer würden trauen. Und noch viel mehr als dieses sagten sie, bis sie schließlich ganz unlogisch wurden. Orion verließ sie und ging zum Haus des dritten. Dort war es dasselbe. Die Älteren hatten sich Zauber ersehnt für Erl, doch da er nun auf sie zukam, verstörte der bloße Gedanke daran die Leute in ihren Hütten. Keiner wollte seinen Sohn freigeben zu einem Unternehmen, dessen Ziel sie nicht kannten, keiner wollte zu tun haben mit Dingen, welche das Gerücht, gleich einem großen und finsteren Schatten, so grimmig vergrößert hatte im Weiler Erl. So war Orion allein mit seinen Hunden, wenn er mit ihnen aus dem Tal zog und ostwärts ging über unsere Felder, dahin das Erdenvolk nimmer die Schritte lenkte.

Es war spät im Monat März, und Orion schlief in seinem Turm, als hoch zu ihm herauf von unten tief, schrill klar im frühen Morgen, der Ruf seiner Pfauen drang. Auch das Blöken der Schafe droben auf den Hügeln kam, ihn zu wecken, und Hähne krähten lärmend überall, denn der Frühling sang durch die sonnige Luft. Er stand auf und ging zu seinen Hunden; und bald sahen Arbeiter ihn die steile Seite des Tals hinaufgehen, all seine Hunde hinter sich: ein Gewirr lohbrauner Flecken inmitten des Grüns. Und so schritt er hin über die Gefilde, die wir kennen. Und so kam er, noch ehe die Sonne untergegangen, zu jenem Streifen Land, von welchem alle Menschen sich abwandten, wo im Westen die Menschenhäuser standen, auf Feldern von fettem braunem Lehm, und im Osten die Elfenberge leuchteten, hoch über der Zwielichtsgrenze.

Er ging mit seinen Hunden an der letzten Hecke entlang, zur Grenze hinunter. Und kaum war er dort angekommen, so sah er, wie ein Fuchs ganz in der Nähe aus dem Zwielicht geschlüpft kam zwischen Erde und Elfenland und ein paar Ellen weit am Rande unserer Felder entlanglief und dann wieder zurückschlüpfte. Und Orion dachte sich gar nichts dabei, denn es ist die Art des Fuchses, gelegentlich das Grenzgebiet von Elfenland aufzusuchen und dann wieder zurückzukehren zu unseren Feldern: daher es auch kommt, daß er uns etwas bringt, was keine unserer Städte ahnt. Aber bald tauchte der Fuchs erneut aus dem Zwielicht auf und lief ein kleines Stück und war dann wieder hinter der leuchtenden Schranke verschwunden. Da gab Orion denn acht, was der Fuchs als nächstes tun werde. Und ein weiteres Mal erschien dieser in den Gefilden, die wir kennen, und drückte sich dann ins Zwielicht zurück. Und die Hunde lagen ebenfalls auf der Lauer, zeigten aber kein Verlangen, ihn zu jagen, denn sie hatten Fabelblut geschmeckt.

Orion ging an der Zwielichtslinie entlang, in der Richtung, in welcher der Fuchs jeweils gelaufen war, und seine Neugier nahm zu, je öfter der Fuchs erschien und wieder verschwand. Die Hunde folgten ihm langsam und verloren bald ihr Interesse an dem, was der Fuchs tat. Und dann erklärte sich auf einmal alles, denn plötzlich kam nun Lurulu aus dem Zwielicht gehüpft, und der Troll stand da auf unseren Feldern: er war es gewesen, mit dem der Fuchs gespielt.

»Ein Mensch«, sagte Lurulu laut zu sich selbst oder zu seinem Gefährten, dem Fuchs, und er sagte es in der Trollsprache. Und jäh alsbald entsann sich Orion des Trolls, der einst in seine Kinderstube gekommen war, mit seinem kleinen Zauber gegen die Zeit, und von Schrank zu Schrank gesprungen und an der Decke hin und hatte Ziroonderel in Zorn gebracht, weil sie um ihr Steingut fürchtete.

»Der Troll!« sagte er, ebenfalls in der Trollsprache; denn seine Mutter hatte sie ihm zugemurmelt als Kind, wenn sie ihm Märchen erzählte von Trollen und sang ihm ihre uralten Lieder.

»Wer ist denn das da, der die Trollsprache kennt?« sagte Lurulu.

Und Orion nannte ihm seinen Namen, doch dieser sagte Lurulu nichts. Er hockte sich aber hin und stöberte ein Weilchen in dem, was bei den Trollen unserem Gedächtnis entspricht; und nachdem er allerlei triviales Erinnerungszeug durcheinandergewürfelt hatte, das dem Zahn der Zeit entgangen war in den Gefilden, die wir kennen, und auch der schlaffen Stille der wechsellosen Zeiten in Elfenland, traf er auf einmal auf seine Erinnerung an Erl; und er blickte Orion abermals an und begann nachzudenken. Und in diesem selben Augenblick nannte Orion dem Troll den erlauchten Namen seiner Mutter. Alsbald vollführte Lurulu das, was bei den Trollen von Elfenland bekannt ist als die Erniedrigung der fünf Punkte; will meinen, er neigte sich tief zu Boden und berührte ihn mit beiden Knien, beiden Händen und mit der Stirn. Dann sprang er mit einem hohen Satz in die Luft wieder auf; denn Ehrerbietung war ein Gefühl, das es in seinem Geist nicht lange aushielt.

»Was tust du hier in den Gefilden der Menschen?« fragte Orion.

»Spielen«, sagte Lurulu.

»Und was tust du in Elfenland?«

»Der Zeit zuschauen«, sagte Lurulu.

»Das würde mir keinen Spaß machen«, sagte Orion.

»Weil du's noch nie gemacht hast«, sagte Lurulu. »Man kann der Zeit nicht zuschauen in den Gefilden der Menschen.«

»Warum nicht?« fragte Orion.

»Weil sie zu schnell läuft.«

Orion dachte ein Weilchen darüber nach, konnte sich aber keinen Reim darauf machen; denn weil er noch niemals fortgewesen war von den Gefilden, die wir kennen, kannte er nur einen einzigen Schritt der Zeit und hatte so keine Vergleichsmöglichkeiten.

»Wie viele Jahre sind über dir vergangen«, fragte der Troll, »seit wir uns unterhalten haben in Erl?«

»Jahre?« fragte Orion.

»Hundert vielleicht?« riet der Troll.

»Fast zwölf«, sagte Orion. »Und bei dir?«

»Bei mir ist immer noch Heute«, sagte der Troll.

Und Orion wollte nicht länger von der Zeit reden, denn es lag ihm nichts an der Diskussion über ein Thema, von dem er offensichtlich weniger wußte als ein gewöhnlicher Troll.

»Willst du eine Peitsche tragen«, fragte er, »und mit meinen Hunden laufen, wenn wir das Einhorn jagen über die Gefilde, die wir kennen?«

Lurulu blickte forschend nach den Hunden und sah ihnen prüfend in die braunen Augen: die Hunde wandten dem Troll zweifelnde Nasen zu und schnüffelten neugierig.

»Es sind Hunde«, sagte der Troll, in einem Ton, als spräche das gegen sie. »Aber sie haben angenehme Gedanken.«

»Dann wirst du also die Peitsche tragen«, sagte Orion.

»Hm, ja. Ja«, sagte der Troll.

So gab Orion ihm an Ort und Stelle seine eigene Peitsche und blies in sein Horn und ging fort vom Zwielicht und wies Lurulu an, die Hunde zusammenzuhalten und ihm nachzubringen.

Und den Hunden war der Anblick des Trolls unbehaglich, und sie schnüffelten wieder und wieder, konnten ihn aber nicht menschlicher machen, als er war, und zeigten Unwillen, einem Wesen zu gehorchen, das nicht größer war als sie. Sie liefen aus Neugier zu ihm hin und liefen aus Ekel wieder von ihm fort und streunten aus reinem Ungehorsam herum. Aber die unbegrenzten Mittel dieses flinken Trolls waren so leicht nicht lahmzulegen: ganz plötzlich fuhr die Peitsche hoch, und sie wirkte dreimal so groß in dieser winzigen Hand, die Schnur sauste und traf die Nase eines Hundes genau auf die Spitze. Der Hund jaulte, blickte dann sehr verwundert drein, und die übrigen verhielten sich unbehaglich still: sie müssen den Treffer für einen Zufall gehalten haben. Aber wieder sauste die Peitschenschnur und traf eine weitere Nasenspitze; und da sahen die Hunde denn, daß es doch kein Zufall war, was die schmerzhaften Treffer bewirkte, sondern ein tödlich unfehlbares Auge. Und von dem Zeitpunkt an zollten sie Lurulu Verehrung, obwohl er so ganz und gar nicht menschlich roch.

So gingen Orion und seine Meute am späten Abend heim, und kein Schäferhund hätte seine Herde auf der von Wölfen heimgesuchten Hochebene dichter und sicherer beisammenhalten können, als Lurulu die Meute beisammenhielt: er war fast überall zugleich, auf beiden Flanken oder hinter ihnen, wo immer einer sich absonderte, und konnte direkt über die Meute weg von Seite zu Seite springen. Und die blaßblauen Elfenberge entschwanden dem Blick, noch ehe Orion sich auch nur hundert Schritt von der Grenze entfernt hatte, denn ihre dunkellosen Gipfel wurden verhüllt von der irdischen Finsternis, die sich weithin vertiefte über den Gefilden, die wir kennen.

Sie gingen heimwärts, und bald erschien über ihnen die wandernde Vielzahl unserer erdsichtbaren Sterne. Lurulu blickte hin und wieder zu ihnen empor, um sie zu bestaunen, wie wir alle es zu Zeiten einmal getan haben; aber in der Hauptsache widmete er seine Aufmerksamkeit den Hunden, denn nun, da er sich in irdischen Gefilden befand, waren ihm auch die Dinge der Erde wichtig geworden. Und nicht ein einzigesmal tanzte einer der Hunde aus der Reihe, ohne daß ihn alsbald Lurulus Peitsche ereilte, mit ihrer winzigen Explosion auf vielleicht der Schwanzspitze; da stob dann ein wenig Staub auf, aus winzigen Teilchen von Haar und Peitschenschnur; und der Hund jaulte und lief unter die anderen, und die ganze Meute wußte, daß wieder einer der unfehlbaren Treffer gelandet war.

Eine bestimmte Anmut mit der Peitsche, eine bestimmte Sicherheit im Zielen und Treffen erwirbt sich, wenn man ein Leben lang damit umgegangen ist; erwirbt sich, sagen wir, in zwanzig Jahren. Und manchmal erbt sich's in Familien fort; und das ist dann besser als viele Jahre Praxis. Doch weder Jahre der Praxis noch die Peitschengewohnheit im Blut können jene Treffsicherheit vermitteln, die nur eines vermitteln kann; und dies eine ist Zauber. Das Sausen der Schnur, so jäh wie ein plötzliches Augenwenden, ihr Niederblitzen auf einen vorgewählten Punkt, so sicher wie das eines bloßen Blicks, das beides war nicht von dieser Erde. Und obschon die Treffer der Peitsche für Menschen, die vorüberkamen, nach kaum mehr ausgesehen haben mögen als dem Werk eines irdischen Jägers, wußten die Hunde selber doch allesamt genau, daß mehr darin war als nur dies, ein Etwas von jenseits unserer Gefilde.

Es lag schon ein Hauch der Frühdämmerung am Himmel, als Orion das Dorf Erl wieder erblickte unter sich, mit seinen Rauchsäulen von frühen Feuern, und mit seinen Hunden und seinem neuen Pikör den Talhang hinunterstieg. Frühe Fenster blinkten ihn an, als er die Straße hinunterschritt und in die Stille und Kälte der leeren Zwinger kam. Und als die Hunde sich alle ins Stroh gekuschelt hatten, suchte und fand er einen Platz für Lurulu, einen verfallenen Speicher, auf dem Säcke lagerten und ein paar Haufen Heu: aus dem Taubenschlag gegenüber waren ein paar der Tauben ausgeflogen und hockten in Reihen auf den Dachsparren. Dort ließ Orion Lurulu zurück und ging zu seinem Turm, fröstelnd vor Mangel an Schlaf und Nahrung und müde, wie er es nicht gewesen wäre, hätte er ein Einhorn gefunden; aber das laute Geschwätz des Trolls bei ihrer Begegnung an der Grenze hatte es aussichtslos gemacht, an diesem Abend noch auf die wachsamen Tiere zu lauern. Orion schlief ein. Doch der Troll saß noch lange in dem verfallenen Speicher auf seinem Bündel Heu und beobachtete den Gang der Zeit. Durch Ritzen in den alten Fensterläden sah er die Sterne vorüberziehen; er sah sie blassen: er sah das andere Licht sich ausbreiten: er sah das Wunder des Sonnenaufgangs: er fühlte die Finsternis des Speichers, der erfüllt war vom Gurren der Tauben; er folgte ihren rastlosen Wegen mit den Augen: er hörte, wie sich wilde Vögel rührten in nahen Ulmen und Menschen draußen im Morgen und Pferde und Wagen und Kühe, und wie sich alles verwandelte, je mehr der Morgen wuchs. Ein Land des Wechsels! Die morschen Bretter auf dem Speicher, das Moos draußen in den Mörtelfugen, das alte faulende Balkenwerk, alles schien dieselbe Geschichte zu erzählen. Wechsel überall und nirgends Beständigkeit. Er dachte an die uralte Ruhe, welche die Schönheit Elfenlands umfing. Und dann dachte er an den Stamm der Trolle, den er verlassen, und überlegte, was sie denken würden von den Wegen der Erde. Und die Tauben schraken jäh zusammen vor dem wild schallenden Gelächter, das Lurulu ausstieß.

Als der Tag weiter seinen Lauf nahm und Orion immer noch in tiefem Schlaf lag und selbst die Hunde ein Stückchen weiter still in ihren Zwingern hockten und das Kommen und Gehen von Menchen und Wagen drunten so gar nichts zu schaffen hatte mit dem Troll, begann Lurulu sich einsam zu fühlen. So dicht gesät sind die Trolle in den Tälern, die sie bewohnen, daß keiner sich einsam fühlt dort. Sie sitzen dort schweigend herum, freuen sich der Schönheit Elfenlands oder ihrer eigenen unverschämten Gedanken, und nur in ganz seltenen Augenblicken, wenn Elfenland einmal aufgestört wird aus seiner tiefen natürlichen Ruhe, schallt ihr Gelächter durch das Tal. Sie sind nicht einsamer dort, als Kaninchen es sind. Aber auf allen Erdengefilden gab es nur einen einzigen Troll; und dieser Troll fühlte sich einsam. Die Tür des Taubenschlags stand offen, lag aber zehn Fuß von der Tür des Heuspeichers entfernt und gut sechs Fuß höher. Zum Heuspeicher führte eine Leiter empor, mit Eisenklampen an der Mauer befestigt; aber gar nichts stellte eine Verbindung zu dem Taubenschlag her, denn es sollten keine Katzen ihren Weg dorthin nehmen. Aus der Öffnung drang das Murmeln überschäumenden Lebens, und das zog den einsamen Troll nun an. Der Sprung von Tür zu Tür war eine Kleinigkeit für ihn, und er landete im Taubenschlag in seiner gewöhnlichen Haltung, mit einem unverschämten Willkommensblick im Gesicht. Aber die Tauben flatterten mit schwirrenden Schwingen zu den Fenstern hinaus, und der Troll war immer noch einsam.

Er mochte den Taubenschlag, sobald er seiner ansichtig wurde. Ihm gefielen die Zeichen wimmelnden Lebens, die er sah, die hundert kleinen Häuschen aus Schiefer und Mörtel, die Myriaden Federn und der schale Geruch. Er mochte die uralte Behaglichkeit des verschlafenen Schlags und die riesigen Spinnweben, die in den Ecken hingen, beladen mit Jahren und Jahren von Staub. Er wußte nicht, was Spinnweben waren, da er sie nie gesehen hatte in Elfenland, doch er bewunderte die handwerkliche Qualität ihrer Ausführung.

Das hohe Alter des Taubenschlags, das die Ecken mit Spinnweben gefüllt und den Verputz in großen Stücken von der Wand gebrochen hatte, so daß sich das rötliche Ziegelwerk darunter zeigte, und das die Latten im Dach freigelegt und sogar die Schieferdeckung darüber, gab dem verträumten Ort ein Gepräge, gar nicht unähnlich der Ruhe Elfenlands; aber drunten und überall in der Runde spürte Lurulu die Rastlosigkeit der Erde. Selbst das Sonnenlicht, das durch die kleinen Luftlöcher auf die Wand fiel, bewegte sich.

Nicht lange, so ertönte das Schwingengeschwirr der zurückkehrenden Tauben und der Krach ihrer Krallenfüße auf dem Schieferdach über ihm, aber sie kamen noch nicht gleich wieder herein, in ihre Behausung. Er sah den Schatten dieses Daches auf einem anderen Dach unter sich und die rastlosen Schatten der Tauben an seinem Rand. Er bemerkte die graue Flechte, die den größten Teil des unteren Daches bedeckte, und die sauber runden Flecken aus jüngerer gelber Flechte auf der formlosen Masse aus Grau. Er hörte eine Ente quaken, langsam, sechs oder sieben Mal. Er hörte, wie unter ihm ein Mann in den Stall kam und ein Pferd davonführte. Ein Hund erwachte und bellte laut. Ein paar Dohlen, aufgestört von irgend einem Turm, flogen hoch in der Luft vorüber mit lärmenden Stimmen. Er sah große Wolken ziehen über die Spitzen ferner Berge. Er hörte eine Wildtaube rufen aus einem benachbarten Baum. Ein paar redende Menschen gingen vorüber. Und nach einer Weile stellte er zu seiner Verwunderung fest, was zu bemerken er bei seinem früheren Besuch in Erl keine Muße gehabt hatte, nämlich daß sich sogar die Häuserschatten bewegten; denn er sah, daß der Schatten des Daches, unter dem er saß, ein wenig weitergerückt war auf dem Dach darunter, hin über die graue und gelbe Flechte. Unaufhörliche Bewegung und unaufhörlicher Wechsel! Er verglich dies, voller Verwunderung, mit der tiefen Stille seiner Heimat, wo der Augenblick sich langsamer bewegte als die Häuserschatten hier und nicht eher vorüberging, als bis die volle Zufriedenheit, mit der ein Augenblick ausgestattet ist, daraus abgezogen war von einem jeglichen Geschöpf in Elfenland.

Und dann kamen die Tauben mit rauschendem Schwingengeschwirr zurück. Sie kamen von den Zinnenspitzen des höchsten Turms in Erl, auf dem sie ein Weilchen Schutz gesucht, da sie sich behütet fühlten von seiner großen Höhe und seinem grauen Alter vor dem fremdartigen neuen Wesen dort, vor dem sie sich fürchteten. Sie kamen zurück und setzten sich auf die Simse ihrer kleinen Fenster und blickten wie mit einem einzigen Auge herein nach dem Troll. Manche waren ganz weiß, aber die grauen hatten regenbogenfarbige Hälse, kaum weniger schön zu schauen als die Farben, welche den Glanz Elfenlands bildeten; und Lurulu verlangte es sehr nach ihrer zierlichen Gesellschaft, so argwöhnisch sie auch herüberblickten in die Ecke, in der er friedlich saß. Und als diese rastlosen Kinder einer rastlosen Luft immer noch nicht hereinkommen wollten, suchte er sie mit eben jener Rastlosigkeit zu erfreuen, an die sie gewöhnt waren und von der er glaubte, daß alles Volk, das in unseren Gefilden wohnte, Freude daran haben müßte. Er sprang ganz plötzlich auf; er schnellte mit einem Satz auf eins der aus Schiefer gebauten Taubenhäuschen oben an der Wand; er flog hinüber zur nächsten Wand und zurück auf den Boden; aber da schwirrten schon wieder die Schwingen, und die Tauben waren fort. Und ganz langsam begriff er, daß die Tauben der Stille den Vorzug gaben.

Ihr Flügelrauschen kehrte bald zum Dach zurück; ihre Füße trafen kratzend wieder auf den Schiefer; doch in ihren Schlag kamen sie nun doch längere Zeit erst nicht. Und der einsame Troll blickte aus den Fenstern und betrachtete die Wege der Erde. Er sah eine Bachstelze leichtfüßig über das Dach drunten hüpfen; er sah ihr zu, bis sie wieder verschwand. Und dann kamen zwei Spatzen, um ein paar Körner aufzupicken, die auf den Boden gefallen waren: er beobachtete auch sie. Jedes der Tiere war eine vollkommen neue Gattung für den Troll, und er zeigte, als er ihren Bewegungen folgte, nicht mehr Interesse, als wir es aufwenden, wenn wir einem gänzlich unbekannten Vogel begegnen. Als die Spatzen fort waren, quakte wieder die Ente, und zwar mit solcher Bedächtigkeit, daß Lurulu die nächsten zehn Minuten dem Versuch widmete, sich zu deuten, was sie sagte, und obschon er dann davon abließ, weil andere Interessen ihn in Anspruch nahmen, hatte er doch das sichere Gefühl, daß es etwas Wichtiges war. Dann kamen die Dohlen wieder vorbeigestürmt, aber ihre Stimmen klangen leichtfertig und nichtig, und Lurulu zollte ihnen keine sonderliche Aufmerksamkeit mehr. Nach den Tauben, die nicht heimkommen wollten, horchte er lange hinauf, ohne den Versuch, sich zu deuten, was sie gurrten, doch zufrieden mit der Art, wie die Tauben ihr Problem abhandelten; er hatte das Gefühl, daß sie ihre Lebensgeschichte erzählten und daß alles in Ordnung war. Und da er dem leisen Geschwätz der Tauben so lauschte, drängte sich ihm der Eindruck auf, daß die Erde schon ziemlich lange bestehen müsse.

Jenseits der Dächer ragten die hohen Bäume empor, laublos bis auf die immergrünen Eichen und einige Lorbeerbäume und Kiefern und Eiben und den Efeu, der die Stämme umrankte; die Buchenknospen standen kurz vorm Aufbrechen: und das Sonnenlicht glitzerte und blitzte auf den Knospen und Blättern, und Efeu und Lorbeer leuchteten. Ein Lüftchen strich vorbei und mit ihm eine Flocke Rauch aus einem nahen Kamin. In einiger Entfernung sah Lurulu eine riesige graue Steinmauer, die einen im Sonnenschein schlafenden Garten umgrenzte; und bunt in der Sonne sah er einen Schmetterling vorbeisegeln und niederschwirren, als er zu dem Garten kam. Und dann sah er zwei Pfauen langsam vorüberschreiten. Er sah, wie der Schatten der Dächer den unteren Teil der leuchtenden Bäume dunkelte. Er hörte einen Hahn krähen irgendwo, und auch ein Hund gab wieder Laut. Und dann ging ein plötzlicher Schauer auf die Dächer nieder, und auf einmal hatten die Tauben es sehr eilig, nach Hause zu kommen. Sie ließen sich draußen abermals auf ihren kleinen Fenstern nieder und spähten seitlich nach dem Troll herein; Lurulu verhielt sich sehr still diesmal; und nach einer Weile gelangten die Tauben, obwohl sie sahen, daß er keineswegs einer der Ihren war, zu der einhelligen Überzeugung, daß er nicht zur Familie der Katzen gehörte, und kehrten schließlich auf den Laufsteg zu ihren winzigen Häuschen zurück, um dort ihre wunderlich uralte Geschichte wieder aufzunehmen. Und Lurulu spürte Verlangen, sich mit ein paar wunderlichen Troll-Geschichten erkenntlich zu zeigen, aus dem gehüteten Legendenschatz Elfenlands, mußte aber feststellen, daß er sich ihnen in der Trollsprache nicht verständlich machen konnte. So saß er da und lauschte ihrem Geschwätze, bis es ihm so vorkam, als versuchten sie damit die Rastlosigkeit der Erde irgendwie einzulullen, und er dachte, es sei vielleicht ihre Absicht, vermittels einschläfernder Beschwörung die Zeit selbst mit einem Bann zu belegen, durch den sie verhindert wurde, ihren Nestern Schaden zu tun; denn die Macht der Zeit war ihm noch nicht ganz klar geworden, und er wußte noch nicht, daß nichts in unsern Gefilden Gewalt hat über die Zeit, sich wider sie zu behaupten. Die Nester der Tauben waren auf den Ruinen alter Nester erbaut, auf einer festen Unterlage von zerbröckelten Dingen, welche die Zeit geschaffen in diesem Taubenschlag, wie draußen die Erdschichten Ruinen waren von Bergen. Ein so riesiger und unaufhörlicher Verfall war dem Troll noch nicht begreiflich, denn sein scharfer Verstand hatte bisher nur die Aufgabe gehabt, ihn durch die schläfrige Stille Elfenlands zu leiten, und er befaßte sich mit Überlegungen von geringerer Größenordnung. Denn da er sah, daß die Tauben sich friedlich verhielten jetzt, sprang er zurück zu seinem Heuspeicher und kehrte mit einem Heubündel wieder, welches er in einer Ecke niederlegte, um es sich dort bequem zu machen. Als die Tauben dieser Unternehmung gewahr wurden, blickten sie ihn wieder von der Seite an, wobei sie höchst sonderbar mit den Hälsen ruckten, entschieden sich am Ende aber doch, den Troll als Logiergast anzunehmen; und er rollte sich auf seinem Heu zusammen und lauschte der Geschichte der Erde, die er in der Geschichte der Tauben vermutete, obschon er ihre Sprache nicht verstand.

Aber der Tag nahm seinen Fortgang, und Hunger überkam den Troll, viel früher, als er's von Elfenland gewohnt, wo er, selbst wenn er hungrig war, nichts weiter zu tun hatte, als hinaufzulangen und nach den Beeren zu greifen, die tief von den Bäumen hingen, die in den Wäldern wuchsen, die am Rande der Trolltäler standen. Und eben weil die Trolle sie essen, wann immer Hunger sie überkommt, was allerdings selten geschieht, heißen diese wunderlichen Früchte Trollbeeren. So sprang er denn nun aus dem Taubenschlag hinunter und sauste draußen herum, um überall in der Runde nach Trollbeeren zu suchen. Und es waren überhaupt nirgends Beeren zu finden, denn für Beeren gibt es, wie wir sehr wohl wissen, nur eine einzige Jahreszeit; es ist das einer der Streiche, die uns die Zeit spielt. Aber daß sämtliche Beeren auf Erden für eine längere Weile gänzlich unvorhanden sein sollten, war für den Troll zu erstaunlich, als daß er es hätte begreifen können. Er befand sich zwischen lauter Bauerngehöften, und alsbald erblickte er eine Ratte, die langsam durch einen dunklen Schuppen humpelte. Er verstand nichts von der Rattensprache; aber es ist eine sonderbare Sache, wenn zwei Leute dasselbe im Sinn haben: ein jeder weiß sofort, worauf der andere aus ist, sobald er ihn nur sieht. Wir sind alle ja teilweise blind für anderer Leute Beschäftigungen, aber wenn wir jemanden begegnen, der die nämliche Bestrebung hat wie wir, so scheinen wir das irgendwie zu wissen, auch ohne daß es uns mitgeteilt worden ist. Und so wußte auch Lurulu in genau dem Augenblick, da er die Ratte in dem Schuppen sah, daß sie nach Nahrung suchte. Er folgte der Ratte still. Und bald kam die Ratte zu einem Sack Hafer, und ihn zu öffnen, kostete sie nicht mehr, als man braucht, um eine Erbsenschote zu knacken, und sie tat sich in aller Ruhe an dem Hafer gütlich.

»Ist er gut?« fragte der Troll in seiner Trollsprache.

Die Ratte warf ihm einen unschlüssigen Blick zu; sie registrierte seine Ähnlichkeit mit dem Menschen und andererseits seine Unähnlichkeit mit Hunden. Aber insgesamt war die Ratte nicht befriedigt von dem, was sie sah, und nach einem weiteren langen Blick wandte sie sich schweigend ab und verließ den Schuppen. Da machte sich Lurulu über den Hafer her und fand, daß er gut war.

Als er genug davon zu sich genommen hatte, kehrte der Troll zum Taubenschlag zurück und saß dort eine lange Weile lang an einem der kleinen Fenster und schaute hinaus über die Dächer nach den seltsamen neuen Wegen der Zeit. Und der Schatten an den Bäumen stieg höher, und das Glitzern war verschwunden vom Lorbeer und von allen tieferen Blättern. Und es wandelte sich das Licht auf dem Efeu und den Steineichen von Silbrig zu blassem Gold. Und der Schatten stieg immer noch höher. Die ganze Welt war voller Wechsel.

Ein alter Mann mit einem langen schmalen weißen Bart kam langsam zu den Zwingern und öffnete die Tür und ging hinein und fütterte die Hunde mit Fleisch, das er aus einem Schuppen geholt hatte. Der ganze Abend klang wider vom Geheul der Hunde. Und dann kam der alte Mann wieder heraus, und sein langsames Davonschlurfen machte dem wachsamen Troll die Rastlosigkeit der Erde gar noch augenfälliger.

Und dann kam langsam ein Mann, der ein Pferd in den Stall führte unter dem Taubenschlag; und er ging wieder weg und ließ das Pferd fressen. Die Schatten waren noch höher jetzt an Wänden und Dächern und Bäumen. Nur die Wipfel und die Spitze eines hohen Glockenturms hatten noch Licht. Die rötlichen Knospen an den hohen Buchen glühten jetzt wie matte Rubine. Und eine große Heiterkeit kam in den blaßblauen Himmel, und kleine, müßig treibende Wölkchen wandelten sich darin zu flammendem Orange, an dem vorbei die Saatkrähen heimwärts flogen, zu irgend einer Baumgruppe am Fuß der Hügel. Es war ein friedvolles Bild. Und doch erschien

dem Troll, während er so hinausschaute aus dem modri-
gen Verschlag inmitten von Generationen von Feldern,
der Krach der Krähen und ihre den Himmel überdrän-
gende Menge, das matte unablässige Malmen des fres-
senden Pferds, das müßige Geräusch gelegentlicher
heimwärts trabender Füße und das langsame Schließen
von Toren und Gattern alles nur als Beweis dafür, daß
nichts je rastete in den Gefilden, die wir kennen; und das
verschlafene faule Dörfchen, das da im Tal von Erl vor
sich hin träumte und das nicht mehr von andern Landen
wußte als von seiner eigenen Geschichte, erschien dem
schlichten Troll als wahrer Wirbel der Rastlosigkeit.

Und nun war das Sonnenlicht auch von den höchsten
Stellen verschwunden, und ein erst wenige Tage alter
Mond schien über dem Taubenschlag; er war für Lurulu
von seinem Fenster aus nicht zu sehen, erfüllte aber die
Luft mit einer seltsam neuen Färbung. Und all diese
Wechsel verwirrten den Troll, so daß ihm für ein Weil-
chen der Gedanke kam, nach Elfenland zurückzukehren;
aber dann kam ihm auch wieder die Grille, die anderen
Trolle in Staunen zu versetzen, und während ihm diese
Grille noch im Kopf herumspukte, schlüpfte er hinunter
aus dem Verschlag und zog los, Orion zu suchen.

LURULU ERZÄHLT VON DER ERDE UND DEN WEGEN
DER MENSCHEN (VIERUNDZWANZIGSTES KAPITEL).
Der Troll hatte Orion gefunden in seinem
Schloß und ihm seinen Plan unterbreitet.
Der Plan lief, kurz gesagt, darauf hinaus,
daß sie mehr Peitschen brauchten für die
Meute. Denn eine allein reichte einfach
nicht aus, sämtliche Hunde am
Streunen zu hindern, wenn sie
zur Zwielichtsgrenze gingen, wo
nur ein paar Ellen entfernt sich
Räume breiteten, aus denen ein
Hund, wenn er überhaupt je wieder-
kam, wie verlorene Hunde es am Abend tun, jedenfalls
nur gänzlich von Alter verschmutzt und abgenutzt wie-
derkam für seine halbe Stunde Streunen. Ein jeder Hund,
sagte Lurulu, sollte seinen eigenen Troll haben, der ihn
führte und mit ihm lief, wenn er jagte, und ihm zu Dien-
sten war, wenn er hungrig und schmutzig heimkam. Und
Orion hatte alsbald eingesehen, welchen unvergleichli-
chen Vorteil es brachte, wenn jeder Hund von einem auf-
geweckten, wenn auch winzigen Verstand beaufsichtigt
wurde, und Lurulu den Auftrag erteilt, die nötigen Trolle
zu besorgen. Und während die Hunde nun, auf Brettern
dicht zusammengekuschelt, in ihren jeweiligen Zwingern
schliefen, denn Hunde und Hündinnen wohnten in ge-
trennten Häusern, jagte der Troll hin über die Gefilde,
die wir kennen, durch eine Dämmerung, die am Rand des
Mondlichts zitterte, das winzige Gesicht nach Elfenland
gewandt.
Er kam an einem weißen Bauernhaus vorüber, mit einem kleinen Fenster, das ihm hell gelb aus einer vom
Mondschein blaßblau getönten Wand entgegenleuchtete.
Zwei Hunde schlugen an und stürzten heraus, ihn zu ja-

194

gen, und an jedem anderen Tag hätte der Troll ihnen ein paar Streiche gespielt und sie zum Narren gehalten, doch jetzt erfüllte die Mission, die er hatte, seinen Geist bis zum Rand, und er schenkte ihnen nicht mehr Beachtung, als ein Distelhaarschopf sie beachtet hätte an einem windigen Septembertag, sondern lief weiter in flinken Sprüngen über die Halmspitzen der Gräser, bis seine Verfolger keuchend weit hinter ihm zurückgeblieben waren.

Und lange noch ehe die Sterne zu blassen begannen im ersten Hauch der Frühdämmerung, kam er zu der Schranke, die unsere Gefilde trennt von der Heimat solcher Wesen, wie er eines war, und indem er einen Sprung tat, hinaus aus der irdischen Nacht und hoch hinüber durch die Zwielichtsgrenze, begrüßte er auf allen Vieren seinen Heimatboden im alterslosen Tag von Elfenland. Durch die herrliche Schönheit der schweren Luft, die selbst unsere Seen bei Sonnenaufgang in den Schatten stellt und all unsere Farben erblassen läßt, sauste er alsbald weiter, erfüllt von den Neuigkeiten, mit denen er seine Bekannten in Erstaunen zu versetzen gedachte. Er kam zu den Heidemooren der Trolle, die dort in ihren wunderlichen Behausungen wohnen, und stieß noch im Laufen jene spitzen Schreie aus, mit denen die Trolle ihr Volk zusammenrufen; und er kam zu dem Wald, in dem die Trolle sich Wohnungen gebaut haben in den Stämmen riesiger Bäume; denn es gibt Waldtrolle und Moortrolle, zwei miteinander verwandte und in Freundschaft lebende Gattungen; und dort gab er abermals die spitzen Sammelschreie von sich. Und alsbald entstand ein heftiges Blumenrascheln in den Tiefen des Walds, als bliesen alle vier Winde zugleich, und das Rascheln wurde stärker und stärker, und dann erschienen die Trolle und lagerten sich einer nach dem andern um Lurulu. Und immer noch wuchs das Rascheln und erfaßte den ganzen Wald, und immer mehr braune Trolle strömten zusammen und lagerten sich um Lurulu. Aus zahllosen Baumstämmen und dichten Farnmulden kamen sie herangepurzelt und von den hohen dünnen Gomaks fern auf den Mooren, um den elfenländischen Ausdruck für jene absonderlichen Behausungen zu verwenden, für die es keinen irdischen Namen gibt: Gebilde aus grauem tuchartigen Material, das wie ein Zelt um einen Pfahl drapiert ist. Sie sammelten sich um ihn in dem trüben, doch glitzernden Licht, das die Farnwedel jener Zauberbäume durchflutete, deren hochragende Stämme noch unsere ältesten Kiefern ausstachen, und auf den Dornspitzen von Kakteen leuchtete, von denen unsere Welt sich kaum etwas träumen läßt. Und als die braune Masse der Trolle vollzählig versammelt war dort und der Waldboden aussah, als sei ein Herbst über Elfenland gekommen, verirrt aus den Gefilden, die wir kennen, und als das Rascheln sich gelegt hatte und die Stille wieder so tief war, wie sie seit Menschenaltern gewesen, sprach Lurulu zu ihnen und erzählte ihnen Geschichten von der Zeit.

Nie zuvor noch hatte man solche Geschichten gehört in Elfenland. Wohl waren Trolle schon früher drüben gewesen in den Gefilden, die wir kennen, und voll Verwunderung zurückgekommen; aber Lurulu war in Erl mitten unter den Menschen gewesen; und in diesem Dorf, so erzählte er den Trollen, bewegte sich die Zeit mit wundersamerer Geschwindigkeit, als sie es je im Gras der Erdenfelder getan. Er erzählte, wie das Licht sich bewegte, erzählte von den Schatten, erzählte, wie die Luft weiß sei und hell und blaß; er erzählte, wie die Erde ein kleines Weilchen lang wie Elfenland zu werden begonnen habe, mit freundlicherem Licht und einer Andeutung von Farben, und wie dann just, da man sich an die Heimat gemahnt fühlte, das Licht erloschen sei und die Färbung verschwunden. Er erzählte von den Sternen. Er erzählte von Kühen und Ziegen und von dem Mond, von dreigehörnten Geschöpfen, die er sehr sonderbar fand. Er hatte mehr Wunder auf Erden gefunden, als unsere Erinnerung kennt, obwohl ja auch wir diese Dinge einmal zum ersten Mal erblickt haben; und aus dem Staunen, das ihn allerorten befallen beim Anblick der Gefilde, die wir kennen, machte er allerlei Geschichten, welche die wißbegierigen Trolle packten und mäuschenstill am Waldboden hielten, als wären sie tatsächlich ein brauner Blätterfall im Oktober, den ein Frost plötzlich hatte erstarren lassen. Zum ersten Mal vernahmen sie von Kaminen und Bauernwagen: mit Erschauern hörten sie von Windmühlen. Sie lauschten wie gebannt den Wegen der Menschen; und gelegentlich, zum Beispiel als er von Hüten erzählte, lief eine Welle leise kläffenden Gelächters durch den Wald.

Dann sagte er, sie sollten diese Hüte selber zu sehen bekommen und Spaten dazu und Hundezwinger und durch Fenster blicken dürfen und die Windmühle kennenlernen; und riesige Neugier erhob sich im Wald unter den braunen Massen, denn die Trollrasse ist überaus wissenshungrig. Und Lurulu blieb nicht dabei stehen und verließ sich nicht allein auf die Neugier, um sie von Elfenland hinüberzuziehen in die Gefilde, die wir kennen; sondern er packte sie auch noch bei einem anderen Gefühl. Denn er sprach von den gewaltigen, herrlichen, zurückhaltenden, hochmütigen Einhörnern, die sich auf Unterhaltungen mit Trollen so wenig einlassen, wie etwa das Vieh sich, wenn es an unseren Teichen trinkt, damit abgibt, ein Gespräch mit Fröschen anzufangen. Sie alle kennten die Lager dieser Tiere, sie sollten achthaben auf ihre Wege und dem Menschen Nachricht geben darüber, und das Ende vom Lied würde sein, daß sie die Einhörner jagen würden, und zwar mit nichts geringerem als mit

Hunden. Nun ist, mag das Wissen über Hunde auch geringfügig sein, die Angst vor Hunden jedenfalls – wie ich schon gesagt habe – allverbreitet unter den laufenden Lebewesen; und der Gedanke an die Einhornsjagd mit Hunden entlockte den Trollen ein stürmisches Gelächter. So köderte Lurulu sie mit Bosheit und Neugier für die Erde, und er wußte, daß ihm Erfolg winkte; und stillvergnügt kicherte er in sich hinein, bis ihm innerlich ganz warm war. Denn bei den Trollen steht niemand in höherem Ansehen als einer, der imstande ist, die andern in Erstaunen zu setzen oder ihnen auch nur irgend eine Absonderlichkeit zu zeigen oder sie durch Späße und Possen zu verblüffen. Lurulu hatte die Erde zu bieten, deren Wege nach Ansicht der Urteilsfähigen ja ganz so seltsam und absonderlich sind, wie der neugierige Beobachter es sich nur wünschen könnte.

Dann ergriff ein grauhaariger Troll das Wort, einer, der ebenfalls oft die Zwielichtsgrenze überquert hatte, um die Wege der Menschen zu beobachten, und der, weil er das zu oft und zu lange getan hatte, durch die Zeit ergraut war.

»Sollen wir«, fragte er, »fortgehen aus den Wäldern, die wir alle kennen, und Abschied nehmen von den Wegen des Wunderlandes, nur um etwas Neues zu sehen und weggefegt zu werden von der Zeit?« Und es erhob sich ein Murmeln und Murren, das durch den ganzen Wald summte und in der Ferne erstarb, wie auf Erden das Summen heimfliegender Insekten. »Ist heute nicht Heute?« fragte er. »Aber die drüben dort wissen nicht, was das ist, was sie heute nennen: kommt man wieder über die Grenze zurück, um nachzusehen, so ist es weg. Dort wütet die Zeit, wie die Hunde wüten, die über unsere Grenze streunen und bellen wie verrückt, weil sie Angst haben und um jeden Preis wieder nach Hause wollen.«

»So ist es, jawohl«, riefen die Trolle, obschon sie keine Ahnung hatten, aber hier sprach ein Troll, dessen Worte Gewicht hatten im Wald. »Laßt uns das Heute bewahren«, sagte der gewichtige Troll, »solange wir es noch haben, und der Verlockung widerstehen nach einem Land, wo das Heute nur zu leicht verloren geht. Denn jedesmal, wenn die Menschen es verlieren, wird ihr Haar weißer, werden ihre Glieder schwächer und ihre Gesichter trauriger und sind sie dem Morgen näher gekommen.«

So ernst sprach er dieses Wort ›morgen‹ aus, daß die braunen Trolle darob erschraken.

»Was geschieht denn morgen?« fragte einer.

»Sie sterben«, sagte der grauhaarige Troll. »Und die andern graben ein Loch in ihre Erde und tun sie hinein, wie ich selber gesehen habe, und dann kommen sie in den Himmel, wie ich sie habe erzählen hören.« Und ein Schauder ging durch die Reihen der Trolle, weit hin über den Waldboden.

Und Lurulu, der die ganze Zeit ärgerlich dagesessen und sich angehört hatte, was der gewichtige Troll Übles redete von der Erde, dahin er die Trolle wollte verlocken, um sie in Erstaunen zu versetzen mit den irdischen Absonderlichkeiten, sprach nun zur Verteidigung des Himmels.

»Der Himmel ist ein guter Ort«, platzte er hitzig heraus, obschon der Berichte, die er darüber empfangen, nur sehr wenige waren.

»Alle Seligen sind dort«, erwiderte der grauhaarige Troll, »und es wimmelt überall von Engeln. Was soll ein Troll da wohl für Aussichten haben? Die Engel würden ihn fangen, denn sie sagen auf Erden, daß die Engel alle Flügel haben; sie würden einen Troll leicht fangen und ihn andauernd hauen.«

Und alle braunen Trolle im Wald brachen in Tränen aus.

»Wir sind aber nicht so leicht zu fangen«, sagte Lurulu.

»Sie haben Flügel«, sagte der grauhaarige Troll.

Und alle waren sehr bekümmert und schüttelten die Köpfe, denn sie wußten, welche Schnelligkeit Flügel verleihen.

Die Vögel von Elfenland segelten meist sehr hoch auf der schweren Luft und betrachteten von dort jene Fabelschönheit, die ihnen Nahrung war und Nest und von der sie manchmal sangen; aber Trolle, die an der Grenze gespielt und hinübergelugt hatten in die Gefilde, die wir kennen, hatten das pfeilschnelle Dahinschießen und Niederstoßen irdischer Vögel gesehen und sich darob verwundert, wie uns himmlische Wesen verwundern, und sie wußten, daß ein armer Troll, wenn Flügel hinter ihm her waren, kaum würde entrinnen können. »Ach und Weh!« riefen die Trolle.

Der grauhaarige Troll sagte nichts weiter und hatte das auch nicht nötig, denn der ganze Wald war jetzt voller Traurigkeit, weil die Trolle dasaßen und an den Himmel dachten und Angst hatten, daß sie vielleicht bald alle hineinkämen, wenn sie es wagten, die Erde zu bevölkern.

Und Lurulu ließ sich auf keinen Streit mehr ein. Mit Argumenten ließ sich jetzt nichts ausrichten, denn die Trolle waren zu traurig, um vernünftig denken zu können. So sprach er nur ernst zu ihnen von feierlichen Dingen und äußerte gelehrte Worte und nahm eine ehrwürdige Haltung ein. Nun erfreut nichts die Trolle so sehr wie die Gelehrsamkeit und Feierlichkeit, und sie könnten sich stundenlang ausschütten vor Lachen, wenn jemand sich richtig ehrwürdig und ernst gebärdet. So gewann er sie rasch jener Leichtigkeit zurück, welche ihre natürliche Gemütsart ist. Und als dies geschafft war, sprach er wieder von der Erde und erzählte ihnen allerlei launige Sachen von den Wegen des Menschen.

Ich möchte die Dinge hier nicht wiedergeben, die Lurulu über den Menschen sagte, um nicht das Selbstgefühl meiner Leser zu verletzen und die zu beleidigen, die ich lediglich zu unterhalten suche; doch gesagt werden muß, daß der ganze Wald nur so quietschte vor Lachen. Und der grauhaarige Troll war nicht imstande, noch mehr zu sagen, um der Neugier Einhalt zu tun, welche sich in der gesamten Menge verbreitete; denn alle Trolle wollten nun wissen, wer das war, der in Häusern wohnte und einen Hut hatte oben auf sich drauf und einen noch höheren Kamin und der mit Hunden sprach, aber mit Schweinen nicht sprechen wollte, und dessen ernstes Gehaben komischer war als alles, was Trolle nur anstellen konnten. Und alle Trolle brannten auf einmal darauf, ohne weiteren Verzug die Erde aufzusuchen und sich die Schweine dort anzusehen und die Bauernwagen und Windmühlen und über den Menschen zu lachen. Und Lurulu, der Orion gesagt hatte, er werde ihm von den Trollen so um Stücker zwanzig mitbringen, hatte alle Hände voll zu tun, zu verhindern, daß gleich die ganze braune Masse mit ihm kam; so schnell wechseln die Launen und Grillen der Trolle: und hätte er ihnen allen ihren Willen gelassen, so wären überhaupt keine Trolle in Elfenland übriggeblieben, denn selbst der grauhaarige Troll hatte schließlich mit dem Rest seine Meinung geändert. Fünfzig wählte er aus, um sie zur gefährlichen Erdengrenze zu führen; und davon stoben sie aus der Düsternis des Waldes, wie ein Wirbel brauner Blätter davonstiebt in den schlimmsten Novembertagen.

Als die Trolle erdwärts stoben, um über die Wege des Menschen zu lachen, regte sich Lirazel auf dem Knie ihres Vaters, welcher sich, ernst und still auf seinem Thron aus Nebel und aus Eis, zwölf unserer irdischen Jahre lang kaum bewegt hatte. Sie seufzte, und dies Seufzen wellte über die Traummoore und schuf eine leichte Unruhe in Elfenland. Und die Dämmerungen und Sonnenuntergänge und das Zwielicht und das blaßblaue Sternenglühen, die miteinander vermischt sind auf ewig, Elfenlands Licht zu sein, spürten einen schwachen Anflug von Kummer, und ein Zittern lief durch all ihr Strahlen. Denn die Zauberkräfte, die diese Lichter fingen und sie zusammenbanden, auf immer dem Lande zu leuchten, das keine Treuepflicht kennt gegenüber der Zeit, waren alle nicht so stark wie ein Kummer, der dunkel aufstieg aus dem königlichen Gemüt einer Prinzessin des Elfenstammes. Sie seufzte, denn durch ihre lange Zufriedenheit und hin über die Ruhe Elfenlands war ein Gedanke an die Erde gedrungen; so daß sie sich inmitten all des elfenländischen Glanzes, von dem kaum das Lied zu melden vermag, gewöhnliche Schlüsselblümchen in das Gedächtnis rief und noch so manch ein unscheinbares Kräutlein von den Gefilden, die wir kennen. Und wandelnd über diese Gefilde, sah sie in ihrer Phantasie Orion, auf der anderen Seite der Zwielichtsgrenze, ihr fern um eine, sie wußte nicht, wie große Wüste von Jahren. Und die zaubrischen Herrlichkeiten Elfenlands und seine jenseits aller Träume liegende Schönheit und die abgrundtiefe Ruhe, in der die Menschenalter schliefen,

202

ganz unverletzt und ungehetzt von der Zeit, und die Künste ihres Vaters, welche noch die letzte der Lilien vorm Welken bewahrten, und die Beschwörungen, mit denen er Tagträume und Sehnsüchte wahr machte, all das befriedigte sie nicht länger und hielt ihre Phantasie nicht mehr ab, umherzuschweifen. Und so wehte ihr Seufzen hin über das zaubrische Land und betrübte die Blumen.

Und ihr Vater fühlte ihren Kummer und wußte, daß er die Blumen betrübte, und wußte, daß er die Ruhe erschütterte, die auf Elfenland lag, wenn auch nicht mehr, als ein Vogel einen königlichen Vorhang erschüttert, wenn er auf verlorener Wanderschaft durch eine Sommernacht gegen seine Falten flattert. Und obschon er auch wußte, daß es die Erde war, der ihr verlangender Kummer galt, und daß sie den innersten Herrlichkeiten Elfenlands einen weltlichen Weg vorzog, da sie hier bei ihm saß auf seinem Thron, davon nur im Lied noch erzählt werden mag, regte sich darob in seinem zaubrischen Herzen doch nichts als Mitleid; wie wir vielleicht ein Kind bemitleiden, das in einem Tempel, welcher uns heilig scheint, auf einmal sehnsuchtsvoll seufzt nach ganz gewöhnlichen Dingen. Und je weniger diese Erde es ihn wert dünkte, Kummer um sie zu tragen, da sie doch, wie gekommen, schon wieder dahin sein würde bald, eine hilflose Beute der Zeit, eine flüchtige, schwindende Erscheinung gegenüber den Gestaden von Elfenland, zu kurz von Dauer, als daß ein zauberschwerer Geist sich ernstlich darum hätte bekümmern können, desto mehr erbarmte es ihn seines Kindes um seiner Irrlaune willen, darum daß es unbesonnen gewandelt war hier und hatte sich – ach! – verstrickt in die Dinge, die da vergehen müssen. Ah, wohl denn! sie war nicht zufrieden. Er fühlte keinen Zorn gegen die Erde, die ihre Phantasien fortge-

lockt: sie war nicht zufrieden mit den innersten Herrlichkeiten Elfenlands, sondern seufzte nach mehr: seine ungeheuren Künste sollten es ihr geben. So hob er den rechten Arm von der Stelle, darauf er ruhte, einem Teil seines
mystischen Throns, der geschaffen war aus Luftspiege-
lung und Musik; er hob seinen rechten Arm, und Stille fiel
über Elfenland.

Die großen Blätter ließen von ihrem Murmeln, so weit
die grünen Tiefen des Waldes reichten; still, wie aus Mar-
mor gemeißelt, hielten Fabelvogel und Fabeluntier; und
die braunen Trolle, die purzelnd erdwärts sausten, blieben jäh wie angewurzelt stehen. Dann stiegen aus der
Stille kleine Seufzer der Sehnsucht auf, kleine Laute des
Verlangens nach Dingen, von denen kein Lied kann sagen, Laute wie die Stimmen von Tränen, wenn jeder
kleine Salztropfen leben könnte und hätte eine Stimme,
von den Wegen des Kummers zu erzählen. Dann tanzten
all diese kleinen Geräusche hinein in eine ernste Melodie,
welche der Herrscher von Elfenland aufgerufen mit seiner Zauberhand. Und die Melodie kündete von nahender
Dämmerung über unendlichen Mooren, fern auf der
Erde oder einem Planeten, den Elfenland nicht kannte;
ganz langsam wuchs diese Dämmerung hervor aus tiefer
Dunkelheit und Sternenlicht und bitterer Kälte; kraftlos,
frostig und freudlos, kaum eben die Sterne überwindend;
verdunkelt von Schatten aus Donner und gehaßt von allen Finsterwesen; fortdauernd jedoch und wachsend und
wirkend; bis durch die Düsternis der Moore und durch
den Frost der Luft auf einmal in einem herrlichen Augenblick der Glanz der Farbe drang; und dann schritt die
Dämmerung fort in triumphalem Gang, und die schwär-
zesten Wolken bekamen langsam einen rosigen Schimmer und schwammen in einem Meer aus Fliederlila, und
auch die dunkelsten Felsen, welche die Nacht bewacht,

leuchteten nun in goldener Glut. Und als seine Melodie nichts mehr zu sagen wußte von diesem Wunder, das ewig fremd gewesen allen elfischen Reichen, da bewegte der König hoch in der Luft, wo er sie hielt, die Hand, wie man wohl Vögeln winken mag, und rief ein Tagesdämmern über Elfenland, indem er es einem jener Planeten ablockte, welche der Sonne am nächsten sind. Und frisch und schön, obwohl von jenseits aller Geographie und aus einem Zeitalter, lange verloren schon und jenseits auch aller Geschichte, erhob sich ein glühendes Dämmern über Elfenland, das nie eine Dämmerung gekannt. Und die Tautropfen Elfenlands, die an den gebeugten Halmspitzen hingen der Gräser, sammelten sich in dieser Dämmerung zu winzigen Kügelchen und bewahrten darin schimmernd und wunderbar den Himmelsglanz wie die unseren, den ersten, den sie je nur gesehen.

Und die Dämmerung wuchs, fremdartig und langsam, über den Landen, die sie noch nie erfahren, und ergoß über sie die Farben, die Tag um Tag unsere Narzissen und Tag um Tag unsere wilden Rosen, durch alle Wochen ihrer Jahreszeit, tief in sich trinken zu wollüstiger Vereinigung, in stiller Schwelgerei. Und ein Glimmen, dem Walde gänzlich neu, erschien auf den langen fremden Blättern, und Schatten, die Elfenland unbekannt, schlüpften hinter den riesigen Baumstämmen vor und stahlen sich über Gräser, die nimmer von ihrer Ankunft geträumt; und die Zinnen des Schlosses, die das Wunder erblickten, kleiner freilich an Schönheit denn das ihrer selbst, wußten doch gleich, das das fremd dort Kommende Zauber war, und antworteten ihm mit einem Schimmerschein aus ihren geheiligten Fenstern, der über die Elfenmoore hinblitzte wie eine Eingebung und eine rosenrote Blütenglut mit dem Blau der Elfenberge mischte. Und Beobachter auf den herrlichen Gipfeln, die schon äonenlang Ausschau hielten von ihren Klippen, daß ja kein Fremder nach Elfenland kam von der Erde oder von einem Stern, sahen das erste Erröten des Himmels, als er die Dämmerung nahen fühlte, und hoben ihre Hörner und bliesen den Ruf, der Elfenland warnte vor Fremden. Und die Wächter der wilden Täler hoben Hörner von Fabelrindern und gaben den Ruf weiter im Dunkel ihrer furchtbaren Klüfte, und das Echo trug ihn fort von den ungeheuren Marmorgesichtern der Felsen, die ihn all ihren barbarischen Gesellen widerholten; und ganz Elfenland klang wider von der Warnung, daß ein Fremdes seine Küsten bedränge. Und über das Land, das also harrte, erwartend, wachsam, mit Zaubersäbeln bewehrt entlang seinen einsamen Klippen, Säbeln, die jene Hörner aus geschwärzten Scheiden gerufen, einem Feinde zu widerstehen, kam nun die Dämmerung, bald weit, bald golden, das alte, alte Wunder, das wir kennen. Und das verwunschene Schloß mit all seinen Zauberwundern blitzte ihm aus seinem eisblauen Strahlenglanz einen herrlichen Willkomm entgegen, oder auch ein Zeichen seiner Nebenbuhlerschaft, und tauchte Elfenland in eine Schimmerpracht, von der nur das Lied noch erzählen mag.

Und da geschah es, daß der Elfenkönig abermals die Hand bewegte, hoch an den kristallenen Zacken seiner Krone, wo er sie hielt, und einen Weg freiwinkte durch die Mauern seines Zauberschlosses und Lirazel die ungemessenen Weiten zeigte seines Königreichs. Und sie schaute durch Zauber, so weit seine Finger den Bann reichen ließen, die dunkelgrünen Wälder und Moore von Elfenland und die feierlich blaßblauen Berge und die Täler, an denen geisterhafte Wesen wachten, und all die Fabelgeschöpfe, die da krochen im Dunkel riesiger Blätter, und auch die wimmelnden Trolle auf ihrem Purzelweg zur Erde: sie sah die Wächter das Horn an die Lippen heben,

derweilen ein Licht darauf blitzte, welches der stolzeste
Triumph war der verborgenen Kunst ihres Vaters, das
Licht einer Dämmerung, welche er über schier unvor-
stellbare Räume hin herbeigelockt, seine Tochter zu be-
schwichtigen und ihre Grillen zu dämpfen und ihre Phantasien von der Erde zurückzurufen. Sie sah die Rasengründe, darauf die Zeit Jahrhunderte lang müßig geblieben, nicht eine Blüte welkend all des Blumensaums; und
das neue Licht, das über die geliebten Rasengründe kam,
hin durch die schwere Farbe Elfenlands, gab ihnen eine
Schönheit, die sie nie gekannt, bis die Dämmerung diese
grenzenlose Reise tat, dem verwunschenen Zwielicht zu
begegnen; und die ganze Zeit glühten und blitzten und
glitzerten die Zinnen jenes Schlosses, davon nur das Lied
noch erzählen mag. Von dieser verwirrenden Schönheit
wandte er ab seinen Blick und schaute seiner Tochter ins
Gesicht, das Verwundern zu schauen, mit dem sie ihre
herrliche Heimat begrüßen würde, wenn ihre Phantasien
zurückkamen von den Gefilden des Alters und des Tods,
dahin sie – ach! – waren gewandert. Und obschon ihre
Augen sich aufgehoben zu den Elfenbergen, zu deren
Geheimnis und deren Bläue sie paßten in sonderbarer
Harmonie, erblickte der Elfenkönig, da er hineinschaute
in diese Augen, für die allein er die Dämmerung so weit
von ihrem Urquell abgezogen, in ihren zaubrischen Tiefen doch einen Gedanken an die Erde! Einen Gedanken
an die Erde, obschon er den Arm gehoben und ein mysti-
sches Zeichen gesetzt mit all seiner Macht, ein Wunder
nach Elfenland zu bringen, welches ihr Zufriedenheit
schaffen sollte mit ihrer Heimat. Und all seine Reiche
hatten gejauchzt darob, und die Wächter auf ihren
furchtbaren Klippen hatten seltsame Hornrufe von sich
gegeben, und alles Getier und Insekten und Vögel und
Blumen hatten geschwelgt in einer neuen Freude, und

dennoch dachte dort, in Elfenlands innerster Mitte, seine Tochter an die Erde.

Hätte er ihr ein irgend anderes Wunder gezeigt als die Dämmerung, er hätte ihre Phantasie wohl heimgelockt, doch indem er diese exotische Schönheit nach Elfenland brachte, sich dort zu mischen mit seinen alten Wundern, weckte er nur in ihr Erinnerungen daran, wie der Morgen gekommen war über Gefilde, die er nicht kannte, und in Gedanken spielte Lirazel auf einmal wieder mit Orion auf jenen Gefilden, wo die unverwunschenen irdischen Blumen wuchsen inmitten der englischen Gräser.

»Ist's nicht genug?« fragte er mit seiner seltsamen tiefen Zauberstimme und wies über die weiten Lande mit den Fingern, welche das Wunder gerufen.

Sie seufzte: es war nicht genug.

Und Kummer überkam den verwunschenen König: er hatte nur seine Tochter, und diese Tochter seufzte nach der Erde. Es hatte einst auch eine Königin gegeben, die mit ihm regiert über Elfenland; doch sie war sterblich gewesen und war, da sterblich, gestorben. Denn sie war oft hinübergewandelt zu den Bergen der Erde, um den Mai wiederzusehen oder die Buchenwälder im Herbst; und ob sie schon nur einen Tag blieb, wenn sie hinging zu den Gefilden, die wir kennen, und wieder im Schlosse war diesseits des Zwielichts, noch ehe unsere Sonne zur Rüste gegangen, hatte die Zeit sie doch gepackt, wann immer sie kam; und so schwand sie dahin und mußte bald sterben in Elfenland; denn sie war nur eine Sterbliche. Und verwunderte Elfen hatten sie begraben, wie man die Töchter der Menschen auf Erden begräbt. Und nun war der König allein mit seiner Tochter, und diese Tochter hatte nach der Erde geseufzt. Kummer befiel ihn, doch aus dem Dunkel dieses Kummers erhob sich, wie oft auch bei den Menschen, und stieg singend empor aus seinem trauernden Geist eine Eingebung, schimmernd vor Lachen und Freude. Da stand er denn auf und hob beide Arme, und seine Eingebung flutete über Elfenland hin in Musik. Und mit der Flut dieser Musik kam, mächtig wie das Meer, ein Drang, sich zu erheben und zu tanzen, dem niemand in Elfenland widerstand. Ernst wogten seine Arme hin und her, und aus ihnen strömte die Musik; und alles, was da schritt durch den Wald und kroch auf Blättern, was sprang auf schwindelnden Klippen oder weidete auf Lilienfeldern, ein jedes Wesen an jedem nur denkbaren Ort, ja die Wache selbst vor seiner Tür, die einsamen Bergspäher droben und die Trolle auf ihrem Purzelweg zur Erde, alles tanzte nach einer Melodie, die geschaffen war aus dem Geist des Frühlings, wie er sich einem Erdenmorgen zeigt, inmitten glücklicher Ziegenherden.

Und die Trolle waren nah an der Grenze jetzt, die Gesichter bereits in Falten gezogen, um über die Wege der Menschen zu lachen; sie eilten mit dem ganzen Eifer kleiner eingebildeter Wesen, über das Zwielicht zu kommen, das zwischen Elfenland und Erde liegt: jetzt aber liefen sie nicht mehr vorwärts, sondern glitten in Kreisen herum und vertrackten Spiralen und tanzten einen Tanz, wie ihn an Sommerabenden die Mücken tanzen, hoch über den Gefilden, die wir kennen. Und ernste Fabeltiere in den Tiefen des farnigen Walds tanzten Menuette, die Hexen gemacht hatten aus ihren Grillen und ihrem Gelächter, vor langer, langer Zeit in ihrer Jugend, noch ehe die Städte auf die Welt gekommen. Und die Bäume des Waldes hoben langsam schwere Wurzeln aus dem Grund und standen schwank und ungeschlacht auf ihnen da und tanzten dann gleichwie auf riesigen Tatzen, und die Insekten tanzten auf den torkelnden Blätterkronen. Und im Dunkel tiefer Höhlen erhoben sich Geisterwesen aus ihrem äonenlangen Schlaf in verwunschener Abgeschlossenheit und tanzten im dumpfen Dunst.

Und neben dem königlichen Zauberer stand, die Arme leicht schwingend im Rhythmus, der alle Zauberwesen tanzen ließ, die Prinzessin Lirazel mit jenem schwachen Schimmer auf dem Gesicht, der ein Abglanz war eines verborgenen Lächelns; denn insgeheim lächelte sie immerdar ob der Macht ihrer großen Schönheit. Und ganz plötzlich, in einem Augenblick, hob der Elfenkönig die eine Hand noch höher und hielt sie hoch dort und stillte alles, was tanzte in Elfenland, und packte mit jähem Schrecken alle zaubrische Kreatur und schickte über Elfenland eine Melodie, gemacht aus Tönen, die er aus wandernden Eingebungen aufgefangen, wie sie singen und schwirren durchs klare Blau jenseits unserer irdischen Küsten: und alles Land lag tief im Zauber dieser seltsamen Musik. Und die wilden Wesen, welche die Erde sich erraten hat, und die Wesen, die verborgen selbst der Legende, wurden davon bewegt, uralte Lieder zu singen, die ihr Gedächtnis vergessen. Und Fabelwesen der Luft wurden niedergelockt aus großen Höhen. Und Gefühle, unbekannt und ungeahnt, verstörten Elfenlands Stille. Die Flut der Musik schlug in wunderbaren Wellen gegen die Hänge der ernsten blauen Elfenberge, bis ihre Klippen ein seltsames, bronzegleiches Echo von sich gaben. Auf Erden aber war kein Laut zu vernehmen von der Musik und ihrem Echo: nicht ein einziger Ton drang durch die schmale Zwielichtsgrenze, kein noch so leises Murmeln. Anderswo stiegen die Töne empor und zogen wie seltene Schmetterlinge durch alle Gefilde des Himmels und umsummten wie unaufspürbare Erinnerungen die Seelen der Seligen; und auch die Engel hörten die Musik, doch war es ihnen verboten, sie zu beneiden. Und obwohl sie nie vordrang zur Erde und unsere Gefilde nie noch vernommen haben die Musik von Elfenland, gab es dort doch auch jetzt, wie es sie zu allen Zeiten dort gegeben hat, damit nicht Verzweiflung übermannte die Völker der Erde, jene, die Lieder machen für unseren Kummer und unser Lachen: und selbst sie hörten niemals auch nur einen Ton aus Elfenland über die Zwielichtsgrenze, die jeden Laut erstickt; doch sie spürten in ihrem Innern den Tanz der zaubrischen Töne und schrieben sie nieder, und irdische Instrumente spielten sie; da, und erst da, haben wir die Musik Elfenlands vernommen.

Eine Weile lang hielt der Elfenkönig im Bann so alle Wesen, die ihm Gefolgschaft schuldeten und Treue, und all ihre Wünsche und Wunder und Ängste und Träume fluteten schläfrig dahin auf den Gezeiten der Musik, die da geschaffen war aus keinen Erdenlauten, sondern eher aus jenem verschwommenen Stoff, in welchem die Planeten schwimmen, mit so manch anderem Wunderding, das nur der Zauber kennt. Und dann, als ganz Elfenland diese Musik in sich hineintrank, wie unsere Erde sanften Regen trinkt, wandte er sich wieder an seine Tochter, mit einem Blick in den Augen, der sie fragte: »Sag an, welch Land ist schöner als das unsre?« Und sie wandte sich ihm zu und sagte: »Hier ist meine Heimat auf immer und ewig.« Ihre Lippen teilten sich, als sie das sagte, und Liebe schimmerte im Blau ihrer Elfenaugen; sie streckte die schönen Hände aus nach ihrem Vater; da hörten sie den fernen Klang eines Horns, das ein müder Jäger blies an der Grenze der Erde.

ALVERICS HORN (SECHSUNDZWANZIGSTES KAPITEL). Nordwärts zu einsamen Landen wanderte Alveric hin durch ermüdende Jahre, und die windigen Fetzen seines hageren grauen Zelts vertieften die Düsternis noch der frostkalten Abende. Und wenn die Menschen auf den einsamen Bauernhöfen die Lichter entzündeten in ihren Häusern und die Scheunen zu dunkeln begannen vor dem Blaßgrün des Himmels, so drang zuweilen der Hammerschlag Nivs und Zends durch die Stille, herüber aus dem Land, das kein anderer Fuß betrat. Und die Kinder, die aus den Fenstern spähten, um zu sehen, ob ein Stern erschienen war, sahen dann vielleicht die seltsame Graugestalt jenes Zelts mit seinen flatternden Fetzen hinter der letzten der Hecken ragen, wo einen Augenblick zuvor nur das Grau der Dämmerung gewesen war. Am nächsten Morgen gab es dann Rätselraten und Verwunderung und die Freude und Furcht der Kinder und die Geschichten, die ihnen die Älteren erzählten, und verstohlene Ausflüge zum Rand der Menschengefilde und scheues Spähen durch verschwommene grüne Lücken in der letzten der Hecken (obschon es verboten war, nach Osten zu blicken) und Gerüchte und Erwartungen; und all dies war vermischt und verwischt von dem Wunder, das aus dem Osten kam, und ging so in die Legende ein, die noch so manches Jahr fortlebte über jenen Morgen hinaus; doch Alveric und sein Zelt waren längst fort.

So wanderte denn die kleine Gesellschaft weiter, Tag um Tag und Jahreszeit um Jahreszeit, der einsame gattenlose Mann, der mondsüchtige Bursche und der Verrückte, und mit ihnen das alte graue Zelt mit seinem langen, verkrümmten Pfahl. Und alle Sterne wurden ihnen bekannt und vertraut alle vier Winde, und Regen und Nebel und Graupelschauer; aber das Glühen von gelben Fenstern, warm und erwünscht in der Nacht, kannten sie nur, um ihm Valet zu sagen: mit dem frühesten Licht im ersten Frösteln der Dämmerung wachte Alveric auf aus ungeduldigen Träumen, und Niv fuhr schreiend empor, und weiter zogen sie auf ihrem wahnsinnigen Kreuzzug, noch ehe nur irgend ein Zeichen des Erwachens erschien auf den stillen verschwommenen Giebeln. Und jeden Morgen weissagte Niv erneut, daß sie Elfenland gewißlich finden würden; und so gingen die Tage dahin und die Jahre.

Thyl hatte sie lange schon verlassen; Thyl, der ihnen Sieg weissagte in brennenden Liedern, dessen Eingebungen Alveric ermunterten und ermutigten in den kältesten Nächten und ihm Führung waren auf den felsigsten Wegen, Thyl sang eines Abends Lieder von eines jungen Mädchens Haar, Thyl, der doch hätte leiten sollen ihr Wandern. Und dann eines Tages im Abenddämmern, da eine Amsel sang in meilenweiter Maienblüte, da wandte er sich den Häusern der Menschen zu und heiratete das Mädchen und ward nun einer, der nie mehr wanderte mit einer Schar.

Die Pferde waren tot; Niv und Zend trugen alles, was sie hatten, an dem Pfahl. Und viele Jahre waren vergangen. Eines Abends im Herbst verließ Alveric das Lager, zu den Häusern der Menschen zu gehen. Niv und Zend beäugten einander. Was kam denn Alveric an, Auskunft zu suchen über den Weg bei andern? Denn irgendwie hatte ihr kranker Geist seine Absicht rascher erfaßt, als gesunde Intuition es hätte tun können. Besaß er nicht Nivs Prophezeiungen als Leitstern und all die Dinge, die

Zend offenbart waren worden, eidlich, vom vollen Mond?

Alveric kam zu den Häusern der Menschen, und von den Leuten, die er befragte, wollten nur wenige überhaupt sprechen von Dingen, die gen Osten lagen, und sprach er von den Landen, die er durchwandert jahrelang, so achteten sie dessen so wenig, wie wenn er ihnen erzählt hätte, er habe sein Zelt auf den farbigen Luftschichten errichtet, die da glühten und schwebten und dunkelten am tiefen Himmel über dem Sonnenuntergang. Und die wenigen, die ihm antworteten, sagten nur eins: daß nur die Zauberer und Hexenmeister davon wüßten.

Als er dies erfahren, ging Alveric wieder zurück aus den Feldern und Hecken und kam zu seinem alten grauen Zelt in den Landen, deren niemand gedachte; und Niv und Zend saßen schweigend da und sahen ihn von der Seite an, denn wie wußten, daß er dem Wahnsinn mißtraute und den Dingen, welche der Mond sprach. Und am nächsten Tag, da sie im Frühfrost der Dämmerung ihr Lager abbrachen, führte sie Niv ihren Weg ohne Schreien.

Es waren noch nicht viele weitere Wochen vergangen auf ihrer seltsamen Reise, als Alveric eines Morgens, am Rande der von Menschen bebauten Felder, einen Mann traf, der seinen Eimer an einer Quelle füllte und den ein hoher spitzer Hut und eine mystische Miene mit Gewißheit als Zauberer ausweisen. »Meister in allen Künsten, welche Menschen schrecken«, sagte Alveric, »ich habe eine Frage an die Zukunft.«

Und der Hexenmeister wandte sich von seinem Eimer, um Alveric mit mißtrauischen Augen zu mustern, denn des Reisenden abgerissene Gestalt schien kaum jene Vergütung zu versprechen, welche von jenen gezahlt wird, die ernstlich die Zukunft befragen möchten. So brachte der Zauberer, wie es der Lauf der Welt ist, zuerst einmal die Rede auf die Vergütung. Und Alverics Ranzen enthielt, was nötig war, seine Zweifel zu bannen. So wies er hinüber, wo aus einem Myrtenwäldchen die Spitze seines Turms ragte, und bat Alveric, an seine Tür zu kommen, wenn der Abendstern erschienen sei; und zu jener günstigen Stunde wolle er ihn einen Blick in die Zukunft tun lassen.

Und wieder wußten Niv und Zend recht wohl, daß ihr Führer Träumen folgte und Geheimnissen, die nicht vom Wahnsinn stammten noch vom Mond. Und sie saßen still da, als er ging, und sagten nichts, doch ihr Geist war voll wilder Gesichte.

Durch blasse Luft, die des Abendsterns harrte, ging Alveric über die von Menschen bebauten Felder und kam an die dunkle Eichentür des Hexerturms, dagegen die Myrtenzweige rauschten bei jedem Hauch. Ein junger Zauberlehrling öffnete die Tür und führte Alveric über eine alte hölzerne Treppe, welche die Ratten besser kannten als die Menschen, in das obere Gemach des Meisters.

Der Zauberer trug einen Seidenmantel aus tiefem Schwarz, das er für die angemessene Zukunftsfarbe hielt; ohne diesen Mantel befragte er grundsätzlich nie die kommenden Jahre. Und als der junge Lehrling gegangen war, begab er sich zu einem Folianten, der auf einem hohen Pult lag, und wandte sich von dem Buch zu Alveric um, ihn zu fragen, was er denn wissen wolle von der Zukunft. Und Alveric bat, ihm zu sagen, wie er nach Elfenland kommen könne. Da schlug der Zauberer den gedunkelten Deckel des großen Buches auf und wandte die Seiten darin, und eine ganze Weile lang waren die Seiten, die er umwandte, leer, doch weiter hinten im Buch erschien allerlei Geschriebenes, obschon in einer Art, wie Alveric sie noch nie gesehen. Und der Zauberer erklärte ihm, daß Bücher wie dieses Kunde enthielten von allen Dingen, daß aber er, da er nur mit den kommenden Jahren befaßt sei, keinen Bedarf hätte, von der Vergangenheit zu lesen, und daher ein Buch sich zugelegt, das nur von der Zukunft melde; obschon er leicht mehr als dies hätte haben können von der Hochschule der Zauberkunst, wäre ihm daran gelegen gewesen, die Narrheiten zu studieren, welche der Mensch bereits begangen habe.

Dann las er eine Weile in seinem Buch, und Alveric hörte, wie die Ratten leise zurückkehrten zu den Straßen und Häusern, die sie sich in der Treppe gebaut. Und dann fand der Zauberer die Stelle der Zukunft, die er suchte, und teilte Alveric mit, daß er nie würde nach Elfenland kommen, solange er ein Zauberschwert trage.

Als Alveric dies gehört hatte, zahlte er dem Zauberer seine Vergütung und ging traurig davon. Denn er kannte die Gefahren Elfenlands, denen kein gewöhnlicher, auf Menschenambossen geschmiedeter Säbel je Trotz bieten konnte. Er wußte nicht, daß der Zauber, der in seinem Schwert war, einen Geruch oder Nachgeschmack, ganz ähnlich dem des Blitzes, in der Luft hinterließ, welcher durch die Zwielichtsgrenze drang und sich über Elfenland breitete, und insgleichen wußte er nicht, daß der Elfenkönig so seine Gegenwart erfahren und seine Grenze fortgezogen hatte vor ihm, auf daß nicht Alveric weiter sein Reich verstöre; aber er glaubte, was ihm der Zauberer vorgelesen aus seinem Buch, und ging darum traurig fort. Und nachdem er die Treppe aus Eichenholz der Zeit und den Ratten überlassen, trat er hinaus aus dem Myrtenhain und schritt über die Felder der Menschen und kam wieder zu jener schwermütigen Stelle, da sein graues Zelt trüb brütend stand in der Wildnis, öde und schweigend wie Niv und Zend, welche daneben saßen. Und danach wandten sie sich und wanderten südwärts, denn alle Reisen erschienen Alveric, der sein Schwert nicht aufgeben wollte und Zaubergefahren ohne zaubrische Hilfe begegnen, nun gleicher Weise hoffnungslos; und Niv und Zend gehorchten ihm schweigend und leiteten ihn nicht länger mit tollen Prophezeiungen oder mit Dingen, die der Mond gesagt, denn sie wußten, daß er mit einem anderen Rats gepflogen hatte.

Nach einsamen Wanderungen auf müden Wegen kamen sie weit nach Süden, und nimmer erschien die Grenze von Elfenland mit ihren schweren Zwielichtsschichten; doch Alveric wollte nicht lassen von seinem Schwert, denn er ahnte wohl, daß Elfenland seinen Zauber fürchtete und daß ihm mit einer Klinge, die nur den Menschen furchtbar war, geringe Hoffnung blieb, Lirazel wiederzugewinnen. Und nach einer Weile prophezeite Niv erneut, und Zend kam spät in den Nächten des Vollmonds, um Alveric mit seinen Geschichten zu wecken. Und bei allem Geheimnis, das in Zend war, wenn er sprach, und bei aller Begeisterung Nivs, wenn er prophezeite, wußte Alveric jetzt doch, daß ihre Geschichten und Weissagungen leer waren und eitel und daß keine von ihnen ihn je würde bringen nach Elfenland. Mit diesem traurigen Wissen in einem trostlosen Land zog er weiter, schlug er sein Lager auf beim Abenddämmern, marschierte er in der Frühe wieder fort, suchte er nach der Grenze, und so gingen die Monate dahin.

Und eines Tages, als das Randgebiet der Erde wildes Heideland war, das niederreichte bis an die Felsenwüste, in der Alveric gelagert hatte, erblickte er am Abend eine Frau in Hut und Mantel einer Hexe, und sie fegte die Heide mit einem Besen. Und jeder ihrer Besenstriche führte fort von den Gefilden, die wir kennen, fort zu der

Felsenwüste hinüber, ostwärts gen Elfenland. Große Schwaden trockener schwarzer Erde und stiebenden Sandes trieben auf Alveric zu bei jedem machtvollen Streich. Er schritt hinüber zu ihr aus seinem schäbigen Lager und blieb bei ihr stehen und sah ihrem Fegen zu; doch sie mühte sich weiter mit ihrem anstrengenden Werk, trat Schritt um Schritt fort hinter Staub von den Gefilden, die wir kennen, und schwang bei jedem Schritt den Besen. Nach einer Weile hob sie das Gesicht über dem Besen und blickte Alveric an, und da sah er, daß es die Hexe Ziroonderel war. Nach all den langen Jahren sah er so die Hexe wieder, und sie sah unter den flatternden Fetzen seines Mantels jenes Schwert, das sie ihm einst gemacht auf ihrem Berg. Die Lederscheide konnte ihr nicht verbergen, daß es dies Schwert war, denn sie kannte den Zauberduft, der schwach davon aufstieg und weithin durch den Abend flutete.

»Mutter Hexe!« rief Alveric.

Und sie verneigte sich tief vor ihm, obschon sie doch Zaubermacht besaß und betagt war vom Hingang der Jahre, die sie auf Erden verbracht, schon lange vor Alverics Vater; und mochten auch viele in Erl ihren Herrn längst vergessen haben, so hatte doch sie ihn nicht vergessen.

Er fragte sie, was sie dort tue auf der Heide, mit ihrem Besen, noch am Abend spät.

»Ich fege die Welt«, sagte sie.

Und Alveric überlegte, was für verworfene Dinge sie wohl fortfegte aus der Welt, und sah dem grauen Staub nach, der trauervoll hintrieb über unsere Felder und sich immer weiter ausbreitete, um schließlich langsam in das Dunkel überzugehen, das sich jenseits unserer Gestade sammelte.

»Warum fegst du die Welt, Mutter Hexe?« fragte er.

»Es sind Dinge auf der Welt, die hier nicht sein sollten«, sagte sie.

Da blickte er sehnsüchtig den rollenden Grauwolken nach, die von ihrem Besen ausgingen und alle hinüber trieben nach Elfenland.

»Mutter Hexe«, sagte er, »kann ich nicht auch mit ihnen gehen? Ich habe zwölf Jahre nach Elfenland Ausschau gehalten und doch keine Spur der Elfenberge gefunden.«

Und die alte Hexe blickte ihn freundlich an, und dann warf sie einen Blick auf sein Schwert.

»Er hat Angst vor meinem Zauber«, sagte sie; und ein Gedanke oder Geheimnis dämmerte in ihren Augen, als sie sprach.

»Wer?« fragte Alveric.

Und Ziroonderel senkte den Blick.

»Der König«, sagte sie.

Und dann erzählte sie ihm, wie der verwunschene Monarch sich zurückziehe vor allem, was ihn einst besiegt, und alles mit sich nehme dabei, was er habe, weil er die Gegenwart keines Zaubers ertragen könne, welcher dem seinen gewachsen.

Und Alveric konnte nicht glauben, daß solch ein König soviel Bedeutung beimesse dem Zauber, den er in seiner alten schwarzen Scheide hatte.

»Es ist seine Art«, sagte sie.

Und dann wollte er nicht glauben, daß jener Elfenland hinweggewinkt habe.

»Er hat die Macht dazu«, sagte sie.

Und immer noch wollte Alveric diesem schrecklichen König gegenübertreten und aller Macht, die er besaß; doch Zauberer und Hexe hatten ihn gewarnt, daß er mit seinem Schwert nicht gehen könne, und wie denn sollte er unbewaffnet gehen durch jenen gräulichen Wald, hin zu dem Schloß der Wunder? Denn dorthin gehen mit nur einem Schwert von den Ambossen der Menschen hieß nichts als unbewaffnet gehen.

»Mutter Hexe«, weinte er. »Soll ich den nimmermehr nach Elfenland gelangen?«

Und das Verlangen und der Kummer in seiner Stimme griffen der Hexe ans Herz und bewegten es zu zaubrischem Mitleid.

»Du sollst hinkommen«, sagte sie.

Er stand vor ihr, Verzweiflung halb im trauervollen Abend und halb ein Traum von Lirazel. Indessen die Hexe unter ihrem Mantel ein kleines falsches Gewicht hervorzog, welches sie einst einem Brothändler weggenommen.

»Zieh dies an der Schärfe deines Schwertes entlang«, sagte sie, »vom Heft bis zur Spitze, und es wird die Klinge entzaubern, also daß der König nicht wissen wird, welches Schwert ihm naht.«

»Wird es dann aber immer noch für mich kämpfen?« fragte Alveric.

»Nein«, sagte die Hexe. »Doch wenn du über die Grenze bist, so nimm dieses Manuskript und wische damit über die Klinge an allen Stellen, welche das falsche Gewicht berührt hat.« Und sie griff wieder unter ihren Mantel und zog ein Pergament hervor, auf dem ein Gedicht stand. »Es wird sie wieder verzaubern«, sagte sie.

Und Alveric nahm das Gewicht und auch das Geschriebene.

»Paß auf, daß die beiden nicht in Berührung kommen miteinander«, warnte die Hexe.

Und Alveric steckte sie getrennt voneinander ein.

»Bist du einmal über die Grenze«, sagte sie, »so mag er Elfenland versetzen, wohin er will, doch du und das Schwert, ihr seid in seinen Grenzen.«

»Mutter Hexe«, sagte Alveric, »wird er denn nicht ergrimmen über dich, wenn ich dies tue?«

»Ergrimmen!« sagte Ziroonderel. »Ergrimmen? Schier rasend wird er sein in seiner Wut und schlimmer als ein Tiger!«

»Das will ich nicht über dich bringen, Mutter Hexe«, sagte Alveric.

»Ha!« sagte Ziroonderel. »Was kümmert's mich?«

Die Nacht sank nieder jetzt, und das Moor und die Luft wurden schwarz wie der Mantel der Hexe. Sie lachte grell auf und tauchte in die Dunkelheit. Und alsbald war die Nacht nur Schwärze noch und Gelächter; doch sehen konnte er keine Hexe mehr.

Da machte Alveric sich auf den Heimweg zu seinem Felsenlager, und das Licht des einsamen Feuers vor dem Zelt leitete ihn.

Und sobald der Morgen erschien über der Einöde und all die unnützen Felsen zu glühen begannen, nahm er das falsche Gewicht und rieb damit sanft an beiden Seiten seines Schwerts entlang, bis die ganze verwunschene Schneide entzaubert war. Und er tat dies in seinem Zelt, indessen seine Gefolgsleute schliefen, denn er wollte sie nicht wissen lassen, daß er Hilfe gesucht, die nicht den Rasereien Nivs entstammte, noch irgend welchen Sprüchen, die Zend gekommen vom Mond.

Doch der gestörte Schlaf des Wahnsinns war nicht so tief, daß Niv ihn nicht doch beobachtet hätte aus einem wilden verschlagenen Auge, als er das falsche Gewicht sanft schaben gehört über das Schwert.

Und als dies heimlich getan war und heimlich beobachtet, rief Alveric seine beiden Männer, und sie kamen und legten das zerfetzte Zelt zusammen und nahmen den langen Pfahl und hängten ihre schäbigen Habseligkeiten daran; und weiter ging Alveric, entlang am Rande der

Gefilde, die wir kennen, voll Ungeduld, nun endlich doch das Land zu erreichen, welches sich ihm so lange entzogen. Und Niv und Zend kamen hinter ihm drein, den Pfahl zwischen sich mit seinen schwingenden Bündeln und flatternden Fetzen.

Sie gingen ein Stück landeinwärts, auf die Häuser der Menschen zu, um sich mit der nötigen Verpflegung zu versehen; und diesmal kauften sie am Nachmittag bei einem Bauern ein, der in einem einsamen Haus wohnte, so nah dem äußersten Rand der Gefilde, die wir kennen, daß es das letzte Haus gewesen sein muß in der sichtbaren Welt. Und hier kauften sie Brot und Hafermehl und Käse und einen gebeizten Schinken und noch andere Dinge der Art und steckten sie in Säcke und hängten dies an ihren Pfahl; dann verließen sie den Bauern und wandten sich ab von seinen Feldern und von allen Feldern der Menschen. Und als der Abend niedersank, da sahen sie, gleich hinter einer Hecke, in einem Licht, welches das Land erhellte mit einem seltsam weichen Schein und von dem sie wußten, daß es nicht von dieser Erde war, die Zwielichtsgrenze, die da ist die Grenze von Elfenland.

»Lirazel« schrie Alveric und zog sein Schwert und schritt in das Zwielicht hinein. Und hinter ihm kamen Niv und Zend, und all ihr Argwohn entflammte sich nun zur Eifersucht auf Eingebungen oder Zauberquellen, die nicht die ihren waren.

Einmal rief er so Lirazels Namen; doch da er seiner Stimme wenig traute in diesem weiten geisterhaften Land, hob er alsdann sein Jägerhorn, das ihm an einem Riemen an der Seite hing, an die Lippen und blies einen schallenden, doch vom vielen Wandern müden Ruf. Er stand bereits innerhalb des Grenzrandes, und das Horn schimmerte im Licht Elfenlands.

Da ließen Niv und Zend ihren Pfahl fallen, und er lag

da im unirdischen Zwielicht wie das Strandgut einer auf keiner Karte verzeichneten See, und ganz plötzlich packten sie ihren Herrn.

»Ein Traumland!« rief Niv. »Hab ich nicht selber Träume genug?«

»Es gibt keinen Mond hier!« schrie Zend.

Alveric schlug nach Zends Schulter mit seinem Schwert, aber das Schwert war entzaubert und stumpf und verletzte ihn nur leicht. Dann packten die beiden das Schwert und zerrten Alveric zurück. Und die Kraft des Wahnsinnigen ging über alles, was man glauben könnte. Sie schleppten ihn wieder zurück zu den Gefilden, die wir kennen, wo sie beide fremd waren und waren eifersüchtig auf andere Fremdheit, und führten ihn weit fort vom Anblick der blaßblauen Berge. Er hatte Elfenland nicht betreten.

Aber der Klang seines Horns war über den Grenzstreifen hinübergedrungen und verstörte Elfenlands Luft mit einem langen traurigen Erdenton, der über die verträumte Stille wehte: es war der Hornton, den Lirazel hörte, als sie mit ihrem Vater sprach.

LURULUS RÜCKKEHR (SIEBENUNDZWANZIGSTES KAPITEL). Über Weiler und Schloß von Erl, und durch jeden seiner Winkel und Spalte, ging der Frühling: eine milde Segnung, welche die ganze Luft beseligte und zu allen lebenden Wesen kam, selbst zu den winzigen Pflänzchen, die an höchst abgeschiedenen Plätzen wuchsen, unter Dachtraufen, in den Ritzen alter Fässer oder in den Fugen des Mörtels, der alte Steine zusammenhielt. Und in dieser Jahreszeit jagte Orion keine Einhörner; nicht weil er gewußt hätte, in welcher Jahreszeit sie Junge warfen in Elfenland, wo die Zeit nicht ist wie hier; sondern aufgrund eines von all seinen irdischen Vorvätern ererbten Gefühls der Abneigung gegen das Jagen überhaupt einer Kreatur in dieser Jahreszeit des Liedes und der Blumen. So wartete er seine Hunde und beobachtete häufig die Hügel, weil ja irgendwann jetzt Lurulu zurückkehren mußte.

Und der Frühling ging vorüber, und die Sommerblumen wuchsen, und immer noch gab es kein Zeichen für die Rückkehr des Trolls, denn die Zeit geht über die Täler Elfenlands wie über kein Menschengefilde. Und Orion spähte lange in die blassenden Abende, bis die Linie der Berge schwarz war, doch sah nimmer die kleinen Rundköpfe der Trolle über die Hänge gepurzelt kommen.

Und die langen Herbstwinde kamen seufzend herüber aus kalten Landen, und Orion wartete immer noch auf Lurulu; und der Nebel und die gilbenden Blätter sprachen zu seinem Herzen von der Jagd. Und die Hunde verlangten winselnd nach den freien Feldern und nach den Duftlinien, die sich wie geheimnisvolle Pfade hinzogen über die weite Welt, doch Orion wollte nichts anderes jagen als Einhörner und wartete noch auf seine Trolle.

Und an einem dieser Erdentage, da drohender Frost in der Luft lag und die Sonne scharlachrot unterging, war Lurulus Rede an die Trolle zu Ende gekommen im Wald, und die hasenschnelle Hetze, mit der sie losstürmten, hatte sie bald schon an die Grenze gebracht, und da hätten nun jene, die (was allerdings selten geschah) hinüberschauten nach der geheimnisvollen Grenze, da die Erde endete, sehen können, wie die ungewohnten Gestalten der flinken Trolle grau durch den Abend gepurzelt kamen. Sie kamen in hochfliegenden Sprüngen, einer nach dem andern, durch das Grenzzwielicht geschossen und flitzten, nachdem sie ganz unfeierlich in unseren Gefilden gelandet, unter Luftsprüngen und Purzelbäumen weiter, und dabei gaben sie wahre Salven unverschämten Gelächters von sich, ganz als wäre dies die angemessene Art, sich dem ja doch keineswegs geringsten unter den Planeten zu nähern.

Sie raschelten an den kleinen Häusern vorüber, wie Wind durch Stroh fährt, und niemand, der sie vorüberstieben hörte, wußte, aus welcher fernen Fremde sie kamen, mit Ausnahme nur der Hunde, deren Aufgabe es ist, zu beobachten und auf alles zu achten, und die bei allen Wesen, die vorüberkommen, den Grad ihrer Menschenferne zu erkennen wissen. Zigeuner, Vagabunden und alle, die ohne festen Wohnsitz sind, werden von Hunden angebellt, so oft sie vorübergehen; die wilden Tiere der Wälder gar mit noch größerem Abscheu, aufgrund der widerspenstigen Verachtung, welche sie dem Menschen entgegenbringen; und schließlich die Füchse mit schier wilder Wut, um des Geheimnisses willen, das sie umgibt, und ihrer weiten Wanderungen: doch an diesem Abend ging das Gebell der Hunde weit über Abscheu und Wut hinaus, und so manch ein Bauer glaubte, sein Hund sei dabei, zu ersticken.

Und so stoben die Trolle über die Felder und hielten nicht inne, um über die plumpen Schafe zu lachen, die angstvoll vor ihnen auseinanderliefen, denn sie wollten sich ihr Lachen für den Menschen aufheben, und so kamen sie denn bald zu den Bergen über Erl; und dort unter ihnen war Nacht und der Rauch der Menschen, ein einziges Grau in Grau. Und da sie nichts wußten von den kleinen Zwecken, die den Rauch aufsteigen ließen aus den Häusern, hier weil eine Frau einen Wasserkessel auf dem Feuer hatte, und dort weil eine ein Kinderkleidchen trocknete, und gar nicht ahnten, daß ein paar alte Männer vielleicht Verlangen hatten, sich die Hände zu wärmen im Abend, verzichteten die Trolle darauf, so zu lachen, wie sie es vorgehabt, sobald sie der Menschendinge würden ansichtig werden. Vielleicht hatte selbst sie, deren ernsteste Gedanken noch gleich unter der Oberfläche des Lachens lagen, selbst sie ein wenig Scheu gepackt ob der Fremdartigkeit und Nähe des Menschen, der dort, inmitten all seines Rauchs, in seinem Weiler schlief. Obwohl sich Scheu in diesen leichten Köpfen nicht länger hielt als ein Eichhörnchen auf den dünnen Außenzweigen eines Baums.

Nach einer Weile hoben sie die Augen auf aus dem Tal, und da lag der westliche Himmel vor ihnen, noch immer leuchtend über dem Letzten der Dämmerung, ein kleiner Streifen Farbe und sterbenden Lichts, so lieblich, daß sie glaubten, es müsse ein zweites Elfenland liegen auf der anderen Talseite; zwei dämmrig durchsichtige, zaubrisch elfische Lande müsse es geben, deren Säume in diesem Tal zusammenträfen, nur wenige Menschenfelder weit auf beiden Seiten. Und da sie so dasaßen am Hügelhang und westwärts spähten, erblickten sie als nächstes einen

Stern: es war die Venus im Westen tief, von Bläue leuchtend. Und sie alle neigten viele Male die Köpfe vor der schönen blaßblauen Fremden; denn obschon die Höflichkeit selten anzutreffen war bei ihnen, sahen sie doch, daß der Abendstern nicht zur Erde gehörte und zu den Menschendingen, und glaubten, er stamme aus jenem Elfenland, das sie nicht kannten, auf der westlichen Seite der Welt. Und immer mehr Sterne erschienen, bis die Trolle Angst bekamen, denn sie wußten nichts von diesen glitzernden Wanderern, die sich so einfach aus der Dunkelheit hervorstehlen konnten und leuchten: zuerst sagten sie: »Es gibt mehr Trolle als Sterne«, und fühlten sich getröstet, denn sie hatten großes Vertrauen zu Zahlen. Dann aber waren bald mehr Sterne da als Trolle; und die Trolle verspürten ein rechtes Unbehagen, wie sie so dasaßen im Dunkel unter der ganzen großen Schar. Doch bald vergaßen sie die Vorstellung, die sie verstört hatte, denn kein Gedanke hielt sich sonderlich lange bei ihnen. Sie wandten ihre oberflächliche Aufmerksamkeit stattdessen den gelben Lichtern zu, die hier und da aufglühten, diesseits des Grau-in-Grau, wo, ganz in ihrer Nähe, wohnlich und warm, ein paar von den Menschenhäusern standen. Ein Käfer kam vorbei, und sie dämpften ihr Geschnatter, um zu hören, was er sagen würde; doch er brummelte nur vor sich hin auf seinem Heimweg, und sie verstanden seine Sprache nicht. In weiter Ferne bellte unablässig ein Hund und erfüllte die ganze stille Nacht mit seinem Warngetön. Und die Trolle waren wütend über den Klang seiner Stimme, denn sie spürten, daß er sich eindrängte zwischen sie und den Menschen. Dann kam etwas weichlich Weißes aus der Nacht und ließ sich auf dem Ast eines Baumes nieder und neigte den Kopf nach links und betrachtete die Trolle und neigte ihn dann nach rechts und betrachtete sie von dort und dann wieder von links, als könnte es sich keinen rechten Reim auf sie machen. »Eine Eule«, sagte Lurulu; denn viele außer ihm hatten diese Art schon einmal gesehen, weil sie viel fliegt an Elfenlands Rand entlang. Bald aber war sie wieder fort, und sie hörten sie jenseits der Hügel und der Mulden jagen; und dann war kein Laut mehr zu vernehmen als die Stimme des Menschen oder schrilles Kindergeschrei oder das Bellen des Hundes, der die Menschen vor den Trollen warnte. »Eine empfindsame Person«, sagten sie von der Eule, denn sie mochten den Klang ihrer Stimme; aber die Stimmen der Menschen und ihres Hundes klangen wirr und ermüdend.

Manchmal sahen sie die Lichter später Wanderer über die Hügel ziehen, nach Erl hinunter, oder hörten Männer, die sich durch Singen Mut machten in der einsamen Nacht, in Ermanglung einer Laterne. Und derweil wuchs der Abendstern zu immer leuchtenderer Größe, und die großen Bäume wurden schwärzer und schwärzer.

Dann schlug ganz plötzlich drunten, inmitten des Rauchs und des Nebels vom Fluß, die eherne Glocke des Befreiers an im tiefen nächtlichen Tal. Die Nacht selbst und die Hänge und die dunklen Hügellande hallten davon wider; und das Echo drang herauf zu den Trollen und schien sie herauszufordern, zusammen mit allen verfluchten Wesen und wandernden Geistern und Leibern, die nicht gesegnet vom Befreier.

Und der feierliche Klang dieses Echos, das einsam ausging durch die Nacht von jedem schweren Schwingen der heiligen Glocke, erheiterte die Schar der Trolle inmitten all der Erdenfremde, denn was feierlich ist, läßt die Trolle allzeit leichten Sinnes werden. Sie wurden fröhlicher jetzt und kicherten miteinander.

Und während sie immer noch aufblickten in den Riesenschwarm der Sterne und überlegten, ob sie wohl freundlich wären, ward nun der Himmel stahlblau und die östlichen Sterne schwanden, und Nebel und Rauch der Menschen wandelten sich in Weiß, und ein Strahlen berührte den fernen Rand des Tals; und der Mond stieg auf über den Hügeln hinter den Trollen. Dann drangen singende Stimmen herauf aus dem Heiligtum des Befreiers, welche eine Mondmette feierten; was Brauch bei ihnen war in den Vollmondsnächten, wenn der Mond noch tief stand. Und diese Feier nannten sie Monds-Morgen. Die Glocke war verstummt, es sprachen keine zufälligen Stimmen mehr, man hatte den Hund im Tal zum Schweigen gebracht und seine Warnung, und einsam und ernst und feierlich stieg der Gesang der Leute nun empor aus ihrem kleinen, von Kerzen erhellten Heiligtum, das aus grauem Stein gebaut war von Menschen, die tot waren seit unvordenklicher Zeit; feierlich stieg er empor, der Gesang, in der Aufgangszeit des Mondes, ernst wie die Nacht, geheimnisvoll wie der Vollmond selbst, und befrachtet mit einem Sinn, der weit über die höchsten Gedankenbegriffe der Trolle ging. Da sprangen die Trolle alle auf wie ein Mann aus dem bereiften Gras der Hügelhänge und ergossen sich nieder ins Tal, um über die Wege der Menschen zu lachen, ihrer heiligen Dinge zu spotten und ihrem Gesang mit Sinnesleichtigkeit Trotz zu bieten.

Manch ein Kaninchen fuhr auf und floh vor der tollen Schar, und gellendes Gelächter erhob sich unter den Trollen ob ihrer Furcht. Ein Meteor blitzte gen Westen, raste der Sonne nach; entweder als warnendes Vorzeichen, dem Weiler Erl zu künden, daß Volk von jenseits der Erdengrenzen sich ihm nähere, oder aber in Erfüllung irgend eines Naturgesetzes. Für die Trolle war es, als wäre einer der stolzen Sterne gefallen, und sie jauchzten darob mit elfischer Sinnesleichtigkeit.

So kamen sie kichernd durch die Nacht und liefen die

Dorfstraße hinunter, von niemandem gesehen, wie alle Wildwesen, die noch spät durch die Dunkelheit streifen; und Lurulu führte sie zum Taubenschlag, und die ganze Schar kletterte hinein. Im Dorf kam ein Gerücht auf, ein Fuchs sei in den Taubenschlag gesprungen, doch es legte sich rasch wieder, als die Tauben zu ihren Häuschen zurückkehrten, und die Leute in Erl bekamen bis zum Morgen keinen weiteren Hinweis darauf, daß etwas in ihr Dorf eingedrungen war von jenseits der Erdengrenzen.

Wie eine dichte braune Masse, dichter gedrängt als junge Ferkel am Rand eines Futtertrogs, bedeckten die Trolle den Boden des Taubenhauses. Und die Zeit ging über ihnen hin wie über allen Erdenwesen. Und sie wußten wohl, so winzig ihre Denkkraft auch war, daß sie der Auszehrung der Zeit anheimgefallen waren, als sie die Zwielichtsgrenze überschritten; denn nichts lebt am Rand einer Gefahr, ohne ihr Drohen zu spüren: wie die Wildkaninchen auf Felsenhöhen die Gefährlichkeit der schroffen Klippen kennen, so wissen auch die, welche da wohnen am Grenzrand der Erde, um die Gefahr der Zeit. Und doch waren sie gekommen. Die Wunder und Verlockungen der Erde waren übermächtig gewesen. Aber vergeudet nicht so manch ein junger Mensch seine Jugend, wie sie ihre Unsterblichkeit vergeudeten?

Und Lurulu zeigte ihnen, wie man die Zeit ein Weilchen von sich abhalten kann, das Unheil, das sie sonst jeden Augenblick älter und älter machen würde, wenn die Rastlosigkeit der Erde sie wirbelnd wach hielt die ganze Nacht. Er zog die Knie an und schloß die Augen und lag ganz still. Dies, sagte er ihnen, sei Schlafen; und nachdem er sie ermahnt, ja nicht das Atmen einzustellen, sonst aber in allen Dingen still zu sein, schlief er auch ernstlich ein: und nach einigen vergeblichen Versuchen taten die braunen Trolle es ihm nach.

Als die Sonne aufstieg und alle Erdenwesen weckte, drangen lange Strahlen durch die dreißig kleinen Fenster und weckten auch Tauben und Trolle. Und die ganze Schar der Trolle lief zu den Fenstern, um sich die Erde anzuschauen, und die Tauben flatterten auf die Dachbalken und beäugten die Trolle mit ruckenden Köpfen von der Seite. Und dort wäre der ganze Trollhaufe nun geblieben, dicht gedrängt vor den Fenstern und einer auf des anderen Schultern; gespannt verfolgten sie die Vielfalt und Rastlosigkeit des irdischen Lebens und fanden die seltsamsten Fabeln davon bestätigt, die fahrende Gesellen ihnen zugetragen hatten von unseren Gefilden; und obschon Lurulu sie oft daran erinnerte, hatten sie die hochmütigen weißen Einhörner, die sie jagen sollten mit den Hunden, bald ganz vergessen.

Aber nach einer Weile führte Lurulu sie aus dem Verschlag und brachte sie zu den Zwingern. Und sie kletterten auf die hohen Umzäunungen und spähten hinüber nach den Hunden.

Als die Hunde all die seltsamen fremden Köpfe über die Umzäunung spähen sahen, schlugen sie einen Heidenlärm. Und alsbald kamen Leute, um nachzusehen, was die Hunde verstörte. Und als sie die vielen Trolle oben auf der Umzäunung erblickten, da sprachen sie untereinander, und so sprachen alle, die davon hörten: »Es ist Zauber jetzt in Erl!«

EIN KAPITEL ÜBER DIE EINHORNJAGD (ACHTUNDZWANZIGSTES KAPITEL). Niemand in Erl war so beschäftigt, daß er an diesem Morgen nicht gekommen wäre, den Zauber zu sehen, der sich neuerlich aus Elfenland eingestellt, und die Trolle mit all dem zu vergleichen, was die Nachbarn von ihnen gesagt hatten. Und das Volk von Erl betrachtete ausgiebig die Trolle, und die Trolle betrachteten das Volk von Erl, und es herrschte große Heiterkeit; denn, wie es häufig vorkommt bei Köpfen von ungleichem Gewicht, es lachte ein jeder über den andern. Und die Dörfler fanden die unverschämte Art der nackten braunen flinken Trolle nicht komischer und nicht weniger lachhaft, als die Trolle die ernsten hohen Hüte, die sonderbaren Kleider und die feierliche Miene der Dörfler fanden.

Und auch Orion kam bald, und das Dörflervolk zog die langen dünnen Hüte; die Trolle hätten freilich auch ihn ausgelacht, aber Lurulu hatte inzwischen seine Peitsche gefunden, und mit ihrer Hilfe vermochte er die Sippschaft seiner unverschämten Brüder zu derjenigen Grußbezeigung, die in Elfenland gegenüber Angehörigen der Königsfamilie Brauch ist.

Als der Mittag kam und damit die Essensstunde, wandten die Leute sich ab von den Zwingern und kehrten zu ihren Häusern zurück und priesen alle den Zauber, der endlich nach Erl gekommen war.

Während der folgenden Tage dann lernten Orions Hunde erkennen, daß es eitle Mühe war, einen Troll jagen zu wollen, und unklug, ihn anzuknurren; denn abgesehen von ihrer elfischen Behendigkeit waren die Trolle imstande, weit über die Köpfe der Hunde hinaus in die Luft zu springen, und da jeder von ihnen eine Peitsche bekommen hatte, konnten sie jedes Knurren mit einer Treffsicherheit vergelten, in der es ihnen niemand auf Erden gleichzutun vermochte, ausgenommen vielleicht jene, deren Väter mit Peitsche und Hunden seit Generationen umgegangen waren.

Und eines Morgens kam Orion schon in aller Frühe zum Taubenschlag und rief nach Lurulu, und dieser brachte die Trolle auf die Beine, und sie gingen zu den Zwingern, und Orion öffnete die Türen und führte sie dann alle nach Osten über die Hügel. Die Hunde liefen im Verband und die Trolle neben ihnen her mit ihren Peitschen, wie eine von Schäferhunden umgebene Schafherde. Sie waren auf dem Weg zur Grenze von Elfenland, um auf die Einhörner zu warten an der Stelle, wo sie am Abend immer durchs Zwielicht kamen, die irdischen Gräser zu kosten. Und als unser Abend begann, die Gefilde, die wir kennen, zu sänftigen, waren sie angelangt an der opalenen Grenze, die Elfenland von diesen Gefilden trennt. Und dort denn lauerten sie, indessen die Erdendunkelheit wuchs, und warteten auf die großen Einhörner. Neben jedem Hund stand sein ihm zugewiesener Troll, die rechte Hand auf seiner Schulter oder seinem Nacken, besänftigte ihn, beruhigte ihn, und hielt ihn still, während die linke Hand die Peitsche hielt: so weilte die seltsame Schar dort regungslos und dunkelte mit dem Abend. Und als die Erde so trüb und still geworden war, wie die Einhörner es sich wünschten, kamen die großen Tiere lautlos heraus und waren schon weit auf irdischem Gebiet, ehe die Trolle ihren Hunden Erlaubnis gaben, sich zu rühren. Als dann Orion das Zeichen machte, gelang es ihnen leicht, eines von seiner elfischen Heimat abzuschneiden, und sie jagten es schnaubend hin über jene Gefilde, welche dem Menschen zugeteilt sind. Und die Nacht sank nieder über dem Zaubergalopp der stolzen Tiere und über den Hunden, die berauscht waren von ihrem herrlichen Duft, und über den hoch hinspringenden Trollen.

Und als die Dohlen auf den höchsten Türmen von Erl den Sonnenrand tiefrot über den rauhbereiften Feldern erscheinen sahen, kam Orion zurück von den Hügeln mit seinen Hunden und seinen Trollen, und bei sich trug er eine Kopftrophäe, so schön, wie ein Einhornjäger sie sich nur wünschen konnte. Die Hunde rollten sich bald, erschöpft, doch glücklich, in ihren Zwingern zusammen, und Orion ging in sein Bett; während die Trolle in ihrem Taubenschlag zu spüren begannen, was niemand von ihnen außer Lurulu je zuvor gespürt: die ermüdende Last der vorüberstreichenden Zeit.

Den ganzen Tag schliefen Orion und alle seine Hunde, und keinen von ihnen kümmerte es, wie er schlief und warum; indessen die Trolle den Schlaf mit ängstlichem Eifer suchten, so schnell sie nur immer konnten, denn sie hofften, dadurch ein wenig dem Wüten der Zeit zu entrinnen, die sie, wie sie befürchteten, bereits befallen hatte. Und dann, am Abend, während sie alle noch schliefen, die Hunde, die Trolle, und Orion auch, trat in der Schmiede Narls erneut das Parlament von Erl zusammen.

Durch die Schmiede in das Hinterzimmer traten die zwölf alten Männer, und sie rieben sich die Hände und lächelten, rot vor Gesundheit und vom schneidenden Nordwind und heiter gestimmt ob ihrer Weissagungen; denn am Ende nun waren sie's alle wohl zufrieden, daß ihr Herr mit Gewißheit ein Zauberer war, und sahen große Dinge für Erl voraus.

»Volksgenossen«, sprach Narl zu ihnen allen, und er

nannte sie so nach einem alten Brauch, »ist nicht am Ende alles gut geworden mit uns und unserem Tal? Seht, alles ist gekommen, wie wir's vor langer Zeit geplant. Denn der über uns herrscht, ist ein Zauberer, wie wir alle es uns wünschten, und Zauberwesen haben ihn besucht von drüben her, und gehorchen alle seinem Geheiß.«

»So ist es«, sagten alle außer Gazic, einem Viehhändler.

Klein und alt und ganz aus der Welt war Erl, abgeschlossen in seinem tiefen Tal, unvermerkt in der Geschichte; und die zwölf Männer liebten es sehr und wollten es gern berühmt machen. Und so jauchzten sie denn jetzt, da sie die Worte Narls vernahmen: »Welches andere Dorf«, rief er, »hat wohl Verkehr mit drüben?«

Und Gazic, obwohl auch er jauchzte mit den übrigen, stand auf in einer Pause ihrer Fröhlichkeit. »Viele fremde und seltsame Wesen«, sagte er, »sind in unser Dorf gekommen von drüben. So mag es wohl sein, daß die Menschen doch das Beste sind, und die Wege der Gefilde, die wir kennen.«

Aber Oth spottete seiner, und auch Threl. »Das Beste ist Zauber«, sagten alle.

Und Gazic war wieder still und erhob seine Stimme nicht mehr gegen die vielen; und der Met ging herum, und alle sprachen laut von Erls Ruhm; und Gazic vergaß seine Grille und die Furcht, die darin war.

Bis tief in die Nacht jauchzten sie und zechten und schauten mit der vertrauten Hilfe des Mets in die Jahre der Zukunft, so weit dies nur mit Menschenaugen geschehen kann. Doch all ihr Jauchzen ging still vor sich und mit leisen Stimmen, daß nicht die Ohren des Befreiers sie hörten; denn ihre Fröhlichkeit war ihnen zugekommen aus Landen, die jenseits lagen des Gedankens an das Heil, und sie hatten ihr Vertrauen auf den Zauber gesetzt,

wider den, wie sie wohl wußten, ein jeglicher Ton an-
brummte, der aus der Glocke des Befreiers kam, so oft es
läutete am Abend. Und sie schieden spät und priesen den
Zauber in gedämpften Tönen und gingen heimlich zurück
zu ihren Häusern, denn sie fürchteten den Fluch, den der
Befreier niedergerufen auf die Einhörner, und wußten
nicht genau, ob nicht vielleicht auch ihre eigenen Namen
betroffen werden könnten von einem der Flüche, mit denen er alle Zauberwesen belegt.

Den ganzen nächsten Tag ließ Orion seine Hunde ruhen, und die Trolle und das Volk von Erl starrten einander an. Doch am Tag darauf ergriff Orion sein Schwert
und sammelte seine Trollschar und seine Meute, und
wieder machten sie sich alle auf, weit über die Hügellande, um abermals an die neblig opalene Grenze zu kommen und auf die Einhörner zu lauern, daß sie am Abend
erschienen.

Sie kamen zu einem Teil der Grenze, weit weg von der
Stelle, die sie erst drei Abende zuvor heimgesucht; und
Orion ließ sich führen von den schnatternden Trollen,
denn diese kannten gar wohl die Lager der einsamen Einhörner. Und riesig und still kam der Erdenabend nieder,
bis alles dämmrig war wie das Zwielicht; und doch vernahmen sie keinen einzigen Stapflaut der Einhörner und
sahen keinen Schimmer von ihrem Weiß. Und dennoch
hatten die Trolle Orion gut geführt, denn eben als er verzweifeln wollte an einer Jagd in dieser Nacht, eben als der
Abend vollkommen leer zu sein schien und leblos, stand
auf einmal ein Einhorn am Erdenrand des Zwielichts, wo
erst einen Augenblick zuvor noch nichts zu sehen gewesen war: und bald bewegte es sich langsam über die
irdischen Gräser, schrittweise hinein in die Gefilde der
Menschen.

Ein anderes folgte und tat ebenfalls ein paar Schritte;

doch dann blieben sie stehen, wohl fünfzehn unserer irdischen Minuten lang, und nichts regte sich an ihnen außer ihren Ohren. Und während der ganzen Zeit hielten die Trolle ihre Hunde still, reglos mit ihnen kauernd unter einer Hecke der Gefilde, die wir kennen. Die Dunkelheit hatte sie alle unsichtbar gelassen, als die Tiere sich endlich bewegten. Und sobald das größte sich weit genug von der Grenze entfernt hatte, ließen die Trolle ihre Hunde los und sprangen mit ihnen unter schrillem Gelächtergellen hinter dem Einhorn her, seines hochmütigen Kopfes sicher.

Aber die flinken kleinen Köpfe der Trolle hatten, obschon sie bereits viel gelernt von der Erde, noch nicht die Unregelmäßigkeit des Mondes begriffen. Die ganze Finsternis war neu für sie, und so verloren sie bald die Hunde. Orion hatte, in seinem Jagdeifer, nicht an die Wahl einer passenden Nacht gedacht: es schien überhaupt kein Mond und würde auch keiner scheinen bis kurz vor Morgen. Bald blieb auch er zurück.

Orion hatte keine Schwierigkeit, die Trolle zu sammeln, denn die Nacht war voll von ihrem nichtigen Geschnatter, und sie kamen alle auf sein Hornzeichen hin; doch keiner der Hunde wollte ablassen von jenem stechend zaubrischen Duft um eines Menschenhorns willen. Sie kamen am nächsten Tag heimgeirrt, erschöpft, und hatten ihr Einhorn verloren.

Und während die Trolle ihre Hunde säuberten und fütterten am Abend nach der Jagd, ein jeder den seinen, und ihnen allen ein kleines Bündel Stroh hinlegten zum Ruhen und ihnen das Fellhaar strichen und nach Dornen sahen in ihren Pfoten und Kletten entfernten aus ihren Ohren, saß Lurulu abseits für sich und richtete seinen kleinen scharfen Verstand, wie den weißen Lichtpunkt eines Brennglases, stundenlang auf eine einzige Frage. Und die

Frage, über der Lurulu nachgrübelte bis tief in die Nacht, lautete: Wie kann man mit Hunden Einhörner jagen im Dunkeln? Und um Mitternacht war ein klarer Plan in seinem elfischen Kopf entstanden.

WIE DAS MOORVOLK VER-
FÜHRT WURDE (NEUN-
UNDZWANZIGSTES KA-
PITEL). Als der folgende
Abend zu blassen be-
gann, hätte man sehen
können, wie ein Wande-
rer langsam auf das
Moorgebiet zuschritt, das
im Südosten von Erl
lag, am Rand der Bauern-
gehöfte, und seine schreckliche Öde bis an den Hori-
zont erstreckte und gar noch über die Grenze hinaus und
bis ins Gebiet von Elfenland. Es zeigte ein unheimliches
Glimmen jetzt, da das Licht das Land verließ.

So schwarz waren die feierliche Kleidung und der hohe
ernste Hut des Reisenden, daß man ihn schon von fern
hätte sehen können vor dem trüben Grün der Felder, wie
er hinunterging zum Rand des Moorgebiets durch den
grauen Abend. Doch niemand war dort in der Nähe jenes
trostlosen Geländes, der ihn hätte erblicken können,
denn die Drohung der Finsternis hing bereits über den
Feldern, und alle Kühe waren daheim und die Bauern
warm in ihren Häusern; so ging der Wanderer allein. Und
bald war er, auf ungewissen Pfaden, an die Stelle gekommen, wo Schilf und Binsen begannen, denen ein Wind
Geschichten erzählte, die ganz ohne Sinn sind dem Menschen, lange Erzählungen von Ödnis und alte Legenden
vom Regen; während er auf dem dunkelnden Hochland
weit hinter sich, wo die Häuser waren, Lichter zu blinken
beginnen sah. Er schritt mit dem Ernst und der feierlichen
Miene eines, der ein wichtiges Geschäft mit den Menschen hat; doch er hatte ihren Häusern den Rücken zuge-

kehrt und ging, wo kein Mensch wanderte und wo kein Dörfchen mehr kam noch einsames Menschenhaus, denn das Moor breitete sich bis nach Elfenland hinüber. Zwischen ihm und der Nebelgrenze, welche die Erde von Elfenland trennte, befand sich nichts Menschliches mehr, und doch schritt der Wanderer aus wie einer, der eine wichtige Mission zu erfüllen hat. Bei jedem der ehrfurchtgebietenden Schritte, die er tat, erzitterten und wankten die hellen Moose und schien das Moor bereit, ihn zu verschlingen, indessen sein würdiger Stab tief einsank in den Schlick und ihm keine Stütze mehr bot; und doch mußte man den Eindruck haben, als gäbe der Wanderer auf nichts anderes acht als auf die Feierlichkeit seines Schreitens. So ging er weiter über das tödliche Moor in einer Haltung, die eher zu jenem langsamen Umzug gepaßt hätte, mit dem die Ältesten den Markt eröffnen an besonderen Tagen, wo der ernsteste von ihnen den Handel segnet und alle Bauern zu den Buden kommen, das Tauschgeschäft zu betreiben.

Und auf und nieder, auf und nieder flogen taumelnd Singvögel heim und säumten den Rand des Moors auf ihrem Weg zu den heimatlichen Hecken; Tauben glitten landwärts vorbei, um in hohen dunklen Bäumen zu nächtigen; die letzte einer Unzahl von Saatkrähen war davon; und alle Luft war leer.

Und nun durchschauerte die großen weiten Moore die Nachricht vom Kommen eines Fremden; denn kaum hatte der Wanderer ernst den Fuß gesetzt auf eines jener schillernden Moose, die in den Sümpfen blühen, da schoß ein Zittern durch ihre Wurzeln und durch die Stengel der Binsen und lief wie ein Licht unter der Oberfläche des Wassers dahin oder wie der Klang eines Liedes, und es pflanzte sich fort über das ganze Moor und kam bis zur Grenze aus zaubrischem Zwielicht, die Elfenland von der

Erde trennt; und es blieb dort nicht halten, sondern verstörte die Grenze selbst und lief über sie weg und ward
selbst in Elfenlandgespürt: denn wo die großen Moore bis
an den Rand der Erde reichen, da ist die Grenze dünner
und ungewisser als anderswo.

Und sobald sie dieses Zittern spürten in der Tiefe der
Moorlande, stoben die Irrlichter auf von ihrem uner-
gründlichen Heimatboden und winkten mit ihren Lichtern, den Wanderer weiterzulocken, hin über die wan-
kenden Moose, zu der Stunde, da die Enten in Schwär-
men fliegen. Und unter dem jauchzende Schwirren und
Rauschen der Entenschwingen folgte der Wanderer den
winkenden Lichtern, tiefer und tiefer hinein in das Moor.
Doch manchmal wandte er sich ab von ihnen, so daß sie
ihm ein Weilchen folgten, statt ihn zu führen, wie sie es
gewohnt, bis sie im Bogen wieder vor ihn gelangen konnten und ihn erneut führten. Ein Beobachter, wäre einer
dagewesen an so gefährlicher Stätte und bei so schlech-
tem Licht, hätte nach einer Weile in den achtungswürdi-
gen Bewegungen des Wanderers eine sonderbare Ähnlichkeit mit denen des grünen Regenpfeiferweibchens
bemerkt, wenn es den Fremden hinter sich herlockt im
Frühling, fort von dem moosigen Hang, wo schutzlos
seine Eier liegen. Aber vielleicht ist das reine Einbildung,
und ein Beobachter hätte nichts dergleichen bemerkt. Jedenfalls gab es keinerlei Beobachter in dieser Nacht an
dieser trostlosen Stätte.

Und der Wanderer ging weiter seinen sonderbaren
Weg, manchmal auf die gefährlichen Moose zu und
manchmal aufs sichere grüne Land, allzeit aber mit ern-
ster Miene und würdigem Gang; und die Irrlichter sammelten sich um ihn in Schwaden. Und immer noch lief das
Zittern, das die Moore warnte vor einem Fremden, fort
durch den Morast unter den Binsenwurzeln und hörte

nicht auf, wie es hätte sein sollen, sobald der Fremdling sein Ende gefunden, sondern durchdrang die Moore wie das Echo einer Musik, der ein Zauber Dauer verliehen hat, und verstörte die Irrlichter noch jenseits der Grenze in Elfenland.

Nun liegt mir jede Absicht fern, etwas Nachteiliges über die Irrlichter zu schreiben oder überhaupt irgend etwas, was sich als Kränkung für sie auslegen ließe: keine derartige Auslegung sollte meine Schriften treffen. Doch es ist ja wohlbekannt, daß die Moorbewohner fremde Wanderer ins Verderben locken und dieser Beschäftigung jahrhundertelang mit Vergnügen nachgegangen sind, und so darf ich das vielleicht mit erwähnen, ohne daß ich damit etwa meine Mißbilligung zum Ausdruck bringen will.

Die Irrlichter, die jetzt um diesen Wanderer waren, verdoppelten mit Wildheit ihre Anstrengungen; und als er trotzdem allen ihren Verlockungen selbst am Rand der tödlichsten Sümpfe noch entging und immer noch lebte und immer noch wanderte und das ganze Moor dies wußte, da stiegen die größeren Irrlichter, die in Elfenland wohnten, auf aus ihrem zaubrischen Schlamm und rauschten davon über die Grenze. Und das ganze Moor geriet in Unruhe.

Fast wie kleine, unverschämt flinke Monde glühten die Moorbewohner vor dem feierlichen Fremden und leiteten seine ehrwürdigen Schritte bis an den Rand des Todes nur, um die eigenen alsdann zurückzulenken und mit einem erneuten Versuch der Verlockung zu beginnen. Und dann erkannten sie langsam, daß der Moosboden, der noch nie zuvor einen Wanderer getragen, seinem Gewicht standhielt, trotz der großen Höhe seine Hutes und der dunklen Länge seine Mantels. Und dies steigerte ihre wilde Wut, und sie sprangen alle näher; und dichter und dichter scharten sie sich um ihn, wo immer er ging; und in ihrer Wut verloren ihre Lockungskünste immer mehr an Kunstgeschick und Kraft.

Und nun hätte ein Beobachter, wäre einer dort gewesen, etwas sehen können, was mehr war als nur ein von Irrlichtern umringter Reisender; denn er hätte bemerkt, daß der Wanderer fast die Irrlichter führte, statt umgekehrt. Und in ihrer Ungeduld, ihn tot zu sehen, kam den Moorbewohnern gar nicht der Gedanke, daß sie sich immer mehr dem trockenen Land näherten.

Und als alles dunkel war außer dem Wasser, fanden sie sich plötzlich auf einem Feld voller Gras, und ihre Füße raspelten über den rauhen Weideboden, während der Fremde sich mit bis zum Kinn angezogenen Knien hingesetzt hatte und sie nun unter der Krempe seines hohen schwarzen Hutes beäugte. Noch niemals war einer von ihnen durch einen Reisenden auf trockenes Land gelockt worden, und es waren in dieser Nacht die ältesten und größten der Art bei ihnen, die eigens aus Elfenland gekommen waren mit ihren mondgleichen Lichtern. Sie blickten einander in unbehaglichem Staunen an, als sie sich lahm ins Gras sinken ließen, denn das rauhe Festland machte ihnen Beschwer nach den Mooren. Und dann machten sie langsam die Feststellung, daß der verehrungswürdige Wanderer, dessen helle Augen so scharf auf sie gerichtet waren inmitten der schwarzen Masse seiner Kleidung, nur ganz wenig größer war als sie selber, trotz seinem gravitätischen Gehabe. Tatsächlich war er, obschon wohl stämmiger und rundlicher, nicht einmal ganz so groß. Wer war, so fingen sie an zu murmeln, diese Person, welche die Irrlichter fortgelockt hatte? Und einige der älteren aus Elfenland begaben sich zu ihm, daß sie ihn fragten, wie er es habe wagen können, Wesen wie sie zu verführen. Und dann sprach der Fremde. Ohne den

Kopf zu heben oder zu wenden, sprach er von dort, wo er saß.

»Bewohner der Moore«, sprach er, »liebt ihr Einhörner?«

Und bei dem Wort ›Einhörner‹ erfüllten Verachtung und Gelächter ein jedes der winzigen Herzen in der ganzen frivolen Menge und schlossen alle anderen Gefühle aus, so daß sie ihren Verdruß über die Verführung alsbald vergaßen; obwohl die Verführung von Irrlichtern bei ihnen für den schwersten Schimpf geachtet wird und sie ihn nimmer vergeben hätten, wäre ihnen nur ein längeres Gedächtnis eigen gewesen. Bei dem Wort ›Einhörner‹ kicherten sie alle still vor sich hin. Und dies taten sie, indem sie auf und nieder flackerten und hüpften wie das Licht eines kleinen Spiegels, das eine mutwillige Hand blitzen läßt. Einhörner! Nur wenig Liebe empfanden sie für diese hochmütigen Ungetüme. Sollten sie doch erst einmal lernen, wie man anständig redete mit den Moorbewohnern, wenn man zum Trinken kam an ihre Sümpfe! Sollten sie erst einmal lernen, wie man sich gebührend betrug gegenüber den großen Lichtern von Elfenland und auch den kleineren, welche die Moore der Erde erhellten!

»Nein«, sagte eines der älteren Irrlichter, »keiner liebt die stolzen Einhörner.«

»Dann kommt«, sagte der Wanderer, »denn wir wollen sie jagen. Und ihr sollt uns leuchten in der Nacht mit euren Lichtern, wenn wir sie hetzen mit Hunden über die Gefilde der Menschen.«

»Verehrlicher Wanderer«, hob jenes ältere der Irrlichter wieder an; doch bei diesen Worten warf der Fremdling seinen Hut hoch in die Luft und sprang aus seinem langen schwarzen Mantel und stand vor den Irrlichtern plötzlich splitterfasernackt. Und die Moorbewohner sahen, daß es ein Troll war, der sie überlistet hatte.

Ihre Verärgerung darüber war nicht groß; denn die Moorbewohner haben die Trolle überlistet, und die Trolle haben die Moorbewohner überlistet, ein jeder den anderen, und so oft seit unvordenklichen Zeiten, daß nur die klügsten unter ihnen hätten sagen können, wem es am häufigsten gelungen war und wer den größten Vorsprung hatte. Sie trösteten sich mit dem Gedanken an Zeiten, da die Trolle dazu geschaffen worden waren, lächerlich auszusehen, und kamen überein, mit ihren Lichtern bei der Einhornjagd zu helfen, denn ihr Wille war schwach, wenn sie auf trockenem Land standen, und sie schickten sich dann in jeden Vorschlag oder folgten jedermanns Grillen.

Es war Lurulu, der auf diese Art die Irrlichter überlistet hatte, wohl wissend, wie gern sie Fremde verführen und verlocken; nachdem er sich den höchsten Hut und den feierlichsten Mantel besorgt, den er stehlen konnte, hatte er sich auf den Weg gemacht als Köder, von dem er wußte, daß er sie aus großen Entfernungen herbeiholen würde. Und jetzt, da er sie alle auf dem Festland versammelt hatte und ihr Versprechen besaß, ihm Licht und Hilfe zu leihen gegen die Einhörner, ein Versprechen, das von solchen Geschöpfen freilich leicht zu bekommen war, aufgrund des hochmütigen Stolzes der Einhörner, begann er sie davonzuführen nach Erl, langsam zuerst, weil ihre Füße sich an das harte Land gewöhnen mußten; und nach einem langen Weg über die Felder kamen sie hinkend in Erl an.

Und nun gab es nichts mehr allüberall in den Mooren, was auch nur im geringsten dem Menschen ähnlich sah, und die Gänse stießen nieder in riesigem Schwingentumult. Die kleine flinke Krickente schoß heimwärts; und die ganze dunkle Luft schwirrte wider vom Schwarmflug der Enten.

DAS ÜBERHANDNEHMEN DES ZAUBERS (DREISSIGSTES KAPITEL). In Erl, das nach Zauber geseufzt hatte, war nun wahrhaft Zauber. Der Taubenschlag und alte Trödelspeicher über Ställen wimmelten nur so von Trollen, die Wege waren voll von ihren Possen, und auf der Straße hüpften bei Nacht lauter Lichter, lange nachdem der Verkehr geendet. Denn die Irrlichter tanzten an den Rinnsteinen entlang, und sie hatten Wohnung genommen rund um die Ententeiche und auf den grünschwarzen Moosflecken, die sich auf dem Stroh der ältesten Dächer gebildet hatten. Und nichts schien mehr wie früher in dem alten Dorf.

Und inmitten all diesen Zaubervolks regte sich die magische Hälfte von Orions Blut, die geschlafen hatte, während er unter irdischen Menschen ging und irdische Rede hörte jeden Tag, und sie weckte Gedanken in seinem Hirn, die ebenfalls lange geschlafen hatten. Und die Elfenhörner, die er oft hatte blasen hören am Abend, trugen nun einen Sinn in ihrem Klang und bliesen stärker, als wären sie näher gekommen.

Das Dörflervolk, das seinen Herrn bei Tage beobachtete, sah seine Augen abgewandt nach Elfenland, sah ihn vernachlässigen die natürlichen Erdensorgen, und bei Nacht kamen die unheimlichen Lichter und kam das Geschnatter der Trolle. Angst breitete sich aus in Erl.

Zu dieser Zeit trat das Parlament erneut zusammen, zwölf graubärtige zitternde Männer, die zum Hause Narls gekommen waren, als ihr Tagewerk am Abend beendet; und der ganze Abend stand im Bann des neuen Zaubers aus Elfenland. Jeder von ihnen hatte, als er sich aufgemacht aus seinem eigenen warmen Haus und war zu Narls Schmiede gegangen, Lichter hüpfen sehen oder Stimmen schnattern hören, die aus keinem Land des Rechtglaubens waren. Und einige hatten Gestalten schleichen sehen, die nicht von irdischem Wuchs, und sie fürchteten, es seien bereits alle möglichen Wesen herübergeschlüpft durch die Grenze von Elfenland, um herzukommen und die Trolle zu besuchen.

Sie sprachen leise in ihrem Parlament: alle erzählten dieselbe Geschichte, von Kindern, die einen heillosen Schreck bekommen hatten, von Frauen, die wieder nach den alten Wegen verlangten; und während sie sprachen, beäugten sie ängstlich Fenster und Risse, da niemand wußte, was alles noch kommen konnte.

Und Oth sagte: »Laßt uns zu unserm Herrn Orion gehen, wie wir zu seinem Großvater gegangen sind dereinst, in seinem langen roten Gemach. Laßt uns ihm sagen, wie wir hätten nach Zauber gesucht und verlangt, und siehe, es sei nun genug des Zaubers; und laßt uns sagen, er möge nicht folgen mehr der Hexerei noch den Dingen, die da sind verborgen vor dem Menschen.«

Er lauschte scharf, wie er dort stand unter seinen stillen Gefährten und Nachbarn. Waren es Koboldstimmen, die ihn narrten, oder war es nur ein Echo? Wer konnte das sagen? Und fast im nämlichen Augenblick war die Nacht ringsum wieder still wie zuvor.

Und Threl sagte: »Nein. Es ist zu spät dafür.« Threl hatte ihren Herrn an einem Abend gesehen, wie er allein auf den Hügeln stand, vollkommen reglos, und hinüberlauschte nach Elfenland, die Augen nach Osten gerichtet, da er lauschte: und nichts war zu hören, kein Laut bewegte die Luft; doch Orion stand da, gerufen von Klängen, die jenseits lagen allen sterblichen Gehörs.

247

»Es ist bereits zu spät«, sagte Threl.

Und das befürchteten alle.

Dann erhob sich Guhic langsam von seinem Sitz und blieb am Tisch stehen. Und die Trolle schnatterten wie Fledermäuse fern auf ihrem Speicher, und die blassen Moorlichter flatterten, und Gestalten schlichen im Dunkel: das Tipptapp ihrer Füße drang hin und wieder an die Ohren der Zwölf, die hier versammelt waren im Hinterzimmer. Und Guhic sagte: »Wir haben uns nur einen kleinen Zauber gewünscht.« Und eine wahre Salve von Geschnatter drang von den Trollen herüber. Und dann redeten sie sich ein Weilchen die Köpfe heiß über der Frage, wieviel Zauber sie sich denn gewünscht hätten damals, in der alten Zeit, da Orions Großvater noch Herrscher gewesen in Erl. Doch als sie zu einem Plan kamen, war dies Guhics Plan.

»Wenn wir den Sinn unseres Herrn Orion nicht wenden können«, sagte er, »und seine Augen hingewandt bleiben nach Elfenland, dann möge unser ganzes Parlament hinaufgehen auf den Berg zur Hexe Ziroonderel und ihr den Fall unterbreiten und sie um einen Zauber bitten gegen zuviel Zauber.«

Und als der Name Ziroonderel fiel, faßten die Zwölf wieder Mut; denn sie wußten, daß ihr Zauber größer war als der Zauber der Flackerlichter, und wußten, daß es keinen Troll gab noch sonst ein Wesen der Nacht, das nicht in Furcht gewandelt wäre vor ihrem Besen. Sie faßten wieder Mut und sprachen dem schweren Met zu, den Narl ihnen kredenzte, und füllten die Krüge sich neu und priesen Guhic.

Und spät in der Nacht standen sie alle zusammen auf, um heimzugehen, und sie blieben alle dicht beieinander auf ihrem Heimweg und sangen ernste alte Lieder, die

Wesen zu schrecken, die sie fürchteten; obschon die leichten Trolle und auch die Irrlichter nur wenig geben auf die Dinge, welche dem Menschen ernst sind. Und als nur noch einer übrig war, lief er zu seinem Hause, und die Irrlichter jagten ihn.

Als der nächste Tag verstrichen war, beendeten sie ihr Tagewerk früher, denn dem Parlament von Erl war nichts daran gelegen, noch auf dem Hexenberg zu sein, wenn die Nacht hereinbrach oder auch nur die Dämmerung. Sie trafen sich am frühen Nachmittag vor Narls Schmiede, elf Mann hoch, und riefen Narl heraus. Und alle trugen sie die Kleidung, in der sie sonst mit den anderen zum Heiligtum des Befreiers zu gehen gewohnt waren. Und sie gingen los mit ihren alten stämmigen Knüttelstöcken, den Berg hinan.

Und sie begaben sich, so schnell sie nur konnten, zum Haus der Hexe. Und sie fanden sie dort sitzen vor ihrer Tür und über das Tal hinschauen in die Ferne, und sie sah weder älter noch jünger aus, noch irgendwie sonst berührt vom Kommen und Gehen der Jahre.

»Wir sind das Parlament von Erl«, sagten sie, als sie vor ihr standen in ihrer ernsten Kleidung.

»Ja«, sagte sie. »Ihr habt euch Zauber gewünscht. Hat er sich schon eingestellt?«

»Wahrhaftig«, sagten sie, »und nicht zu knapp.«

»Es wird noch mehr kommen«, sagte sie.

»Mutter Hexe«, sagte Narl, »wir stehen hier vor dir, um dich zu bitten, du möchtest uns einen guten Bann- und Zauberspruch geben wider den Zauber, auf daß nicht noch mehr davon komme in das Tal, denn überviel schon ist davon gekommen.«

»Überviel?« fragte sie. »Überviel Zauber! Als wäre Zauber nicht Würze und Wesen des Lebens, sein Schmuck und sein Glanz! Bei meinem Besen«, sagte sie,

»ich werde euch keinen Bannspruch geben wider den Zauber.«

Und sie gedachten der wandernden Lichter und der kaum sichtbaren Schnatterwesen und all des Fremden und Üblen, das in ihr Tal gekommen, und sie flehten sie abermals an und sprachen mit Schmeichelfreundlichkeit zu ihr.

»Ach Mutter Hexe«, sagte Guhic, »es ist des Zaubers wahrlich überviel, und allerlei Volk, das in Elfenland bleiben sollte, ist über die Grenze gekommen.«

»So ist es«, sagte Narl. »Die Grenze ist durchbrochen, und nun wird es kein Ende nehmen. Irrlichter sollten in den Mooren bleiben und Trolle und Kobolde in Elfenland, indessen wir selber uns halten bei unseresgleichen. So denken wir alle. Denn Zauber gehört zu den Dingen, die nicht für den Menschen sind, mögen wir uns auch ein wenig davon gewünscht haben, vor Jahren, in unserer Jugend.«

Sie beäugte ihn schweigend mit einem katzenartigen Blick, dessen Glühen langsam wuchs in ihren Augen. Und als sie denn gar nichts sprach noch sich rührte, bat Narl sie erneut.

»Ach Mutter Hexe«, sagte er, »willst du uns keinen Bannspruch geben, daß wir unsere Häuser schützen damit wider den Zauber?«

»Nichts dergleichen werde ich tun!« zischte sie. »Nichts dergleichen! Bei Besen und Sternen und nächtlichem Ritt! Wollt ihr der Erde ihr Erbteil rauben, das auf sie gekommen aus der alten Zeit? Wollt ihr der Erde ihren Schatz nehmen und sie wehrlos dem Gespött preisgeben ihrer Bruderplaneten? Wahrlich, arm wären wir ohne Zauber, davon wir die Fülle haben zum Neid der Finsternis und des Raums!« Sie beugte sich vor, wo sie saß, stampfte mit dem Stock auf und blickte Narl ins Gesicht mit ihren unerschütterlichen Augen. »Eher«, sagte sie, »würde ich euch einen Bannspruch geben wider das Wasser, daß alle Welt dürsten sollte, als daß ich euch einen gäbe wider das Lied der Ströme, welches der Abend fern hört über dem Kamm eines Berges, zu schwach für wachsame Ohren, eine Melodie, welche die Träume durchzieht, daraus wir erfahren von alten Kriegen und verlorenen Lieben der Flußgeister. Eher würde ich euch einen Bannspruch geben wider das Brot, daß alle Welt hungern sollte, als daß ich euch einen gäbe wider den Zauber des Weizens, welcher die goldenen Täler heimsucht im Juli bei Mondenschein und durch den in den warmen kurzen Nächten gar viele wandern, von denen der Mensch nichts weiß. Ich würde euch Zaubersprüche machen wider Bequemlichkeit und Kleidung, wider Nahrung, Obdach und Wärme, ja wahrlich, und werde es tun, eher als daß ich von diesen armen Erdengefilden den Zauber risse, welcher ein hüllender Mantel für sie ist wider die Kälte des Raums und ein heiteres Schutzgewand wider das Grinsen der Nichtigkeit. Hebt euch von dannen. Geht in euer Dorf. Und ihr, die ihr nach Zauber gesucht habt in eurer Jugend, doch ihn nicht mehr wünscht nun in euerm Alter, wisset, daß es eine Blindheit des Geistes gibt, welche vom Alter selber kommt, schwärzer denn die Blindheit des Auges, und eine Finsternis um euch legt, in der nichts mehr zu sehen ist noch zu fühlen noch zu wissen oder zu begreifen. Und keine Stimme aus dieser Finsternis soll mich beschwören, einen Bannspruch von mir zu lassen wider den Zauber. Von dannen mit euch!«

Und als sie ›von dannen‹ sagte, stützte sie ihr Gewicht auf ihren Stock und schickte sich augenscheinlich an, sich von ihrem Platz zu erheben. Und darob kam großer Schrecken über das ganze Parlament. Und im nämlichen Augenblick bemerkten die Männer, daß der Abend her-

einbrach und das Tal bereits dunkelte. Auf dem hochgelegenen Feld, da die Kohlköpfe der Hexe wuchsen, weilte
noch etwas Licht, und sie hatten über der Aufmerksamkeit, mit der sie ihren wilden Worten gelauscht, die Zeit
vergessen. Aber nun wurde es ersichtlich spät, und es
strich ein Wind an ihnen vorüber, der über die Berg-
kämme herzuwehen schien aus der Nacht und sie frösteln
ließ, da er vorüberstrich; und die ganze Luft schien auf
einmal eben jenem Zauber anheimgegeben, wider den sie
nach einem Bannspruch gesucht hatten.

Und da standen sie nun zu dieser Stunde hier vor der
Hexe, und sie schickte sich augenscheinlich an, sich zu erheben. Ihre Augen waren starr auf sie gerichtet. Schon
war sie halb auf von ihrem Stuhl. Kein Zweifel, ehe auch
nur drei Augenblicke verstrichen waren, würde sie in ihre
Mitte gehumpelt kommen mit ihren glitzernden Augen
und einem jeden von ihnen ins Gesicht spähen. Sie wandten sich um und liefen den Berg hinunter.

DIE VERFLUCHUNG DER ELFENWESEN (EINUNDDREISSIGSTES KAPITEL). Als die Mitglieder des Parlaments von Erl den Berg hinunterliefen, gerieten sie in die Abenddämmerung. Grau lag sie im Tal über den Flußnebeln. Doch Schwereres als das Geheimnis des Dämmerns hing in der Luft. Früh blinkende Lichter in den Häusern zeigten, daß alles Volk daheim war; und die Straße lag von allem verlassen da, was menschlich war; nur einmal sahen sie mit verschlossener Miene und fast verstohlenem Schritt ihren Herrn Orion vorübergehen wie einen riesigen Schatten, Irrlichter hinter sich, dem Haus der Trolle zu, in Gedanken versunken, die nicht von der Erde waren. Und die Fremdartigkeit, die Tag um Tag gewachsen war, machte das ganze Dorf unheimlich. So daß die zwölf Männer kurzatmig und verstört weiterliefen.

Und so kamen sie zum Heiligtum des Befreiers, welches auf der dem Hexenberg zugewandten Seite des Dorfes lag. Und es war die Stunde, da er gewohnt war, die Nachvogelvesper zu feiern, wie sie ein Singen nannten im Heiligtum, wenn alle Vögel heimgeflogen waren in ihre Nester. Doch der Befreier war nicht in seinem Heiligtum; er stand davor in der kalten Nachtluft draußen, auf der obersten Stufe, das Gesicht nach Elfenland gewendet. Er trug sein geweihtes Gewand mit dem Purpurbesatz und das Sinnbild aus Gold um den Hals; doch die Tür seines Heiligtums war geschlossen und sein Rücken ihr zugekehrt. Und sie verwunderten sich sehr, da sie ihn so sahen stehen.

Und da sie sich noch verwunderten, begann der Befreier mit klarer, durch den Abend dringender Stimme zu psalmodieren, die Augen weit nach Osten gewendet, wo sich bereits ein paar der frühesten Sterne zeigten. Und er sprach mit hoch erhobenem Kopf, ganz als könnte seine Stimme so hinausdringen über die Zwielichtsgrenze und gehört werden vom Volk Elfenlands.

»Verflucht seien alle wandernden Wesen«, rief er, »die keine Statt haben auf Erden! Verflucht seien alle Lichter, die da wohnen in Sümpfen und Mooren! Ihre Heimat ist die Tiefe des Morasts! Sie sollen sich nicht von der Stelle rühren dort bis hin zum Jüngsten Tag! Sie sollen bleiben, wo sie sind, und allda die Verdammnis erwarten! Verflucht auch seien die Gnome, Trolle, Elfen und Kobolde auf dem Land und alle Wassergeister! Und die Faune seien verflucht und jene, so dem Pan folgen! Und alle, die auf der Heide wohnen und anderes sind denn Tiere oder Menschen! Verflucht seien die Feen und alle Märchen, welche von ihnen erzählt werden, und dazu alles, was auf den Wiesen spukt, ehe die Sonne herauf ist, und alle Fabeln von zweifelhafter Glaubwürdigkeit und die Legenden, welche der Mensch überliefert hat aus unheiligen Zeiten. Verflucht sei ein jeglicher Besen, welcher seinen Platz am häuslichen Herd verläßt! Verflucht seien Hexen und alle Arten der Hexerei! Verflucht seien die zaubrischen Pilzkreise und was in ihnen tanzt! Und alle fremden Lichter, fremden Lieder, fremden Schatten samt allen Gerüchten, welche auf sie weisen, und alle zweifelhaften Wesen der Dämmerung und jene Wesen, so übel unterrichtete Kinder fürchten, und alle Altweibergeschichten und Dinge, welche in Mittsommernächten getan werden: sie alle seien verflucht mitsamt allem, was sich Elfenland zuneigt, und allem, was von dort kommt!«

Es gab keine Gasse im Dorf und keine Scheune, darauf

nicht ein flinkes Irrlicht tanzte; die Nacht war wie vergoldet davon. Doch als der heilige Mann so sprach, da wichen sie alle zurück vor seinen Flüchen und stoben davon, als hätte ein leichter Wind sie gepackt, und nachdem sie so ein Stückchen abgetrieben, tanzten sie weiter. Sie taten das vor ihm und hinter ihm und zu seinen beiden Seiten, da er dort stand auf den Stufen seines Heiligtums. So daß zwar ein Kreis der Finsternis um ihn war, doch jenseits dieses Kreises die Lichter leuchteten der Moore und Elfenlands.

Und innerhalb des dunklen Kreises, in dem der Befreier stand und seine Flüche sprach, gab es keine unheiligen Wesen, noch waren Fremdheiten darin, wie sie aus der Nacht kommen, noch das Wispern unbekannter Stimmen, noch Laute einer Musik, wie sie uns zuweht aus keines Menschen Stätte; sondern war alles anständig dort und schicklich, und keine Geheimnisse verstörten die Stille außer jenen, wie sie dem Menschen rechtens gestattet sind.

Und jenseits dieses Kreises, weit zurückgewichen vor der heiligen Heftigkeit der Flüche des geistlichen Mannes, tobten die Irrlichter und mit ihnen mancherlei Fremdheiten, die in dieser Nacht aus Elfenland herbeigeströmt, und Kobolde auch, und hielten alle ein hohes Fest. Denn es war Botschaft ergangen in Elfenland, daß annehmliches Volk nunmehr Wohnung genommen in Erl; und so manch ein Fabelwesen, so manch ein mythisches Ungetier war über die Zwielichtsgrenze gekrochen und nach Erl gekommen, es zu sehen. Und die leichtsinnigen und falschen, doch freundlichen Irrlichter tanzten in der verwunschenen Luft und hießen sie alle willkommen.

Und nicht nur die Trolle und Irrlichter hatten dies Volk aus seinem Fabelland herbeigelockt über die selten durchquerte Grenze, sondern es riefen nach ihnen jetzt auch die Gedanken und Sehnsüchte Orions, welche durch die Hälfte seiner Herkunft verwandt waren den Wesen der Sage und von gleicher Rasse wie das Ungetier Elfenlands. Seit jenem Tag an der Grenze, da er sich schwankend zwischen Erde und Elfenland befunden, hatte es ihn mehr und mehr nach seiner Mutter verlangt; und nun riefen, ob er es wollte oder nicht, seine elfischen Gedanken nach ihren Verwandten, die in den elfischen Moorlanden hausten; und als dann der Hörnerklang über die Zwielichtsgrenze wehte, da waren sie ihm blindlings gefolgt. Denn elfische Gedanken sind den Wesen, die in Elfenland wohnen, so nah verwandt wie Kobolde den Trollen.

In der Stille und Finsternis aber, welche den Befreier und seine Flüche umgaben, standen schweigend die zwölf alten Männer und lauschten jedem Wort. Und die Worte dünkten sie gut und beruhigend und recht, denn sie waren des Zaubers übermüde.

Doch jenseits des Finsterkreises, inmitten der blitzenden und flitzenden Irrlichter, von denen die ganze Nacht funkelte, inmitten von Koboldgelächter und der ungezügelten Fröhlichkeit der Trolle, wo alte Legenden lebendig geworden schienen und die schrecklichsten Fabeln wahr, inmitten aller nur möglichen Geheimnisse, seltsamen Laute, seltsamen Gestalten und seltsamen Schatten: ging Orion vorbei mit seinen Hunden, ostwärts, gen Elfenland.

LIRAZEL SEHNT SICH NACH DER ERDE (ZWEIUND-
DREISSIGSTES KAPITEL). In der Halle, die
da gebaut war aus Mondschein, Träumen, Musik und Luftgebild, kniete Lirazel auf dem
glitzernden Boden vor ihres Vaters Thron.
Und das Licht des Zauberthrons schien blau
in ihren Augen, und ihre Augen blitzten
ein Licht zurück, das seinen Zauber vertiefte. Und sie kniete dort,
um eine Rune zu erflehen von ihrem Vater.

Die alten Tage wollten sie nicht
lassen, und süße Erinnerungen be-
drängten sie: die Rasengründe von Elfenland besaßen
ihre Liebe, das Grün, auf dem sie gespielt bei den alten
wunderbaren Blumen, noch ehe irgend Geschichte ward
aufgeschrieben hier; sie liebte die süßen sanften Geschöpfe der Sage, welche wie zaubrische Schatten her-
vorgeglitten kamen aus dem Wächterwald und über verwunschene Gräser; sie liebte jede Fabel und jedes Lied
und jeden Zauberspruch, der ihre elfische Heimat erschaffen; und doch erklangen die Glocken der Erde, deren Tönen nicht über die Grenze dringen konnte des
Schweigens und des Zwielichts, weiter in ihrem Hirn, und
ihr Herz spürte das Wachsen der kleinen Erdenblumen,
wie sie aufblühten oder verblaßten oder schliefen in den
Jahreszeiten, die nimmer nach Elfenland kommen. Und
in diesen Jahreszeiten, welche dahinstrichen, eine um die
andere, wußte sie, daß Alveric ruhelos wanderte, wußte
sie, daß Orion lebte und wuchs und sich änderte und daß
beide, wenn die Erdensage Wahrheit sprach, ihr bald
würden verloren sein auf immer und ewig, wenn die Tore
des Himmels zuschlugen hinter ihnen mit goldenem
Schlag. Denn von Elfenland zum Himmel führt kein Pfad,

keine Treppe, kein Weg; und keine Botschafter schickt eins zum andern. Sie sehnte sich nach den Glocken der Erde und nach den englischen Schlüsselblumen, doch wollte nicht nochmals im Stich lassen ihren mächtigen Vater und die Welt, die sein Geist erschaffen. Und Alveric kam nicht, noch ihr Knabe Orion; nur der Klang von Alverics Horn war einmal gekommen, und oftmals war es ihr, als fluteten seltsame Sehnsüchte durch die Luft, her und hin zwischen ihr und Orion, um dann doch vergeblich zu bleiben und wieder zu verebben. Und die schimmernden Säulen, welche das Kuppeldach trugen, zitterten ein wenig mit ihr und ihrem Schmerz; und Schatten ihres Kummers flackerten und verblichen in der kristallenen Tiefe der Wände und trübten für einen Augenblick so manch eine Farbe, die unbekannt in unseren Gefilden, doch ohne ihr etwas von ihrer Lieblichkeit zu nehmen. Was konnte sie tun, sie, die nicht von sich werfen wollte den Zauber und verlassen das Heim, das ein altersloser Tag ihr teuer gemacht, indessen auf den Erdenküsten Jahrhunderte welkten wie Blätter, sie, deren Herz gehalten wurde von jenen kleinen Ranken der Erde, die doch stark genug sind, stark genug?

Und nun könnte wohl mancher, der ihre bittere Not in mitleidlose Erdenworte übersetzen wollte, schlicht sagen, sie habe gewünscht, an zwei Orten zugleich zu sein. Und das war die Wahrheit, und liegt auch der unerfüllbare Wunsch an der Grenze zur Lächerlichkeit, so war er für sie doch einzig und allein ein Anlaß zu Tränen. Unerfüllbar? Was ist denn unerfüllbar? Wir haben es mit Zauberei zu tun.

Sie erflehte eine Rune von ihrem Vater, dort kniend auf dem Zauberboden in Elfenlands innerster Mitte; und rund um sie ragten die Säulen auf, davon nur das Lied noch erzählen mag und deren nebliger Wald verstört ward von Lirazels Kummer. Sie erflehte eine Rune, die ihr Alveric und Orion zurückbringen sollte, auf welchen Erdengefilden immer sie streiften, eine Rune, die sie über die Grenze bringen sollte auf elfisches Gebiet, damit sie dort lebten bei ihr in jener zeitlosen Zeit, welche da ist ein einziger langer Tag nur in Elfenland. Und mit ihnen, flehte sie, möchte auch kommen (denn die gewaltigen Runen ihres Vaters hatten auch darüber Macht) ein kleiner Erdengarten oder ein Hang voller Veilchen oder ein kleines Tal, darin Schlüsselblumen winkten, damit sie auf ewig leuchteten in Elfenland.

Wie keine Musik, die jemals vernommen in Menschenstädten oder erträumt auf irdischen Bergen, kam Antwort ihr von ihres Vaters elfischer Stimme. Und sie kam in klingenden Worten, darinnen die Macht lag, die Berge des Traums zu versetzen und zu verwandeln und neue Blumen zu verzaubern, daß sie blühten in Feengefilden. »Ich habe keine Rune«, sprach er, »welche die Macht besäße, über die Grenze zu dringen oder etwas herüberzulocken von den weltlichen Gefilden, seien es Veilchen nun oder Schlüsselblumen oder Menschen, daß es herkäme zu uns durch unser Bollwerk aus Zwielicht, welches ich gesetzt, uns gegen die stofflichen Dinge zu schützen. Keine Rune mehr außer nur einer, und die ist die letzte der Mächte unseres Reichs.«

Und immer noch kniend auf dem glitzernden Boden, von dessen tiefgründiger Durchsichtigkeit allein das Lied noch sprechen soll, bat sie inständig ihn um diese eine Rune, mochte es auch die letzte sein von Elfenlands furchtbaren Wundermächten.

Doch er wollte diese Rune nicht verschwenden, welche verschlossen lag in seinem Schatz, die zaubermächtigste und letzte der drei, sondern sie aufheben und bewahren wider die Gefahr eines fernen und unbekannten Tags,

dessen Licht nur erst matt schimmerte hinter einer Weg-
krümmung der Zeiten, zu weit entfernt selbst für den
Geisterblick seiner Vorwissenheit.

Sie wußte, daß er Elfenland weit fortgezogen hatte und
dann wieder zurückfluten lassen wie der Mond die Gezeiten, bis es abermals an den Rand der Menschengefilde
stieß und mit seiner schimmernden Grenze die Ausläufer
der irdischen Hecken berührte. Und sie wußte, daß er
sich dazu, so wenig wie der Mond, gar keines seltenen
Wunders bedient hatte, sondern ein bloßer Zauberwink
seiner Hand hatte hingereicht, sein Gebiet zu bewegen.
Könnte er nicht, so dachte sie denn, Elfenland und Erde
einander noch näher bringen, auch ohne dazu eines selte-
neren Zaubers zu bedürfen als der Mond bei der Nipp-
flut? Und so flehte sie ihn abermals an und erinnerte ihn
an die Wunder, die er gewirkt, ohne daß es dazu mehr be-
durft hätte als eines gewissen Winks seines Arms. Sie
sprach von den zaubrischen Orchideen, welche einst ganz
plötzlich herniedergekommen waren über die Elfenberge
und ihre Felsenklippen als wie ein rosiger Schaum. Sie
sprach von den flaumigen Büscheln seltsamer malvenlila
Blumen, welche im Gras der Täler blühten, und von jener
Blütenpracht, die auf ewig die Rasengründe bewachte.
Denn alle diese Wunder waren die seinen: Vogelsang und
Blumenblühen waren gleichermaßen seiner Eingebung
entsprossen. Und wenn solche Wunder von einem Wink
seiner Hand konnten bewirkt werden, so mochte gewiß
auch ein bloßes Zeichen von ihm ein paar wenige von den
Erdengefilden, welche so nah an der Grenze lagen, herüberbringen, und sei's nur ein winziges Stück. Oder er
konnte Elfenland abermals noch ein wenig weiter erdwärts bewegen, nachdem er es jüngst doch so weit bewegt, wie die Bahn des Kometen reichte, und es doch

wieder zurückgebracht an den Rand der Gefilde der Menschen.

»Niemals«, sprach er, »kann irgend eine Rune außer einer, niemals kann irgend ein Zauber oder Wunder oder sonst ein magisch Ding unser Reich auch nur um eines Flügelschlags Breite über die Erdengrenzen tragen oder etwas von dort zu uns herüberbringen. Und daß es überhaupt eine einzige Rune vermag, davon wissen sie nichts in jenen Gefilden.«

Und immer noch wollte sie kaum glauben, daß die gewohnten Zauberkräfte ihres Vaters nicht sollten imstande sein, die Erdenwesen zusammenzubringen mit den Wundern von Elfenland.

»Vor jenen Gefilden«, sagte er, »prallen all meine Zaubersprüche zurück und sind meine Beschwörungen stumm und meine Winke machtlos.«

Und da er so sprach zu ihr von den furchtbaren Winken seines Arms, da mußte sie ihm endlich doch glauben. Und abermals bat sie ihn flehentlich um jene allerletzte Rune, Elfenlands lange gehorteten Schatz, der da allein die Kraft besaß, wider das grobe Gewicht der Erde zu wirken.

Und seine Gedanken gingen einsam hinaus in die Zukunft und spähten hinab in die Jahre. Und wahrlich, mit größerer Freude hätte ein Wanderer bei Nacht auf einsamen Wegen seine Laterne hingegeben, als dieser Elfenkönig nun hätte Gebrauch gemacht von seinem letzten großen Spruch und ihn so fortgeworfen und ohne ihn den Gang angetreten in jene ungewissen Zeiten, davon er Gestalten zwar sah und viel Geschehen, doch undeutlich nur und trübe und nicht bis ans Ende. Leicht war ihr die Bitte geworden um jenen furchtbaren Spruch, welcher die einzige Not ihr stillen sollte, die sie hatte, und leicht auch wäre ihm die Bewilligung gefallen, wäre er nur ein Mensch gewesen von Menschenart; doch seine gewaltige Weisheit erblickte soviel von den kommenden Jahren, daß er sich fürchtete, ihnen entgegenzugehen ohne diese letzte große Macht und Möglichkeit.

»Jenseits unserer Grenze«, sagte er, »stehen die stofflichen Wesen, und sie sind wild und stark und zahlreich und haben die Macht, zu verdunkeln und sich auszubreiten, denn auch ihnen sind Wunder gegeben. Und wenn nun diese meine letzte Machtmöglichkeit verbraucht ist und dahin, so bleibt keine Rune in unserm ganzen Reich, welche sie fürchten müßten; und die stofflichen Wesen werden sich mehren und wachsen und sich alle Kräfte unterjochen, und wir, die wir dann keine Rune mehr haben, davor sie in Grauen gehen und Ehrfurcht, wir werden dann bald nicht mehr sein denn eine Fabel. Wir müssen diese Rune noch bewahren.«

So rechtete er mit ihr und tat es mit Vernunft eher denn mit Befehlsgewalt, obschon er der Gründer war und König aller dieser Lande und aller Wesen, die da wanderten in ihnen, und allen Lichts, in dem sie leuchteten. Und Vernunft war in Elfenland kein alltäglich Ding, sondern ein exotisches Wunder. Mit ihr nun suchte er zu sänftigen ihr erdgerichtetes Sehnen.

Und Lirazel gab keine Antwort, sondern weinte nur und weinte Tränen aus verwunschenem Tau. Und alle Höhenzüge der Elfenberge erzitterten, wie wandernde Winde erzittern bei einem Geigenklang, der über alle Hörbarkeit hinaus ihren luftigen Weg genommen; und alle Fabelwesen, die da wohnten in Elfenlands Reich, spürten etwas Fremdes und Seltsames in ihren Herzen, wie das langsame Sterben eines Lieds.

»Ist es denn nicht das Beste für Elfenland, daß ich dies tue?« fragte der König.

Und immer noch weinte sie nur.

Da seufzte er tief auf und betrachtete abermals Elfenlands Wohlfahrt. Denn Elfenland zieht sein Glück aus der Stille jenes Schlosses, welches sein Mittelpunkt ist und davon nur das Lied noch erzählen mag; und nun waren seine Zinnen voll Unruhe und die Wände aus Licht getrübt, und Kummer flutete aus seinem gewölbten Tor hinaus über die Feengefilde und über die Täler des Traums. Erst wenn sie, seine Tochter, wieder glücklich war, konnte auch Elfenland wieder sich sonnen in jenem ungetrübten Licht und jener ewigen Ruhe und Stille, die da ein Segen ist allen Wesenheiten außer den stofflichen; und war dann sein Schatz auch offen und leer, was bedurfte es weiters?

So gab er Befehl, und eine Truhe ward vor ihn gebracht von Elfenwesen, und der Ritter seiner Wache, welcher beständig darüber gewacht, kam hinter ihnen her.

Und er öffnete die Truhe mit einem Zauberspruch, denn kein Schlüssel erschloß sie, und indem er eine alte Pergamentrolle daraus nahm, erhob er sich und las die Worte, welche darauf standen, indessen seine Tochter weinte. Und die Worte der Rune waren wie die Töne eines ganzen Orchesters aus Geigen, alle von Meistern gespielt, erwählt aus vielen Menschenaltern, und tief versteckt in einem Wald in eines Mittsommers Mitternacht, beim Schein eines fremden Monds in einer Luft, die erfüllt war von Wahn und Geheimnis, und dicht, doch unsichtbar umringt von Wesenheiten und Dingen, die jenseits aller Menschenweisheit sind.

So las er diese Rune, und die Mächte vernahmen sie und gehorchten, nicht nur in Elfenland, sondern auch jenseits der Grenze, auf Erden.

DIE LEUCHTENDE LINIE (DREIUNDDREIS-
SIGSTES KAPITEL). Alveric wanderte
weiter mit seiner kleinen Schar,
einsam und ohne Hoffnung, die
ihn hätte leiten können. Denn
Niv und Zend, die jüngst noch
vom Verlangen ihrer phantastischen Suche getrieben worden
waren, sehnten sich nicht mehr
nach Elfenland, sondern wurden
einzig noch von dem Plan geleitet, Alveric davon zurückzuhalten.
Sie waren oft unschlüssig, mehr als
gesunde Menschen, hielten aber an jeder Unschlüssig-
keit mit weit mehr als gesunder Inbrunst fest. Und Zend,
der so viele Jahre mit der Hoffnung auf Elfenland vor
sich gewandert war, betrachtete es nun, da er seine
Grenze gesehen, als einen der Rivalen des Monds. Und
Niv, der gleichviel erduldet hatte um Alverics und seines
Zuges willen, erblickte jetzt in jenem Zauberland ein Etwas, das viel weiter im Reich der Fabel lag als alle seine
Träume. Und wenn Alveric auf ihre flinken und wilden
Köpfe mit lahmem Zureden einzuwirken suchte, bekam
er von Zend keine andere Antwort mehr als die kurze
Feststellung: »Es ist nicht des Mondes Wille«, indessen
Niv nur immer wiederholte: »Hab ich nicht Träume ge-
nug?«

Sie wanderten wieder zurück, an Bauerngehöften entlang, die sie vor Jahren gekannt hatten. Mit ihrem alten,
noch mehr zerfetzten Zelt erschienen sie in der Dämmerung und fügten einen weiteren Schatten in den Abend,
auf Feldern, da sie und ihr Zelt längst zur Legende geworden. Und keinen Augenblick blieb Alveric unbe-
wacht von ihren wahnsinnigen Blicken, damit er ja nicht

aus dem Lager schlüpfte und nach Elfenland ging, wo die Träume seltsamer waren und fremdartiger als die Träume Nivs, und sich unter eine Gewalt begab, die magischer war als der Mond.

Oftmals versuchte er es und kroch still von seinem Platz in der Mitte der Nacht. Bei seinem ersten Versuch war Mondschein, und er blieb wach und wartete, bis alle Welt zu schlafen schien. Er wußte, daß die Grenze nicht weit war, als er aus seinem Zelt kroch in die Helle und schwarzen Schatten und vorüberkam an Nivs tiefem Schlaf. Er legte nur ein kleines Stück zurück, und da saß Zend auf einem Felsen und starrte in das Angesicht des Monds. Und Zends Gesicht fuhr herum, und er schrie, aufs neue befeuert vom Mond, und sprang Alveric an. Sein Schwert hatten sie ihm weggenommen. Und Niv erwachte und kam in wilder Wut gelaufen, einig mit Zend in einer Eifersucht; denn beide wußten gar wohl, daß die Wunder Elfenlands größer waren als jedes Phantasiegesicht, das sie je haben würden.

Und nochmals versuchte er es, in einer Nacht, da kein Mond schien. Aber in dieser Nacht saß Niv draußen vor dem Lager und genoß auf eine befremdliche und freudlose Weise die Kameradschaft, die zwischen seinen Wahngedanken und der Finsternis des Sternenraums bestand. Und dort in der Nacht sah er Alveric fortschlüpfen, dem Lande zu, dessen Wunder alle armen Träume Nivs bis in die Tiefe durchdrangen; und die ganze Wut, deren das Kleinere gegenüber dem Größeren fähig ist, erwachte alsbald in seinem Gemüt; und indem er hinter ihm herkroch, schlug er Alveric ohne jede Beihilfe Zends zu Boden, daß er wie leblos liegenblieb.

Und nimmer danach faßte Alveric einen Plan, den beiden zu entrinnen, ohne daß ihre wachen Wahngedanken es im voraus errieten.

Und so kamen sie denn, der Bewachte und seine Wächter, über die Felder der Menschen. Und Alveric erhoffte sich Hilfe von den Bauersleuten; doch der gewitzte Niv verstand sich nur zu wohl auf die Schliche des gesunden Verstandes. So fanden die Leute denn, als sie über ihre Felder zu dem seltsamen grauen Zelt gerannt kamen, aus dem sie Alverics Schreie gehört, die beiden, Niv und Zend, in einer Haltung vollkommener Seelenruhe, welche sie lange geübt hatten, während Alveric ihnen aufgeregt von seiner vergeblichen Suche nach Elfenland erzählte. Nun gelten bei vielen Menschen solche Ziele für wahnsinnig, wie der gewitzte Niv wohl wußte. So fand denn Alveric keine Hilfe.

Da sie nun weiterwanderten, zurück auf dem Weg, den sie vor Jahren genommen, führte Niv die Schar der Drei und ging vor Alveric her und vor Zend, das hagere Gesicht erhoben und gar noch hagerer gemacht durch die drei langen dünnen Spitzen, zu denen er sich Bart und Schnurrbart gebildet, und er trug Alverics Schwert, das lang hinter ihm ragte, während das Heft ihm vorn unter der Achsel vorstand. Und er ging und trug den Kopf mit einer Miene, welche den seltenen Reisenden, die ihn sahen, zu erkennen gab, daß seine spärliche und bizarre Gestalt sich für den Führer einer weit größeren Schar hielt, als ihnen sichtbar war. Tatsächlich hätte einer, der ihn gegen Ende des Abends zu Gesicht bekam, die Dämmerung und den Nebel der Sumpflande dicht hinter sich, leicht glauben können, daß dort in Dämmer und Nebel ein ganzes Heer marschiere hinter diesem fidelen, abgerissenen, zuversichtlichen Menschen. Hätte es dies Heer gegeben, so wäre Niv gesund gewesen in seinem Gemüt. Und hätte die Welt für wahr genommen, daß dort ein Heer marschiere, obschon nur Alveric und Zend seinen wunderlichen Schritten folgten, so wäre er ebenfalls gesund gewesen. Doch die einsame Phantasie, die keine Tatsachen hatte, sich davon zu nähren, und keines anderen Phantasie zur Gesellschaft, war um ihrer Einsamkeit willen ein Wahn.

Zend behielt Alveric die ganze Zeit über im Auge, während sie hinter Niv marschierten; denn ihre beiderseitige Eifersucht auf die Wunder Elfenlands band Niv und Zend zusammen, so daß sie wie aus einem einzigen wilden Wahn handelten.

Und eines Morgens nun reckte sich Niv zur größtmöglichen Höhe seiner hageren Gestalt und streckte den rechten Arm aus und sprach zu seinem Heer. »Wir nähern uns wieder unserer Heimat Erl«, sagte er. »Und wir bringen neue Gesichte und Phantasien anstatt der überholten Dinge und Dinge, die schal geworden sind; und Sitte und Brauch in Erl werden hinfort die Wege des Mondes sein.«

Nun war Niv selber am Mond gar nichts gelegen, doch er gebot über große Gewitztheit und wußte, daß Zend seinem neuen Plan gegen Erl würde Hilfe leisten, wenn es nur um des Mondes willen war. Und Zend brachte ein dreifaches Hoch aus, bis das Echo zurückkam von einem einsamen Berg, und Niv lächelte seine beiden Gefährten an wie ein Heerführer, der seiner Truppen sicher ist. Und Alveric erhob sich gegen sie und kämpfte zum letzten Mal mit Niv und Zend und machte die Erfahrung, daß Alter und Wanderschaft und der Verlust aller Hoffnung ihn um die Kraft gebracht, es mit den Wahnsinnskräften dieser beiden aufzunehmen. Und er ging hinfort sanftmütiger mit ihnen und beschied sich und achtete gering, was ihm geschah, indem er nur noch in der Erinnerung lebte und nur noch für die Tage, die gewesen; und wenn er an Novemberabenden in der Kälte in seinem trüben Lager saß, so schaute er nur rückwärts durch die Jahre und sah dann wieder Frühlingslicht und Morgen auf den Türmen von Erl. Und in diesem Morgenlicht sah er Orion wieder, wie er mit seinen alten Spielsachen spielte, die ihm die Hexe gemacht hatte mit einem Zauberspruch; und er sah Lirazel wieder durch die reizenden Gärten gehen. Doch keines der Lichter, welche die Erinnerung zu entzünden vermag, war stark genug, das Lager selbst zu erleuchten an diesen düsteren Abenden, wenn die Feuchtigkeit aufstieg vom Grund und der Frost aus der Luft niederkam und Niv und Zend, während die Dunkelheit sich näher stahl, mit leisen, erregten Stimmen zu tuscheln begannen und Pläne aussheckten, die ihnen von ähnlichen Grillen eingegeben wurden wie jenen, die sie bei Dämmerung in der Wüste befallen. Nur wenn der traurige Tag gänzlich versunken war und Alveric unter den Fetzen schlief, die sein Zelt in die Nacht flattern ließ, dann nur vermochte die Erinnerung, nicht mehr behindert von den betriebsamen Wechseln des Tags, ihm Erl zurückzubringen, hell, glücklich und frühlingsfrisch; so daß denn, während sein Körper still lag, auf weitem kahlen Feld, im Dunkel und im Winter, alles, was tätig noch war und lebendig in ihm, wieder in Erl weilte, jenseits der Weiten und jenseits der Jahre, im Frühling, bei Lirazel und Orion.

Wie weit, in reinen Meilen gerechnet, er körperlich entfernt war von seinem Heim, zu dem hin seine glücklichen Gedanken allnächtlich sein müdes Körpergehäuse verließen, wußte Alveric nicht. Es war viele Jahre her, seit ihr Zelt eines Abends als graue Ungestalt in der Landschaft gestanden, in der seine Fetzen jetzt flatterten. Aber Niv wußte, daß sie Erl in letzter Zeit nähergekommen waren, denn seine Träume von Erl kamen jetzt bald schon zu ihm, nachdem er eingeschlafen, und früher waren sie erst tiefer in der Nacht gekommen, jenseits der Mitternacht oft und manchmal erst gegen Morgen: und daraus folgerte er, daß sie früher eine weite Strecke hatten zurücklegen müssen, nun aber nur noch eine kleine. Als er dies eines Abends heimlich Zend mitteilte, hörte ihm Zend wohl ernsthaft zu, doch gab keine Meinung zu erkennen, sondern sagte bloß: »Das weiß der Mond.«

Nichtsdestoweniger folgte er Niv, der ihre wunderliche Karawane beständig in die Richtung führte, aus der seine Träume vom Tale Erl am ehesten kamen. Und diese sonderbare Führung brachte sie Erl tatsächlich näher, wie es ja oft geschieht, wo Menschen Führern folgen, die blind sind oder verrückt oder irregeleitet; sie erreichen doch eines Tages diesen oder jenen Hafen, obschon sie nur so hingeirrt sind durch die Jahre, mit wenig Voraussicht genug: wäre es anders, was würde wohl dann aus uns werden?

Und so blickten denn eines Tages die Spitzen der Türme von Erl ihnen entgegen aus der blauen Ferne, schimmernd im frühen Sonnenlicht über den Hügeln. Und Niv wandte sich alsbald und führte sie darauf zu, denn die Linie ihres Wandermarsches hatte nicht direkt nach Erl gezeigt, und marschierte weiter wie ein Eroberer, welcher die Tore einer neuen Stadt erblickt. Was für Pläne er hatte, wußte Alveric nicht, und so blieb er bei seiner Teilnahmslosigkeit; und auch Zend wußte es nicht, denn Niv hatte bloß gesagt, daß seine Pläne geheim seien; und schließlich wußte Niv selber es nicht, denn seine Phantasien durchfluteten sein Hirn und verebbten wieder; und welche Pläne aus welchen Phantasien entstanden, in einer Stimmung, die von gestern kam, wie konnte er das wohl heute sagen?

Dann begegneten sie alsbald einem Schäfer, der mitten unter seinen grasenden Schafen stand, auf seinen Stab gelehnt, und beobachtete und nichts weiter im Sinn zu haben schien, als alles zu beobachten, was vorüberkam, oder, wenn nichts vorüberkam, hin über die Hügel zu starren und zu starren, bis alle seine Erinnerungen nur noch aus ihrem endlos weiten Gras bestanden. Er sah ihnen entgegen, ein bärtiger Mann, und beobachtete sie ohne jedes Wort, als sie vorübergingen. Und da erkannte ihn plötzlich eine von Nivs wahntrüben Erinnerungen, und Niv rief ihn an mit seinem Namen, und der Schäfer antwortete. Und wer sollte es anderes sein als Vand!

Dann kamen sie ins Gespräch; und Niv sprach voll Sanftmut und Besonnenheit, wie er es immer tat mit geistig gesunden Leuten, indem er in schlauer Verstellung die Wege und Schliche des gesunden Verstandes nachahmte, damit Alveric nicht etwa um Hilfe bat gegen ihn. Doch Alveric suchte keine Hilfe mehr. Still stand er da und hörte die andern reden, doch seine Gedanken weilten fern in der Vergangenheit, und ihre Stimmen waren ihm nichts als Schall. Und Vand erkundigte sich bei ihnen, ob sie denn Elfenland gefunden hätten. Doch er sprach wie einer, der Kinder fragt, ob ihr Spielzeugschiff schon bei den Inseln der Glückseligen gewesen sei. Er hatte seit vielen Jahren nur mit Schafen zu tun gehabt und ihre Bedürfnisse kennengelernt und ihren Preis und den Bedarf, den die Menschen an ihnen haben; und diese Dinge hatten sich unmerklich immer höher aufgetürmt um seine Phantasie und waren zuletzt eine Mauer geworden, über die er nicht mehr hinausblicken konnte. Als er noch jung war, ja, einst, da hatte auch er nach Elfenland gesucht; doch jetzt, je nun, war er älter geworden, und solche Dingen waren für die Jugend.

»Aber wir haben die Grenze gesehen«, sagte Zend, »die Zwielichtsgrenze.«

»Ein Nebel«, sagte Vand, »wie ihn der Abend bringt.«

»Ich habe aber«, sagte Zend, »selber am Rand von Elfenland gestanden!«

Doch Vand lächelte nur und schüttelte den bärtigen Kopf, während er dastand, auf seinen langen Stab gelehnt, und jedes langsame Kopfschütteln bestritt Zends Geschichten von jener Grenze, und seine Lippen lächelten sie fort, und in seinen duldsamen Augen lag ernst und schwer das Wissen der Gefilde, die wir kennen.

»Nein, nicht Elfenland«, sagte er.

Und Niv stimmte Vand bei, denn er studierte die Wege des gesunden Verstandes und hatte scharf achtgegeben auf seine Stimmung. Und sie sprachen von Elfenland mit leichten Worten, wie man von einem Traum erzählt, welcher bei Dämmerung gekommen und wieder gegangen, noch ehe man erwacht. Und Alveric hörte sie voller Verzweiflung, denn Lirazel wohnte nicht jenseits der Grenze nur, sondern sogar, wie er jetzt sah, auch jenseits des menschlichen Glaubens; so daß sie auf einmal viel ferner schien als je und ihm noch einsamer zumute war.

»Einst habe ich auch danach gesucht«, sagte Vand, »doch nein, es gibt kein Elfenland.«

»Nein«, sagte Niv, und Zend blieb unschlüssig.

»Nein«, bekräftigte Vand und schüttelte den Kopf und hob den Blick zu seinen Schafen.

Und da sah er, gleich hinter seinen Schafen, eine leuchtende Linie auf sie zukommen. Und so lange blieb sein Blick auf diese leuchtende Linie geheftet, die da von Osten über die Hügel kam, daß auch die anderen sich wandten und hinübersahen.

Und sie sahen sie ebenfalls, eine schimmernde Linie aus Silber, oder aus leichtem Blau wie Stahl, flackernd und wechselnd im Widerschein fremdartig flüchtiger Farben. Und vor ihr her, ganz schwach, wie die bedrohliche Brise, welche dem Sturm voranweht, kam nun der leise Klang uralter Lieder. Sie erfaßte, während sie alle noch standen und starrten, eins der entferntesten Schafe

Vands; und augenblicklich war sein Flies von jenem puren Gold, davon in alten Mären erzählt wird; und die leuchtende Linie lief weiter, und auf einmal waren alle Schafe verschwunden. Sie sahen jetzt, daß sie etwa die Höhe des Nebels hatte, der von einem kleinen Fluß kommt; und immer noch stand Vand da und starrte sie an, und er regte sich nicht, noch regten sich seine Gedanken. Doch Niv wandte sich alsbald und gab Zend einen kurzen Wink und packte Alveric beim Arm und hastete mit ihm davon, nach Erl hinüber. Die schimmernde Linie, die über jede Unebenheit der rauhen Felder zu holpern und zu stolpern schien, kam nicht so schnell nach, wie sie hasteten; doch sie hielt nimmer an, wenn sie rasteten, und wurde nimmer müde, wenn sie ermatteten, sondern glitt immer weiter über die Hügel und Hecken der Erde; und der Sonnenuntergang änderte nichts an ihrer Erscheinung, noch hemmte er ihren Lauf.

DIE LETZTE GROSSE RUNE (VIERUND-DREISSIGSTES KAPITEL). Als Alveric, geführt von den beiden Wahnsinnigen, zurückhastete zu den Landen, darüber er vor langer Zeit Herrscher gewesen, hatten die Hörner von Elfenland den ganzen Tag schon ihren Schall nach Erl geschickt. Und obschon nur Orion sie hörte, erregten sie doch die ganze Luft, indem sie alles mit ihrer wunderlichen Goldmusik durchfluteten, und erfüllten den Tag mit einem Wunder, das auch andere spürten; und so manch ein junges Mädchen beugte sich aus dem Fenster, um zu sehen, was den Morgen verzauberte. Doch als der Tag dahinging, schwand auch die Verzauberung der ungehörten Musik und machte einer Empfindung Platz, die auf allen Gemütern lastete in Erl und das Nahen einer unbekannten Wunderwelt anzukündigen schien. Sein Lebtag lang hatte Orion diese Hörner blasen hören am Abend, außer an Tagen, an denen er nicht gutgetan hatte: wenn er die Hörner am Abend hörte, so wußte er, daß es recht mit ihm stand. Doch nun hatten sie am Morgen schon geblasen und bliesen den ganzen Tag, wie eine Fanfare vor einem herannahenden Heer; und Orion blickte aus seinem Fenster und sah nichts, und die Hörner schallten fort, von einem Etwas kündend, das er nicht kannte. Weit fort riefen sie seine Gedanken von den Dingen der Erde, welche des Menschen Sorge sind, weit fort von allem, was da Schatten wirft. Er sprach mit keinem Menschen an diesem Tag, sondern ging zu seinen Trollen und den Elfenwesen, die ihnen über die Grenze gefolgt waren. Und alle Menschen, die ihn sahen, ge-

273

wahrten einen Blick in seinen Augen, der ihnen zeigte, daß seine Gedanken weit weg waren, in Reichen, welche sie fürchteten. Und wirklich auch waren seine Gedanken weit weg; sie weilten bei seiner Mutter. Und die ihren weilten bei ihm, überquellende Zärtlichkeiten, welche die Jahre ihr verweigert hatten im schnellen Hingang über unsere Felder, die sie ja nimmer verstanden. Und irgendwie wußte er, daß sie ihm näher war.

Und den ganzen seltsamen Morgen lang waren die Irrlichter voll Unruhe, und die Trolle sprangen wild herum in ihren Dachverschlägen, denn die Hörner von Elfenland durchtränkten die ganze Luft mit Zauber und erregten ihr Blut, obwohl sie nichts von ihnen hören konnten. Doch gegen Abend fühlten sie einen großen Wechsel auf sich zukommen und wurden alle still und trüb gestimmt. Und etwas trug ihnen Sehnsüchte zu nach ihrer fernen zaubrischen Heimat, ganz als hätte plötzlich ein leises Lüftchen ihre Gesichter getroffen, herübergeweht von den Bergseen Elfenlands; und sie liefen die Straße hinauf und hinunter und hielten Ausschau nach etwas Magischem, das ihnen ihre Einsamkeit unter den weltlichen Wesen würde lindern können. Doch sie fanden nichts, was den zaubergeborenen Lilien geglichen hätte, welche über den elfischen Seen wuchsen in ihrer Herrlichkeit. Und die Dörfler gewahrten sie allüberall, und es verlangte sie erneut nach den guten normalen Erdentagen, die sie gekannt vor der Ankunft des Zaubers in Erl. Und einige von ihnen liefen zum Haus des Befreiers und suchten Zuflucht bei ihm unter den heiligen Dingen vor all den unheiligen Gestalten, die da auf ihren Straßen waren, und all dem Zauber, welcher die Luft undeutlich drohend durchsummte. Und er schützte sie mit seinen Flüchen, welche das Licht vertrieben und die fast ziellos schwirrenden Irrlichter und selbst, bei kurzer Entfernung, die

Trolle schreckten; doch diese hüpften und schlüpften nur ein kleines Stück zurück. Und während die kleine Schar sich um den Befreier drängte und Trost bei ihm suchte vor dem Drohenden, das sich immer dichter und finsterer in der Luft ausbreitete, je weiter der kurze Tag verstrich, gingen andere zu Narl und den rührigen Ältesten von Erl und sprachen: »Seht her, was eure Pläne getan haben! Seht her, was ihr gebracht habt über unser Dorf!«

Und keiner der Ältesten gab ihnen unmittelbar Antwort, sondern sagte ein jeder, daß sie müßten Rats pflegen miteinander, denn sie hatten großes Vertrauen zu den Worten, welche in ihrem Parlament gesprochen wurden. Und zu diesem Behufe versammelten sie sich abermals in der Schmiede Narls. Es war jetzt Abend geworden, doch die Sonne hatte sich noch nicht zur Rüste begeben und Narl noch nicht sein Tagewerk beendet, sondern sein Feuer begann erst in tieferen Farben zu glühen unter den Schatten, die seine Schmiede betreten. Und die Ältesten kamen herein und schritten langsam und mit ernsten Gesichtern, teils weil sie der Geheimnistuerei bedurften, ihre Narrheit zu verhüllen vor dem Blick der Dörfler, teils um des Zaubers willen, welcher jetzt so schwer und dicht in der Luft hing, daß sie voll Fürchtens waren vor einem kommenden Unheil. Sie saßen in ihrem Parlament im Hinterzimmer, während die Sonne tiefer sank und die Elfenhörner, hätten sie von ihnen gewußt, deutlich und triumphierend bliesen. Und sie saßen schweigend da, denn was hätten sie auch sagen können? Sie hatten sich Zauber gewünscht, und nun war er gekommen. Trolle wimmelten auf sämtlichen Straßen, Kobolde waren in die Häuser eingedrungen, und alle Nächte schwirrten von Irrlichtern; und in der Luft hing schwer ein unbekannter Zauber. Was hätten sie sagen können? Und nach einer Weile sagte Narl, daß sie müßten einen neuen Plan schmieden; denn sie seien ein schlichtes glockenfürchtiges Volk gewesen allzeit, doch nun seien Zauberdinge über Erl gekommen und kämen noch immerzu mehr von ihnen aus Elfenland jede Nacht, und was sollte werden aus den alten Wegen, fänden sie nicht einen Plan?

Und Narls Worte ermutigten sie alle, obschon sie die unheimliche Drohung der Hörner spürten, die sie nicht hören konnten; aber schon daß sie von einem Plan reden konnten, machte sie kühn, denn sie hielten dafür, daß sie Pläne machen könnten gegen den Zauber. Und einer nach dem andern standen sie auf, von einem Plan zu reden.

Doch bei Sonnenuntergang erstarb ihr Reden langsam. Und ihre Furcht, daß etwas Unheimliches auf sie zukam, wuchs nun zur festen Gewißheit. Oth und Threl wußten es zuerst, denn sie hatten in den Wäldern gelebt und waren vertraut mit dem Geheimnisvollen. Alle wußten, daß etwas kam. Niemand wußte, was. Und sie saßen alle schweigend und voller Fragen in der Dämmerung.

Lurulu sah es zuerst. Er hatte den ganzen Tag von den pflanzengrünen Bergseen Elfenlands geträumt und war, der Erde müde geworden, ganz allein auf die Spitze eines Turms gestiegen, der sich über dem Schloß von Erl erhob, und kauerte nun auf einer der Zinnen und schaute wehmütig heimwärts. Und da er so hinblickte über die Gefilde, die wir kennen, sah er die leuchtende Linie herniederkommen über Erl. Und aus ihr aufsteigen hörte er, ganz schwach, nur wie ein Rieseln über den Felderfurchen, ein Murmeln aus vielen alten Liedern; denn sie kam nach der Weise alter Erinnerungen, voller Musik und verlorener Stimmen, und brachte unseren Feldern alles wieder, was die Zeit von der Erde vertrieben. Sie kam auf ihn zu, hell wie der Abendstern und blitzend in jähen Farben, davon manche auf Erden gewöhnlich, doch manche auch

276

unbekannt waren unserem Regenbogen; so daß Lurulu sie alsbald für die Grenze Elfenlands erkannte. Und all seine Unverschämtheit kehrte ihm zurück beim Anblick seiner Fabelheimat, und er gab eine schrille Gelächter-salve von sich auf seinem hohen Sitz, die über die Dächer drunten hinschallte wie das Schackern nesterbauender Vögel. Und die kleinen heimwehkranken Trolle in ihren Bodenverschlägen wurden fröhlich, da sie diese seine Fröhlichkeit hörten, obwohl sie nicht wußten, woher sie kam. Und nun hörte Orion auch die Hörner blasen, so laut und nah und mit soviel Triumph und Pracht und da-bei so sehnsuchtsvoll schwermütig doch, daß er jetzt auf einmal wußte, warum sie bliesen, wußte, daß sie das Na-hen kündeten einer Prinzessin von elfischem Geblüt, wußte, daß seine Mutter zu ihm zurückkam.

Und dies wußte, hoch auf ihrem Berg, auch Ziroonde-rel, durch Zauberkraft vorgewarnt; und als sie nieder-blickte in den Abend, sah sie die sternengleiche Linie aus gemischtem Zwielicht alter verlorener Sommerabende über die Felder auf Erl zugleiten. Fast wollte Verwunde-rung sie ankommen, als sie die glitzernde Welle über die irdischen Weiden fluten sah, obschon ihre Weisheit ihr längst schon gesagt hatte, daß sie kommen mußte. Und auf der einen Seite sah sie die Gefilde, die wir kennen, voller gewohnter Dinge, und auf der anderen sah sie, da sie niederblickte aus ihrer Höhe, hinter der in ungezähl-ten Farbschatten schillernden Grenze, das tiefgrüne elfi-sche Blattwerk und Elfenlands Zauberblumen und Din-ge, welche kein Fiebertraum erblicken läßt auf Erden und keine Eingebung; und die Fabelwesen Elfenlands schrit-ten in stolzer Anmut heran; und hinter ihnen kam in leichtem Gang über die Felder, von Elfenland selbst um-geben, ihre eigene Herrin, die Prinzessin Lirazel, nach Hause zurück, und das Zwielicht entströmte wallend ih-

277

ren beiden Händen, die sie ein wenig von sich gestreckt hatte. Und bei diesem Anblick und all der Fremdartigkeit, welche da über unsere Felder kam, oder auch ob der alten Erinnerungen, die mit dem Zwielicht kamen, oder der lange vergangenen Lieder, die darin sangen, kam eine seltsame Freude voll Zitterns über Ziroonderel, und wenn Hexen weinen, so weinte sie.

Und nun sahen auch die Dörfler aus den oberen Fenstern ihrer Häuser allmählich die Glitzerlinie, die kein irdisches Zwielicht war: sie sahen sie heranblitzen mit ihrem Sternenschimmer und unaufhaltsam auf sich zufluten. Ganz langsam kam sie, als glitte sie nur mit Schwierigkeit über das unebene Gebiet der Erde; denn immerhin hatte ihre Geschwindigkeit kürzlich noch, beim Lauf über die rechtmäßigen Lande des Elfenkönigs, selbst den Kometen ausgestochen. Und kaum hatten sie sich baß verwundert ob ihrer Fremdartigkeit, da fanden sie sich schon mitten unter höchst vertrauten Dingen, denn die alten Erinnerungen, die vor ihr hertrieben wie Wind vor dem Gewitter, rührten plötzlich an ihr Herz und ihre Häuser, und siehe – auf einmal lebten sie wieder unter Dingen, die ihnen längst vergangen und verloren. Und als die Linie aus unirdischem Licht näherkam, vernahmen sie ein Rascheln, gleichwie von Regen auf Blättern, und es waren alte Seufzer, abermals gehaucht, und alte Liebesflüster, die sich wiederholten. Und da befiel die Menschen, die still in ihren Fenstern lehnten, eine seltsam weiche Stimmung, also daß sie sehnsüchtig rückwärts blickten durch die Zeit, eine Stimmung, wie sie von riesigen Ampferblättern ausgehen kann in alten Gärten, wenn alles fort ist, was einst ihre Rosen gepflegt oder geliebt ihre Lauben.

Noch hatte die Linie aus Sternenlicht und vergangener Liebe die Mauern von Erl nicht erreicht und nicht die

Häuser umbrandet, doch war sie so nah schon, daß bereits jetzt die alltäglichen Sorgen vergingen, welche die Menschen am Staub der Gegenwart hielten, und sie spürten den Balsam vergangener Tage und die Segnungen lange verwelkter Hände. Nun liefen die Älteren hinaus zu den Kindern, die mit einem Seil hüpften auf der Straße, um sie ins Haus zu holen, und sie sagten ihnen nicht, warum, aus Furcht, ihre Töchter zu erschrecken. Und die Bestürzung in den Gesichtern ihrer Mütter verwirrte für einen Augenblick die Kinder; dann aber schauten einige von ihnen nach Osten und sahen die leuchtende Linie. »Ach, da kommt ja Elfenland«, sagten sie und nahmen ihr Seilhüpfen wieder auf.

Und auch die Hunde wußten, obwohl ich, was sie wußten, nicht sagen kann; doch irgendein Einfluß drang zu ihnen aus Elfenland, ein Einfluß, wie er auch etwa vom Vollmond ausgeht, und sie bellten, wie sie in klaren Nächten bellen, wenn die Felder vom Mondschein überflutet sind. Und die Hunde auf den Straßen, die allzeit wachten, daß nichts Fremdes sich nähere, wußten insgleichen, welch große Fremdheit ihnen jetzt nahe war, und verkündeten es dem ganzen Tal.

Und der alte Lederwerker in seiner Hütte über den Feldern blickte aus dem Fenster, um zu sehen, ob sein Brunnen zugefroren sei, und da sah er einen Maimorgen von vor fünfzig Jahren und darin sein Weib, das blauen Flieder schnitt, denn Elfenland hatte die Zeit von seinem Garten vertrieben.

Und nun hatten die Dohlen die Türme von Erl verlassen und flogen nach Westen davon; und das Bellen der Hunde erfüllte die ganze Luft und der Lärm der kleineren Kläffer. Und plötzlich verstummte das alles, und eine große Stille kam über das Dorf, als wäre jäh ein zollhoher Schnee gefallen. Und durch diese Stille drang sanft eine seltsame alte Musik; und niemand sprach mehr ein Wort.

Und wo Ziroonderel saß vor ihrer Tür, das Kinn in die Hand gestützt, und schaute, da sah sie, wie die helle Linie die Häuser berührte und ins Stocken kam und wie sie, von ihnen aufgehalten, zu beiden Seiten an ihnen vorbeifloß, als wäre sie mit etwas zusammengestoßen, was zu stark für ihren Zauber war; aber nur einen Augenblick lang hielten die Häuser die wunderbare Gezeit auf, denn dann brach sie über sie herein, in einem Ausbruch schier unirdischen Schaums, wie ein Meteor aus unbekanntem Metall am Himmel brennt, und flutete weiter, und die Häuser standen wunderlich da und verwunschen, wie die Heimstätten eines lange vergangenen Zeitalters, derer sich ein ererbtes, jählings erwachendes Gedächtnis entsinnt.

Und dann sah sie den Knaben, dessen Amme sie gewesen, vortreten in das Zwielicht, von einer Macht gezogen, die nicht geringer war als jene, welche ganz Elfenland bewegte: sie sah ihn und seine Mutter einander wiederbegegnen in all dem Licht, welches das Tal mit Glanz überflutete. Und Alveric war bei ihr, und in kleinem Abstand folgten den beiden dienstbare Fabelwesen, die ihre Gebieterin auf dem ganzen Weg von den Tälern der Elfenberge her begleitet hatten. Und von Alveric war die schwere Bürde der Jahre abgefallen und alle Kümmernis der Wanderschaft: auch er weilte wieder in den einstigen Tagen, bei alten Liedern und verlorenen Stimmen. Und Ziroonderel konnte die Tränen der Prinzessin nicht sehen, als sie und Orion einander wiederbegegneten nach all der langen Trennung durch Raum und Zeit, denn zwar blitzten sie wie die Sterne, doch sie stand selber inmitten des strahlenden Sternenlichts der Grenze, das sie umleuchtete wie das breite Gesicht eines Planeten. Doch obschon die Hexe dies nicht sah, drangen doch klar und deutlich an ihre alten Ohren die Klänge von Liedern, die wieder zu unseren Gefilden zurückkehrten aus den Talschluchten Elfenlands, darin sie so lange gelegen, und es waren die alten Lieder alle, die einst aus den Kinderstuben der Erde verloren gegangen. Nun umsummten sie leise das Wiedersehen von Lirazel und Orion.

Und Niv und Zend hatten endlich Ruhe vor ihren wilden Phantasien, denn ihre tollen Gedanken fanden Frieden in der Stille Elfenlands und schliefen sanft, wie Falken schlafen in ihren Bäumen, wenn der Abend die Welt beschwichtigt hat. Ziroonderel sah sie beieinander stehen, wo die Grenze der Hügellande gewesen war, ein wenig entfernt von Alveric. Und da stand auch Vand inmitten seiner goldenen Schafe, welche die fremden süßen Säfte wundersamer Blumen schmatzten.

Mit all diesen Wundern kam Lirazel zu ihrem Sohn, und mit sich brachte sie Elfenland, das sich niemals noch um auch nur Glockenblumenbreite über die irdische Grenze hinausbewegt hatte. Und die Stätte ihrer Begegnung war ein alter Rosengarten unter den Türmen von Erl, in dem sie einst gewandelt war und um den sich seither niemand gekümmert hatte. Hohes Unkraut wuchs jetzt auf seinen Wegen, und es war welk schon von der Strenge des späten Novembers: seine trockenen Stengel raschelten Orion um die Füße, als er durch sie hindurchschritt, und schwangen braun zurück hinter ihm über ungepflegten Pfaden. Doch vor ihm blühten in all ihrer Herrlichkeit und Schönheit die großen wollüstigen Rosen voll Sommerpracht. Zwischen dem November, den sie vor sich hertrieb, und jener alten Rosenjahreszeit, die sie zurückgebracht in ihren Garten, begegneten sich Lirazel und ihr Sohn. Einen Augenblick noch lag der verwelkte Garten braun hinter ihm, dann aber blitzte alles in Blüten auf, und der wilde glückliche Gesang von Vögeln in wohl hundert Bäumen entbot den alten Rosen den Willkommensgruß. Und Orion war wieder zurück in der Schönheit und Helle von Tagen, deren trübschöne Schatten seine Erinnerung in Ehren gehalten hatte und deren Abglanz zu des Menschen größten Schätzen zählte; doch das Schatzhaus, in dem sie liegen, ist verschlossen, und wir haben den Schlüssel nicht. Dann flutete Elfenland hin über Erl.

Nur das Heiligtum des Befreiers und der Garten, in dem es lag, blieben weiter Teil unserer Erde, ein kleines Eiland, rings ganz umgeben von Wundern, wie ein felsiger Bergesgipfel, hoch einsam in der Luft, wenn ein Nebel aufwallt in der Dämmerung aus den Hochlandtälern und nur eine Zinne freiläßt, dunkel gen Himmel zu starren. Denn der Klang seiner Glocke hatte ein kleines Stück ringsum die Rune zurückgeschlagen und das Zwielicht. Dort lebte er glücklich, zufrieden, nicht ganz allein, inmitten seiner heiligen Dinge, denn ein paar wenige Menschen, die abgeschnitten worden waren von der zaubrischen Flut, lebten bei ihm auf dem heiligen Eiland und dienten ihm dort. Und er lebte über das Alter gewöhnlicher Menschen hinaus, doch erreichte nicht die Jahre des Zaubers.

Niemand überquerte je die Grenze außer einer, der Hexe Ziroonderel, welche in Sternennächten von ihrem Berg, der gleich hinter der Erdengrenze lag, auf ihrem Besen hinübergeritten war, ihre Herrin dort wiederzusehen, wo sie, von keinem Alter gequält, mit Alveric und Orion weilte. Und manchmal kommt sie wieder her von dort, hoch in der Nacht auf ihrem Besenstiel, von keinem Hügel sichtbar auf unseren irdischen Gefilden, es sei denn, man kann zufällig beobachten, wie Stern um Stern am Himmel für einen Augenblick ausblinkt, wenn sie daran vorüberfliegt, und sitzt dann vor Hüttentüren und erzählt gar seltsame Geschichten denen, die sich noch etwas daraus machen, Nachrichten zu empfangen von den Wundern Elfenlands. Möge auch ich sie wieder hören!

Und als nun die letzte seiner weltaufstörenden Runen ausgesendet und seine Tochter wieder glücklich war, atmete der Elfenkönig auf seinem ungeheuren Thron tief auf und sog die Stille ein, in der sich Elfenland sonnt; und all seine Reiche träumten fort in jener alterslosen Ruhe, von welcher die tiefgrünen Teiche im Sommer kaum eine Ahnung bergen; und auch Erl träumte fort mit dem ganzen übrigen Elfenland und schwand so aus dem Gedächtnis der Menschen. Denn die Zwölf, die zum Parlament von Erl gehörten, blickten durch das Fenster jenes Hinterzimmers, darin sie mit Narl ihre Pläne geschmiedet, und da sie so hinblickten über die vertrauten Lande, erkannten sie, daß es nicht mehr die Gefilde waren, die wir kennen.

Inhalt

Hobbit Presse
Klett-Cotta

Joy Chant
Roter Mond und Schwarzer Berg
Aus dem Englischen übersetzt von Hans J. Schütz
380 Seiten, kartoniert, im Schuber. ISBN 3-12-901470-5

William Goldman
Die Brautprinzessin
S. Morgensterns klassische Erzählung von wahrer Liebe
und edlen Abenteuern
Gekürzt und bearbeitet von William Goldman
Aus dem Amerikanischen übersetzt von
Wolfgang Krege
332 Seiten, kartoniert, im Schuber.
ISBN 3-12-902960-5

George MacDonald
Lilith
Aus dem Englischen übersetzt von Uwe Herms
347 Seiten, kartoniert, im Schuber. ISBN 3-12-906040-5

Amadis von Gallien
Nach alten Chroniken überarbeitet, erweitert und ver-
bessert durch Garcí Ordoñez de Montalvo im Jahre 1508.
Nachwort und Übersetzung aus dem Spanischen von
Fritz Rudolf Fries.
Zwei Bände, zusammen 619 Seiten,
kartoniert, im Schuber. ISBN 3-12-905790-0

Peter S. Beagle
Das letzte Einhorn
Aus dem Amerikanischen übersetzt von
Jürgen Schweier.
183 Seiten, kartoniert, im Schuber. ISBN 3-12-900740-7

Hobbit Presse
Klett-Cotta

J. R. R. Tolkien
Der Herr der Ringe

Aus dem Englischen übersetzt von Margaret Carroux.
Wohlfeile kartonierte Ausgabe. Drei Bände, zusammen
1257 Seiten, in einem Schuber. ISBN 3-12-908000-7.
Leinenausgabe in drei Bänden.
Bd. 1 ISBN 3-12-908080-5, Bd. 2 ISBN 3-12-908090-2,
Bd. 3 ISBN 3-12-908100-3

Bernhard Oberdieck
Bild-Leporello zu
J. R. R. Tolkien „Der Herr der Ringe" 1

ISBN 3-12-906260-2

J. R. R. Tolkien
Fabelhafte Geschichten

Bauer Giles von Ham / Der Schmied von Großhol-
zingen / Blatt von Tüftler. Aus dem Englischen übersetzt von Karl A. Klewer, Angela Uthe-Spencker und
Margaret Carroux. Von Heinz Edelmann gestaltete
Neuauflage. 160 Seiten, broschiert. ISBN 3-12-908050-3

J. R. R. Tolkien
Die Briefe vom Weihnachtsmann

Aus dem Englischen übersetzt von Anja Hegemann.
48 Seiten mit vielen farbigen Bildern, Großformat,
Pappband mit vierfarbigem Überzug, 20,– DM.
ISBN 3-12-907990-4

T. H. White
Der König auf Camelot

Aus dem Englischen übersetzt von Rudolf Rocholl.
Versübertragung von H. C. Artmann. Vier Bücher in
zwei Bänden. Band 1: 306 Seiten, kartoniert, im Schuber.
ISBN 3-12-908690-0. Band 2: 335 Seiten, kartoniert,
im Schuber. ISBN 3-12-908730-3